Des souvenirs oubliés

NORA ROBERTS

Des souvenirs oubliés

Roman

MOSAÏC *poche*

Titres originaux :
Première partie : TREASURES LOST, TREASURES FOUND
Deuxième partie : MIND OVER MATTER

Traduction de l'américain par :
Première partie : JULIA LOPEZ-ORTEGA
Deuxième partie : CHRISTIANE COZZOLINO

Première partie : © 1986, Nora Roberts
Deuxième partie : © 1987, Nora Roberts

© 2016, Harlequin SA

Le visuel de couverture est reproduit avec l'autorisation de :
Vélo : © GETTY IMAGES/ROYALTY FREE
Ciel : © GETTY IMAGES/ROYALTY FREE
Réalisation graphique couverture : L. SLAWIG (Mosaïc)

MOSAÏC, une maison d'édition de la société HARLEQUIN
83-85, boulevard Vincent-Auriol, 75646 PARIS CEDEX 13
Tél. : 01 42 16 63 63

www.editions-mosaic.fr

ISBN 978-2-2803-5255-0 — ISSN 2261-4540

L'ÉTÉ DE LA PASSION

1

Edwin J. Hardesty n'était pas le genre d'homme à tirer des plans sur la comète. Pourtant un jour, contre toute attente, il s'était mis en quête d'un trésor... Et d'après ce qu'indiquaient ses kilomètres de notes, ses cartes marines multiples et détaillées et les nombreux ouvrages aux pages cornées qu'il avait compulsés, il semblait tout proche de le découvrir.

Le rayon lumineux qui traversait la pièce lambrissée s'arrêtait sur le bureau en chêne, caressant au passage la main longue et fine de Kathleen Hardesty. Vierge de bagues et de vernis à ongles, cette main était pourtant de celles que l'on imagine en train de tenir une tasse de porcelaine ou d'agiter un éventail. C'était une main étonnamment racée pour une personne qui ne se considérait pas le moins du monde comme quelqu'un d'élégant, de délicat ou même de particulièrement féminin.

Enseignante attentive et dévouée, Kathleen Hardesty avait suivi les traces de son père. Elle était fascinée par le monde de la connaissance et de la réflexion, source d'enseignement pour elle comme pour ses élèves. D'aussi loin qu'elle se souvienne, son père avait toujours insisté sur l'importance de l'éducation. C'était pour lui une priorité. L'éducation était à l'origine de la cohésion sociale et donc de la civilisation. Elle avait ainsi grandi dans l'odeur poussiéreuse des livres et au rythme des cours.

On attendait d'elle qu'elle excelle en classe et c'est ce qu'elle avait fait. On attendait d'elle qu'elle marche sur les pas de son père, dans le monde feutré de l'éducation ; à vingt-huit ans, Kate venait de terminer sa première année à la prestigieuse université Yale en tant que maître de conférences au sein du département de littérature anglaise.

Mais à vrai dire, assise dans la semi-pénombre du bureau, elle avait parfaitement le physique de l'emploi. Ses cheveux châtain clair étaient soigneusement relevés au moyen de plusieurs barrettes qui ne laissaient échapper aucune mèche rebelle. Ses lunettes à monture d'écaille semblaient trop sombres sur sa peau claire. Ses pommettes hautes lui donnaient parfois un air hautain, que contredisaient ses grands yeux de biche d'un brun chaud et profond.

Elle avait ôté sa veste et l'avait placée sur le dossier de sa chaise. Elle portait un chemisier blanc impeccablement repassé, dont elle avait retourné les manches, révélant ses poignets délicats et une élégante montre suisse. Ses oreilles étaient parées de fins anneaux d'or, qui lui avaient été offerts par son père pour son vingt et unième anniversaire. C'était le seul cadeau personnel que Kate ait jamais reçu de lui.

Sept longues années plus tard, à peine une semaine après les funérailles de son père, Kate se retrouvait assise à son bureau. Il flottait toujours dans la pièce l'odeur de son eau de Cologne, mêlée à celle du tabac. C'était le seul endroit où il fumait la pipe.

Kate avait enfin trouvé le courage de faire le tri dans ses papiers.

Elle ne savait pas qu'il était malade. Il avait à peine plus de soixante ans et paraissait toujours aussi robuste. Il n'avait jamais parlé de ses visites chez le médecin, et ce n'est qu'après qu'il eut été terrassé par un infarctus que Kate avait découvert les pilules cachées dans la poche de sa veste. Son père n'abordait jamais les sujets personnels. Il ne parlait pas plus de ses projets, et encore moins de ses rêves, c'est la raison pour laquelle Kate venait seulement de découvrir l'existence des recherches qu'il avait menées.

Maintenant qu'elle en savait plus sur lui, elle se demandait si elle avait jamais connu l'homme qui l'avait élevée. Ses souvenirs de sa mère étaient flous, ce qui n'était pas surprenant après plus de vingt ans. Mais son père, lui, était encore vivant la semaine dernière…

Kate ferma les yeux un instant, les doigts sur les tempes, et se renversa en arrière dans son siège. Elle essayait, dans l'obscurité du bureau, de se remémorer son père de façon précise.

Physiquement, il était grand et plutôt fort. Il avait les cheveux gris acier et un visage patient. Il affectionnait les costumes sombres portés avec des chemises blanches. Pourtant, si elle se rappelait l'homme physiquement, Kate luttait pour retrouver le père…

Il n'avait jamais été dur avec elle. Kate n'avait pas le moindre souvenir de son père haussant le ton ou la corrigeant. Il fallait aussi dire qu'elle ne lui en avait pas vraiment donné l'occasion. Il lui suffisait généralement d'exprimer sa désapprobation ou sa déception pour qu'elle rectifie immédiatement le tir.

C'était un homme brillant, infatigable, dévoué. Mais il n'utilisait ses qualités que pour son travail, sa vocation. En tant que père, il n'avait jamais été dur avec elle. C'était décidément la seule conclusion à laquelle elle parvenait, et cela réveillait en elle douleur et culpabilité.

Au moins ne l'avait-elle pas déçu… C'était à cela qu'elle se raccrochait. Il le lui avait dit, en ces termes précis, lorsque le département de littérature anglaise de Yale avait accepté sa candidature. Mais il ne s'était pas vraiment attendu à autre chose de sa part. Kate avait toujours su quel était le rêve de son père pour elle, même s'ils n'en avaient jamais vraiment parlé.

Avait-il jamais imaginé à quel point elle l'aimait ? Avait-il seulement pris en compte les efforts qu'elle avait faits pour être à la hauteur de ses attentes ? Si seulement il avait pu lui dire, ne serait-ce qu'une fois, qu'il était fier d'elle…

Kate était fatiguée. Elle avait passé des heures à déchiffrer les documents écrits de la main de son père. Elle se frotta les yeux en passant les doigts sous ses lunettes.

Et puis, au bout du compte, elle n'avait pas même eu droit aux derniers instants intenses avec son père. Ces moments magiques que l'on voit dans les films ou qu'on lit dans les romans. Lorsqu'elle était arrivée à l'hôpital, il était déjà parti. On ne lui avait pas même accordé le temps de quelques derniers mots. Pas de temps pour les larmes, non plus.

Elle se retrouvait toute seule dans leur maison de Cape Cod. Cette maison dans laquelle ils avaient vécu ensemble. La femme de ménage continuerait à venir le mercredi matin et le jardinier serait là le samedi pour tondre la pelouse. Quant à elle, elle restait toute seule pour trier les papiers et régler les formalités.

Elle y arriverait. Elle s'enfonça un peu plus dans le siège en cuir de son père. Elle y arriverait parce que tout cela était concret. Il ne lui était pas difficile de gérer les problèmes pratiques. En revanche, que devait-elle faire avec les documents qu'elle avait découverts ? Tous ces calepins, soigneusement remplis de notes, de théories et de calculs, ces cartes précisément documentées… Son premier réflexe avait été de tout archiver avant de les ranger et de s'empresser de les oublier.

Mais quelque chose l'en empêchait. Elle feuilleta une fois encore la pile de documents. Son père devait y croire vraiment, sinon il n'aurait jamais consacré autant de son précieux temps à ces recherches. Elle n'aurait jamais l'occasion d'en parler avec lui mais, curieusement, n'était-ce pas une façon pour eux de communiquer ? Son père n'avait-il pas essayé de lui laisser quelque chose de lui, à sa façon ?

Un trésor. Un trésor englouti. De ceux qui inspirent des romans ou des films hollywoodiens. A en juger par la pile de notes qu'il avait amassées, Hardesty devait avoir passé des mois, voire des années, à établir la position de ce navire marchand anglais, échoué au large des côtes de la Caroline du Nord, deux siècles auparavant.

Kate se représenta Edward Teach, le pirate assoiffé de sang que l'on surnommait Barbe-Noire et qui avait fait régner la terreur. Mais tout cela n'existait que dans les romans, elle était bien placée pour le savoir !

L'île d'Ocracoke. Le souvenir était précis, à la fois douloureux et chéri. Pourtant, Kate pensait avoir relégué au tréfonds de sa mémoire tout ce qui s'était passé cet été-là, quatre ans auparavant. Tout et tout le monde. Alors, si elle devait prendre une décision rationnelle, il lui faudrait se replonger dans ses souvenirs de ces longs mois passés sur les plages lointaines de la Caroline du Nord.

A cette époque, elle venait de commencer ses recherches pour son doctorat. Elle avait été surprise que son père lui annonce qu'il avait décidé de passer l'été à Ocracoke et qu'il lui propose de l'accompagner. Elle était partie, bien sûr, emportant machine à écrire et caisses de livres. Elle n'avait pas imaginé que les plages de sable blanc et le cri des mouettes pourraient avoir sur elle ce genre d'effet. Elle n'avait pas non plus imaginé qu'elle tomberait désespérément et stupidement amoureuse.

Oui, stupidement, pensait-elle souvent, comme pour se protéger. Car ses sentiments pour Ky étaient tout sauf raisonnables.

D'ailleurs son prénom lui-même était à son image. Unique, original, un brin tapageur. Il était son exact négatif. Pourtant, cela ne l'avait pas empêchée de perdre la tête et d'y laisser son cœur et son innocence. Elle avait vécu un été magique et envoûtant.

Elle le voyait encore à la barre du bateau que son père avait loué, riant dans le vent, ses cheveux noirs en bataille. Elle pouvait presque revivre les sensations grisantes de leurs plongées dans les eaux chaudes. Elle s'était sentie, l'espace d'un été, légère comme l'air. C'était sans doute parce qu'elle était tellement absorbée par ce qu'elle était en train de vivre qu'elle n'avait pas pris conscience de l'intérêt soudain de son père pour les observations sous-marines et les sorties en mer.

Elle était tellement abasourdie de constater qu'un homme comme Ky pouvait être attiré par une femme comme elle, qu'elle n'avait pas remarqué que son père étudiait consciencieusement les courants et les marées. Elle était tellement ailleurs qu'elle n'avait pas été surprise que son père n'occupe pas son temps libre en pêchant, comme les autres vacanciers.

Mais maintenant, ses fantaisies adolescentes étaient loin derrière elle. Elle se remémorait les longues heures passées par son père dans sa chambre d'hôtel, à compulser l'un après l'autre tous les ouvrages qu'il avait rapportés du continent. Il menait ses recherches. Et il les avait certainement poursuivies les années suivantes, lorsqu'elle avait refusé de l'accompagner sur l'île. Refusé à cause de Ky Silver.

Ky lui avait demandé de croire aux contes de fées. Il lui avait demandé l'impossible et lorsque, effrayée, elle avait refusé, il avait simplement haussé les épaules et poursuivi son chemin sans même se retourner pour un dernier regard. Elle n'avait jamais revu les plages de sable blanc, ni entendu les mouettes, depuis.

Kate balaya du regard la surface du bureau, recouvert des papiers de son père. Il fallait qu'elle y retourne, maintenant. Qu'elle y retourne et termine le travail que son père avait commencé. A l'image de la maison, du compte en banque, ou des bijoux anciens que lui avait laissés sa mère, ceci était l'héritage de son père. Elle aurait beau archiver consciencieusement ces documents dans l'espoir de les enterrer, ils reviendraient la hanter pour le restant de ses jours.

Il fallait qu'elle y retourne. Kate se répétait cela tandis qu'elle ôtait ses lunettes et les déposait sur le bureau.

15

Et c'était à Ky Silver qu'elle devrait s'adresser. Si les ambitions de son père l'avaient séparée de Ky une fois, maintenant, quatre ans après, elles le menaient à lui.

Au fond d'elle, pourtant, Kathleen Hardesty connaissait la différence entre contes de fées et réalité. Elle ouvrit le premier tiroir du bureau de son père et en sortit une feuille de papier à lettres.

Ky accéléra brutalement et sentit le vent lui fouetter le visage. Il appréciait la vitesse de la même façon qu'il aimait à paresser dans un hamac. Cela faisait partie des choses qui rendaient la vie plus douce. Il aimait l'odeur salée des embruns et ne s'en lassait jamais. Il était habitué aux vibrations du moteur sous ses pieds, mais il les ressentait toujours comme si c'était la première fois. Il n'était pas du genre à ne pas profiter des choses sous prétexte qu'elles devenaient quotidiennes.

Il avait grandi dans cette petite ville côtière isolée de tout. Il avait voyagé pourtant, et n'avait pas l'intention d'arrêter, mais jamais il n'avait imaginé vivre ailleurs. Il aimait cette sensation de liberté que l'on éprouve en mer, couplée à l'intimité d'une petite communauté.

Il n'avait rien contre les touristes, car c'étaient eux qui maintenaient son village en vie, mais il préférait l'île en hiver, lorsque les tempêtes éclatent et que seuls les plus braves osent affronter la traversée en ferry par le cap Hatteras.

Il avait l'habitude de pêcher, mais contrairement à la plupart de ses voisins, il revendait rarement ses prises. Ce qu'il pêchait, il le mangeait. Il plongeait souvent, ramassant parfois des coquillages pour son propre plaisir. Il lui arrivait d'emmener des touristes sur son bateau pour une sortie de pêche ou de plongée, car il appréciait aussi la compagnie de temps en temps. Mais certaines fois, comme par cet après-midi éclatant, il voulait avoir la mer pour lui tout seul.

Il n'avait jamais été très calme. Sa mère racontait qu'il était né avec deux semaines d'avance, car il ne tenait plus en place. Au printemps dernier, Ky avait eu trente-deux ans. Pourtant, il était loin d'être établi dans la vie. Il savait ce qu'il voulait : vivre comme il l'entendait. Restait à déterminer quels étaient ses choix, justement.

A cet instant précis, cela aurait pu être le ciel à perte de vue et la mer à l'infini. Mais parfois, cela ne suffisait pas, il le savait.

Pour l'instant, le soleil était au zénith, la brise était fraîche, le rivage se rapprochait et le moteur de son bateau ronronnait. Il avait pêché quelques poissons qu'il cuisinerait ce soir. Cela devrait suffire pour aujourd'hui.

Vu du rivage, on aurait dit un pirate des temps modernes. Ses cheveux tombaient en boucles souples dans son cou. Ils étaient d'un noir profond qui venait probablement de ses origines indiennes et siciliennes. Ses yeux étaient du vert profond de la mer les jours d'orage. Les journées passées torse nu au soleil avaient donné à sa peau une belle couleur de miel. Les heures occupées à nager ou à sortir de l'eau ses lourds filets de pêche avaient sculpté son corps musclé.

Lorsqu'il souriait, comme en ce moment même, tandis qu'il fendait le vent en direction du rivage, son visage exprimait la liberté insouciante et l'indépendance totale. Il y avait décidément en cet homme de quoi rendre folle n'importe quelle femme. Pourtant, lorsqu'il cessait de sourire, son regard avait soudain la froideur angoissante de celui du lion qui s'apprête à bondir sur sa proie… Mais il avait depuis longtemps compris que cela aussi était irrésistible.

Ky coupa les gaz et son bateau ralentit pour glisser tranquillement jusqu'au port de Silver Lake. Avec la facilité et l'assurance de ceux qui ont grandi en mer, il sauta sur le quai et amarra son bateau.

— Tu as fait bonne pêche ?

Ky se retourna vivement. Il eut un sourire presque absent, de ceux que l'on adresse à un frère que l'on voit tous les jours.

— Oui, j'ai juste ce qu'il me faut. Pas trop de travail au Roost, on dirait ?

Marsh lui sourit et, l'espace d'un instant, ils se ressemblèrent étonnamment.

— Tu t'inquiètes pour tes affaires ?

— Pas tant que c'est toi qui les fais tourner ! répondit Ky en haussant les épaules dans un geste désinvolte.

Marsh ne dit rien. Ils se connaissaient depuis toujours. L'un était une pile électrique, l'autre était tempéré et patient. Leurs différences ne les avaient jamais séparés.

— Linda aimerait que tu viennes dîner. Elle s'inquiète pour toi.

Comme d'habitude !, pensa Ky, amusé. Sa belle-sœur aimait materner et se faire du souci, même si elle était de cinq ans sa cadette. C'était une des raisons du succès du restaurant, en plus du sens des affaires de Marsh et des investissements qu'avait réalisés Ky. Ce dernier avait laissé la gestion du lieu à son frère et sa belle-sœur.

Il était prêt à posséder un restaurant, à y investir ses économies, mais n'avait certainement aucune intention d'y travailler tous les jours.

Une fois ses filets arrimés, Ky s'essuya les mains sur son short en jean.

— Quel est le menu ?

Marsh mit les mains dans ses poches en se balançant nonchalamment.

— Des steaks de thon.

Ky eut un large sourire et découvrit la glacière dans laquelle se trouvait sa prise du jour.

— Dis à Linda de ne pas s'inquiéter. J'ai de quoi manger !

— Cela ne suffira pas à la rassurer, répondit Marsh en levant les yeux vers Ky qui contemplait l'horizon. Elle trouve que tu es trop solitaire ces derniers temps.

— On ne peut être « trop » solitaire que si l'on n'aime pas la solitude, répliqua Ky en se tournant vers Marsh. Vous devriez faire un autre enfant, comme ça Linda sera trop occupée pour s'inquiéter du grand frère !

Ky n'avait pas envie de discuter maintenant, alors qu'il était encore empli des sensations de la vitesse et de la brise qui fouettait son visage.

— Je t'en prie ! Hope n'a que dix-huit mois.

Ky était fou de sa nièce, même si, ou plutôt, parce qu'elle était un vrai petit démon.

— Oui, mais si tu ajoutes à cela neuf mois de plus, insista Ky. Rappelle-toi que la descendance de la famille repose sur tes épaules !

Marsh secoua la tête et s'éclaircit la voix avant de laisser le silence s'installer. Il avait toujours réagi ainsi, ce qui avait le don d'énerver ou d'amuser Ky en fonction de son humeur. Aujourd'hui, cela ne le faisait sourire qu'à moitié.

Il planait quelque chose de curieux dans l'air. Ky pouvait le sentir, mais il avait du mal à l'identifier précisément. Une tempête qui se préparait ? Un de ces lourds orages de chaleur qui couvent pendant des jours avant d'éclater ? Il se préparait quelque chose, en tout cas.

— Pourquoi est-ce que tu ne me dis pas ce que tu as en tête au lieu de tourner autour du pot ? suggéra Ky. Il faut que je rentre pour nettoyer ces poissons.

— Tu as reçu une lettre. On l'a mise dans notre boîte par erreur.

C'était une erreur assez fréquente qui n'aurait pas perturbé Marsh en temps normal. Ky savait qu'il lui cachait autre chose. L'orage était sur le point d'éclater. Ky tendit la main.

— Ky…, commença Marsh avant de retomber dans le silence.

Il n'y avait rien à dire. De la même façon qu'il n'avait pas su trouver les mots durant les quatre dernières années, Marsh se contenta d'un regard. Il sortit la lettre de la poche arrière de son pantalon.

L'enveloppe était épaisse et d'un papier de qualité supérieure. Ky n'eut pas besoin de la retourner pour en découvrir l'expéditeur. Il reconnut l'écriture et tous les souvenirs, soigneusement enfouis au plus profond de lui, lui sautèrent au visage. Il sentit sa gorge se nouer. Il avait du mal à respirer, comme si quelqu'un l'avait frappé de toutes ses forces dans le plexus solaire. Il se força pourtant à expulser l'air de ses poumons.

— Merci, dit-il en prenant la lettre et la fourrant dans sa poche avant de soulever la glacière.

— Ky...

Une fois encore, Marsh se résolut au silence. Le regard que lui avait jeté son frère était plus qu'expressif. Il décida de changer de sujet.

— Si tu changes d'avis à propos du dîner...

— Je vous le ferai savoir, lança Ky en remontant le quai sans se retourner.

Il était content de ne pas être venu en voiture. Il avait besoin de marcher. Il avait besoin d'air et d'exercice pour garder les idées claires tandis qu'il se remémorait les souvenirs qu'il voulait tant ignorer. Tout ce qu'il n'avait jamais vraiment oublié.

Kate. Il y avait quatre ans de cela, elle était sortie de sa vie avec la même attitude détachée que lorsqu'elle y était entrée. Elle ressemblait à une poupée de l'époque victorienne. Sans doute à cause de son air un peu guindé et distant. Lui qui n'avait jamais été très impressionné par les bonnes manières et les attitudes hautaines avait pourtant désiré cette femme dès la première seconde.

Il avait tout d'abord pensé que c'était leurs différences qui l'avaient séduit. Et puis leur rencontre avait pris pour lui un goût de défi, de conquête. Il avait aimé lui apprendre la plongée, et suivre pas à pas ses progrès. Et il adorait la voir arriver dans sa combinaison moulante. Sa silhouette mince et fine lui semblait parfois presque masculine, mais elle avait une longue et soyeuse chevelure qui cascadait sur ses épaules et démentait cette impression.

Ky se remémorait parfaitement le moment où, pour la première fois, elle avait défait le chignon qui maintenait ses longs cheveux. Il en était resté bouche bée, totalement fasciné. Il avait dû se faire violence pour ne pas les caresser immédiatement, pour ne pas la toucher. La présence de son père le lui interdisait. Mais il avait su à cet instant précis que rien ne l'empêcherait de se retrouver seul avec elle.

Il y était arrivé, bien sûr. Kate s'était mise à la plongée avec enthousiasme — à croire qu'elle était une des natives de l'île, toujours fourrée dans l'eau. Son père, pendant ce temps, passait le plus clair de son temps le nez dans ses livres. Ky avait donc accompagné Kate en mer, ou plutôt sous la mer, dans ce monde silencieux et surréaliste qui l'avait séduite aussi sûrement que Ky.

Il se souvenait parfaitement de leur premier baiser. Ils étaient ruisselants, tout juste sortis de l'eau, sur le pont de son bateau. Ky distinguait le phare au loin, derrière elle, ainsi que la ligne de la côte. Ses cheveux mouillés avaient coulé le long de son dos lorsqu'elle les avait libérés. Instinctivement, Ky avait tendu la main et les avait caressés.

— Qu'est-ce que vous faites ?

Plus de quatre ans après, il pouvait encore entendre sa voix aux intonations si typiques de la côte Est. C'était la voix de quelqu'un d'érudit, cela se sentait aussitôt. On y devinait aussi une vraie curiosité, un peu candide et spontanée.

— Je vais vous embrasser.

Cet air de curiosité ingénue ne l'avait pas quittée, elle le fascinait.

— Pourquoi ? avait-elle demandé.

— Parce que j'en ai envie.

C'était aussi simple que cela. Il en avait envie. Elle avait eu un léger mouvement de recul lorsqu'il l'avait attirée contre lui et, au moment où ses lèvres s'étaient apprêtées à formuler une protestation, il les avait couvertes des siennes. Le temps d'un battement de cœur et ses réticences s'étaient évanouies. Elle l'avait embrassé avec passion. Passion et innocence. Car Ky avait suffisamment d'expérience pour deviner son inexpérience, et cela avait fait partie des choses qui l'avaient séduit en elle. Aussitôt, Ky était tombé amoureux. Follement, éperdument, totalement…

Kate était restée une énigme pour lui, malgré les longues heures passées à partager fous rires et discussions passionnées. Il admirait sa soif de connaissance et sa capacité à transmettre son savoir de façon si claire. Elle parlait de plongée avec enthousiasme, mais il ne lui suffisait pas de nager sous l'eau en toute liberté, alimentée par des bouteilles d'oxygène. Elle avait besoin de comprendre comment fonctionnaient les bouteilles, pourquoi elles avaient cette forme et pas une autre… Ky sentait que chacune de ses explications était assimilée à la perfection.

Ils s'étaient promenés sur la plage, la nuit, et Kate lui avait récité des poèmes. Des mots magnifiques qu'elle connaissait par cœur. Byron, Shelley, Keats. Ky, qui n'avait jamais été tellement intéressé par tout cela, avait bu ces mots parce que la voix de Kate les lui avait fait ressentir. Elle avait même essayé de lui expliquer la poésie, lui avait parlé de syntaxe et de versification.

Pendant trois mois, il n'eut rien d'autre en tête que Kate. Pour la première fois de sa vie, il envisageait de changer de style de vie. Sa petite maison près de la plage avait besoin de quelques améliorations. Il fallait des meubles. Kate ne pourrait pas se contenter de caisses de bois retournées en guise de meubles et d'un hamac… Et parce qu'il était jeune et n'était jamais tombé amoureux auparavant, Ky avait pensé que ses projets allaient se réaliser, tout simplement.

Mais Kate l'avait laissé tomber. Elle aussi avait des projets, et il n'en faisait pas partie.

Son père était revenu sur l'île l'été suivant et tous les autres ensuite. Mais sans Kate. Ky savait qu'elle avait terminé son doctorat et qu'elle enseignait dans une université prestigieuse. Elle avait obtenu ce qu'elle désirait.

Lui aussi au fond. Tandis qu'il poussait sa porte, Ky essayait de se convaincre que c'était aussi son cas. Après tout, il allait où il voulait, quand il voulait. Il menait sa barque à sa façon. Il n'avait que les responsabilités qu'il avait acceptées. C'était d'une certaine façon une réussite.

Il déposa la glacière sur le sol de la cuisine et ouvrit le réfrigérateur pour attraper une bière. Il la décapsula et vida la moitié de la canette en une longue gorgée. L'espace d'un instant, il lui sembla que la bière faisait passer l'arrière-goût amer qu'il avait dans la bouche.

Un peu calmé, et sa curiosité piquée au vif, il sortit la lettre de sa poche. Il déchira l'enveloppe et en tira une feuille couverte d'une écriture fine et régulière.

« Cher Ky,

» Tu n'as peut-être pas été informé du décès de mon père, il y a deux semaines, des suites d'un infarctus. C'était évidemment très soudain et je suis actuellement en train d'essayer de régler toutes ses affaires.

» C'est en passant en revue ses papiers que j'ai découvert qu'il avait prévu de venir cet été et de solliciter tes services. Il se trouve que je vais devoir le remplacer. Tu dois d'ailleurs être en possession d'arrhes que t'avait versées mon père. Pour des raisons que je t'expliquerai de vive voix, j'ai donc besoin de ton aide. Je serai à Ocracoke le 15, nous pourrons discuter de tes tarifs et conditions à ce moment-là.

» Contacte-moi à l'hôtel si tu le peux, ou laisse-moi un message. J'espère que nous pourrons travailler dans une bonne entente. Passe le bonjour à Marsh, j'espère le croiser lors de mon séjour.

» Cordialement,

Kathleen Hardesty. »

Ainsi son père était mort. Ky posa la lettre et porta la bière à ses lèvres. Il n'avait pas vraiment une sympathie débordante à l'égard d'Edwin Hardesty mais, d'une certaine façon, il s'était habitué à sa présence au fil des étés.

Ainsi, cet été Kate prenait la relève…

Le regard de Ky s'arrêta un instant sur la date inscrite en tête de la lettre. Il dut se concentrer avant de se rendre compte que Kate arrivait dans deux jours. Pour… discuter des tarifs et des conditions ! Un sourire lui monta aux lèvres. Mais ce n'était pas un sourire amusé. Non, certainement pas. Ils allaient discuter des conditions, en effet.

Elle voulait reprendre le flambeau… Ky se demandait si elle avait conscience du caractère ironique de la chose. Kathleen Hardesty avait toute sa vie marché avec obéissance dans les traces de son père. Il n'y avait pas de raison pour que cela soit différent maintenant qu'il n'était plus.

Avait-elle changé ? Y aurait-il toujours une aura

incroyable d'innocence et de réserve autour d'elle ? A moins que cela ne se soit estompé avec les années. Est-ce que son air un peu collet monté se serait amplifié ? Il serait fixé d'ici à deux jours.

Ky laissa la lettre sur la table après avoir hésité un instant à la jeter directement à la poubelle. Ainsi, elle souhaitait faire appel à lui. Ky se plaça face à la fenêtre, solidement campé sur ses deux jambes et laissa son regard s'évader au loin. La mer n'était pas loin, et même s'il ne pouvait la voir, il la sentait. Elle voulait qu'ils concluent un contrat, un échange de services. Elle allait louer son bateau, son matériel et son temps. Il sentait l'amertume monter en lui et il lui fallut toute sa volonté pour la ravaler. Il lui donnerait ce qu'elle venait chercher. Et il lui en coûterait, il y veillerait.

Ky sortit de la cuisine, sa pêche du jour encore dans la glacière. Malgré le grand air, il n'avait plus faim.

Kate gara sa voiture sur le ferry pour Ocracoke. La matinée était claire et fraîche. Pourtant, tout lui semblait si confus. Elle avait envie de renverser la tête en arrière et fermer les yeux. Elle ne savait pour quelle raison elle avait décidé de faire le trajet depuis le Connecticut en voiture plutôt qu'en avion, mais maintenant qu'elle touchait au but, elle était trop fatiguée pour essayer d'analyser sa décision.

Sur le siège arrière se trouvait son attaché-case avec tous les documents de son père. Une fois à l'hôtel, elle pourrait les compulser une fois encore et tâcher d'y découvrir des indices supplémentaires. Peut-être, une fois sur l'île, retrouverait-elle ses certitudes. Ou tout du moins la conviction d'avoir pris la bonne décision en venant ici. Depuis quelques jours, elle n'était plus sûre de rien.

Au fur et à mesure qu'elle se rapprochait de l'île, elle se répétait qu'elle était en train de faire une erreur. D'ailleurs, le problème n'était pas vraiment de se rapprocher de l'île, mais bien de Ky. Il fallait qu'elle cesse de se voiler la face. C'était bien lui la clé du problème et il fallait qu'elle l'affronte.

Il lui restait encore un peu de temps. Un peu de temps pour retrouver son calme et tâcher d'apaiser le tourbillon de sentiments et d'émotions qui la secouait. Tout cela était tellement ridicule. Après tout, ce n'était pas son amant qu'elle revenait voir, mais un plongeur dont elle souhaitait s'attacher les services pour une mission bien spécifique. Les sentiments du passé n'avaient pas à entrer en compte parce que, justement, ils appartenaient au passé.

La Kate Hardesty qui avait débarqué sur Ocracoke quatre ans auparavant n'avait pas grand-chose à voir avec le Dr Kathleen Hardesty qui venait d'embarquer. Elle n'était plus aussi jeune, aussi naïve ou impressionnable. La désinvolture et l'irresponsabilité de Ky ne risquaient certainement pas de la séduire maintenant. Si Ky était d'accord, ils seraient des collaborateurs. Rien de plus.

Tandis qu'elle regardait à travers le pare-brise de sa voiture, Kate sentit le ferry tanguer. Oui, à moins que Ky n'ait beaucoup changé, l'idée de partir à la chasse au trésor risquait de le tenter.

Kate savait qu'elle ne trouverait personne de mieux équipé que lui pour se lancer dans une telle aventure.

C'était d'ailleurs pour cette raison qu'elle avait fait appel à lui. Enfin apaisée, Kate sortit de sa voiture et monta sur le pont. Accoudée au bastingage, elle observa les mouettes qui descendaient en piqué vers la mer. Le ferry croisa plusieurs îlots inhabités. Kate avait l'impression d'être de retour après un long voyage… De retour à la maison. Elle secoua la tête pour chasser cette impression ridicule. Sa maison était dans le Connecticut, et elle y retournerait une fois sa mission accomplie.

Le ferry laissait derrière lui un sillon d'écume. Au loin, une île se dessinait, masquée par un vol compact de pélicans. Kate se réjouit de revoir ces grands oiseaux à l'allure maladroite. Ils volaient le long des quais, dans l'espoir qu'un pêcheur oublie une partie de son butin du jour. Un peu plus loin, en suivant la baie, Kate reconnut le détroit à ses eaux tourmentées et aux flots d'écume qui s'en élevaient. Il n'y avait pas de côte à cet endroit, pourtant d'énormes vagues se formaient à ce point précis, rencontre de deux courants contraires. Kate n'avait pas oublié à quel point les hauts-fonds étaient traîtres, par ici.

Elle sentit une excitation fébrile la gagner. Elle inspira profondément avant de retourner à sa voiture. Le danger était toujours un peu excitant, finalement.

Lorsque le ferry se mit à quai, elle réalisa que dans quelques instants elle serait sur les étroites routes de l'île. Il ne lui faudrait pas longtemps pour rallier la ville. De chaque côté, il y avait la mer et le bruissement des vagues qui viennent lécher le rivage. De chaque côté ce même bleu indigo dans la lumière de la fin de matinée.

Elle n'était plus aussi tendue, ou tout du moins le pensait-elle. Il était normal d'être un peu nerveux, juste avant de partir. Maintenant, elle était prête à revoir Ky, à lui parler, à travailler avec lui, s'ils arrivaient à se mettre d'accord.

Comme sa vitre était baissée, elle sentit l'air tiède et humide l'entourer. C'était apaisant. Elle avait presque oublié à quel point la caresse de l'air était agréable. Presque aussi agréable que le bruissement de l'eau sur le sable du rivage. Elle avait bien fait de venir. Lorsqu'elle découvrit au bout de la route les premières maisons, elle se sentit totalement soulagée. Elle était arrivée. Il n'était plus temps de changer d'avis.

L'hôtel dans lequel elle était logée avec son père, cet été-là, était du côté du détroit. C'était un coin tranquille de l'île et la vue était superbe.

Kate se gara et coupa le contact. Elle laissa échapper un soupir. C'était un soupir d'accomplissement, d'une certaine manière. Elle avait gravi la première marche et se sentait prête à affronter la suivante.

Mais lorsqu'elle descendit de voiture, elle le vit. Pendant un instant, le maître de conférences de l'université Yale disparut pour laisser place à une femme en proie à ses émotions.

Bon sang, il n'avait vraiment pas changé. Comme il s'avançait vers elle, les souvenirs de chacun de leurs baisers, de chaque mot doux murmuré, de chaque orage lui revinrent à l'esprit. La brise découvrit son visage, masqué par ses cheveux, et Kate retrouva ses traits qui étaient gravés dans sa mémoire depuis quatre ans. Avec la caresse du soleil sur sa peau, elle eut l'impression que les années étaient balayées et qu'elle retournait quatre ans en arrière. Il n'avait pas changé.

Il ne s'était pas attendu à la croiser aussi vite. Il avait

le vague pressentiment qu'elle n'arriverait que dans l'après-midi, pourtant il était passé au Roost ce matin. Le restaurant se trouvait juste en face de son hôtel.

Elle était là, élégante et peut-être un peu trop mince. Elle portait un pantalon ajusté et un chemisier. Ses cheveux relevés révélaient la discrète sensualité des courbes de sa gorge et de sa nuque. Ses yeux semblaient trop sombres par rapport à son teint clair. Mais Ky savait déjà qu'au fil des jours, sa peau de porcelaine prendrait des nuances ambrées sous le soleil.

Elle était la même. Douce, un peu hautaine, calme. Belle. Ky essaya d'ignorer le nœud qui se formait au creux de son estomac comme il avançait vers elle. Il la scruta des pieds à la tête sans la moindre discrétion, en mettant même dans son regard une pointe d'arrogance. Puis il sourit pour oublier l'envie subite de l'étrangler qui s'emparait de lui.

— Kate. On dirait que j'arrive juste à temps.

Elle se demanda d'abord si elle serait capable de proférer le moindre son, puis s'efforça de parler d'un ton calme, le plus neutre possible.

— Ky, quel plaisir de te revoir.

— Vraiment ?

Ignorant son ton moqueur, Kate fit le tour de sa voiture et ouvrit le coffre.

— J'aimerais qu'on puisse se voir rapidement, j'ai des choses à te montrer et des affaires à discuter.

— Bien sûr, je suis toujours prêt à parler affaires.

Il la regarda sortir deux valises, mais ne lui offrit pas son aide. Il remarqua incidemment qu'elle ne portait pas de bague ni d'alliance. Mais le contraire ne lui aurait pas posé problème de toute façon.

— Cet après-midi, alors ? Ainsi, j'aurai le temps de défaire mes valises. A moins que nous ne déjeunions à l'hôtel ?

— Non, merci, répondit-il en s'appuyant nonchalamment contre sa voiture. Si tu as besoin de moi tu sauras bien me trouver. L'île est petite.

Les mains dans les poches de son jean, il tourna les talons. Kate ne put s'empêcher de repenser à la dernière fois qu'il était parti ainsi, sans un mot. Ils se trouvaient presque au même endroit.

Elle prit ses valises et se dirigea rapidement vers l'hôtel, comme pour s'y réfugier.

2

Elle savait où le trouver. L'île aurait pu faire le double de surface qu'elle l'aurait su de toute façon. Et puis Ky n'avait pas l'air d'avoir changé, ce qui signifiait que s'il n'était pas en mer sur son bateau, il serait chez lui, dans sa petite maison délabrée. Mais Kate sentait que ce serait une erreur stratégique que de lui courir après aussi rapidement, aussi prit-elle son temps pour défaire sa valise.

Même ici, elle avait des souvenirs, dans cet hôtel où ils avaient partagé une nuit d'amour inoubliable. La seule nuit qu'ils aient réussi à passer ensemble entièrement, serrés l'un contre l'autre dans les draps d'un blanc éclatant de l'hôtel, jusqu'à ce que les premières lueurs de l'aube chassent les dernières ombres de la nuit. Elle se rappelait combien elle s'était sentie insouciante pendant ces quelques heures volées, et combien l'arrivée du jour l'avait désespérée car elle signait la fin de ces moments partagés.

A cet instant, elle pouvait regarder par les mêmes fenêtres qu'alors, et distinguait le chemin que Ky avait emprunté lorsqu'il était parti. Elle se rappelait que le ciel avait pris des teintes roses avant de devenir bleu pâle.

La peau encore tiède de son étreinte et l'esprit

embrumé par la nuit blanche et la passion, Kate s'était dit que tout cela ne pourrait jamais prendre fin. Mais c'était illusoire. Il lui avait fallu quelques semaines pour s'en rendre compte. La passion et l'insouciance devaient bien finir par laisser la place aux obligations et aux responsabilités.

Tandis qu'elle regardait par cette même fenêtre le chemin qu'avait emprunté Ky quatre ans auparavant, Kate ressentit le même sentiment de manque cuisant, mais, cette fois, elle ne pouvait pas se raccrocher à l'espoir de le revoir plus tard.

Ils ne s'étaient pas retrouvés et il n'y avait eu personne d'autre depuis cet été grisant. Elle avait sa carrière, sa vocation, ses livres. Elle avait goûté à la passion, cela lui suffisait.

Se détournant de la fenêtre, elle essaya de s'occuper en rangeant une nouvelle fois tout ce qu'elle avait déjà organisé dans les armoires de la chambre. Lorsqu'elle décida enfin qu'elle était restée suffisamment de temps enfermée à l'hôtel, elle sortit. Elle ne prit pas sa voiture. Elle partit à pied, comme elle l'avait toujours fait lorsqu'elle allait rejoindre Ky.

Elle se rassura en se disant qu'elle était sous le choc des retrouvailles. Il était normal, après autant de temps, qu'ils soient tendus, l'un comme l'autre. Elle savait aussi, au fond d'elle-même, que les choses auraient été simples s'ils n'avaient été que tendus, et si elle n'avait pas ressenti cette pointe de désir sous-jacente.

Ky était toujours le même. Il avait cette même arrogance, cet égoïsme mâtiné d'effronterie. Ces traits de caractère l'avaient peut-être fascinée lors de sa première visite — elle était jeune à l'époque — mais cette fois elle allait essayer de s'en servir pour obtenir ce dont elle avait besoin. Il lui suffirait d'évoquer la promesse d'une palpitante chasse au trésor et l'affaire serait dans le sac. Kate était sûre qu'il accepterait de l'aider, c'était dans sa nature de partir à l'aventure et de tenter sa chance.

Maintenant, ce serait elle qui déciderait. Kate inspira une grande bouffée d'air tiède au parfum iodé. D'une certaine façon, cela la rassurait. Ky verrait bien qu'elle n'était plus la jeune fille naïve à qui quelques mots doux tournaient la tête.

Son attaché-case à la main, elle traversa le village. Ici non plus, rien n'avait changé et elle en était contente. La simplicité et le calme continuaient à l'attirer. Elle aimait ces petites boutiques, ces restaurants et auberges répartis dans les ruelles, avec le port qui tenait lieu de place centrale. Les villageois continuaient à vouer une sorte de culte à celui qui était passé par ces rues il y a bien longtemps et qui semblait continuer à les hanter : le pirate Barbe-Noire. Ses portraits ornaient toujours les devantures de la plupart des commerces.

Elle longea le port, passant machinalement les bateaux en revue à la recherche de celui de Ky, et le vit, amarré au même endroit que d'habitude, toujours aussi brillant et bien entretenu. La passerelle étincelait dans la lumière de l'après-midi. De nombreux souvenirs revinrent à la mémoire de Kate. Ce bateau semblait doté du même caractère que son propriétaire. Effronté, sauvage. Il semblait avoir été repeint de frais car on ne distinguait pas même de traces blanches laissées par le sel sur la coque. Ky avait beau n'accorder aucune importance à sa propre apparence, pas plus qu'à celle de sa maison, il entretenait son bateau avec le plus grand soin.

Le *Vortex*. Kate examina les lettres éclatantes sur la coque. Elle savait que Ky demandait à son navire d'être à la hauteur des soins qu'il lui prodiguait. Elle avait elle-même fait l'expérience des pointes de vitesse qu'atteignait son embarcation pourtant achetée d'occasion et dans un piteux état. Jamais rien n'effacerait les souvenirs de ce qu'elle avait ressenti, debout derrière Ky qui tenait la barre, le vent lui fouettant le visage. Lui riait, tout en accélérant encore et encore, et elle sentait son cœur s'emballer jusqu'à ce qu'ils atteignent une vitesse qui les mette hors de portée de quiconque. Elle avait eu peur, de lui, de la force du vent, mais elle les avait choisis, l'un comme l'autre… Avant de les quitter tous les deux.

Ky aimait les défis, les montées d'adrénaline et même les vraies frayeurs. Kate serra un peu plus fort la poignée de son attaché-case. N'était-ce pas justement pour cela qu'elle s'adressait à lui ? Il y avait des dizaines de plongeurs expérimentés et tout autant de spécialistes des eaux côtières. Mais il n'existait qu'un seul Ky Silver.

— Kate ? Kate Hardesty ?

En entendant son nom, Kate se retourna et eut l'impression que les quatre années écoulées venaient de s'effacer d'un coup.

— Linda ! s'écria-t-elle sans la moindre retenue, en ouvrant les bras pour serrer la jeune femme qui s'avançait vers elle. Quel plaisir de te revoir !

Après quelques embrassades, Kate se recula pour détailler son amie. Elle avait les mêmes cheveux châtains coupés court, le même regard brun franc et droit. Décidément, peu de choses avaient changé ici.

— Je t'ai vue par la fenêtre, mais j'avais du mal à en

croire mes yeux ! Kate, tu es toujours la même, lança-t-elle en la détaillant. Un peu trop mince, peut-être, mais c'est certainement ma jalousie qui parle.

— Tu as toujours l'air d'une étudiante, toi, répondit Kate. Et ça, c'est de la jalousie !

Linda se mit à rire avant de reprendre un air sérieux.

— Je suis désolée pour ton père, Kate. Les trois dernières semaines n'ont pas dû être faciles pour toi.

Kate savait qu'elle était sincère, mais elle avait, depuis quelques jours, décidé de verrouiller ses émotions.

— Ky t'en a parlé ?

— Ky ne me parle jamais de rien, répondit Linda en haussant les épaules et se tournant vers son bateau. C'est Marsh qui me l'a appris. Tu comptes rester combien de temps ?

Le bateau de Ky étant à quai, c'était chez lui que Kate devait se rendre, se dit Linda.

— Je ne sais pas encore, répondit Kate qui sentait peser son attaché-case au bout de son bras. Je dois régler certaines choses.

Les rêves semblaient peser aussi lourd que les responsabilités, finalement.

— La première chose à faire, pour toi, est de venir dîner au Roost ce soir. C'est juste en face de ton hôtel.

Kate suivit le regard de Linda et repéra l'enseigne de bois.

— Oui, je l'ai vu en arrivant. Il vient d'ouvrir ?

Linda se tourna vers elle avec un sourire satisfait.

— Il n'y a pas longtemps, en effet. C'est nous qui le gérons.

— Qui ça, « nous » ?

— Marsh et moi, répondit Linda en tendant sa main

gauche avec un sourire radieux aux lèvres. Nous sommes mariés depuis trois ans, maintenant. Finalement, il ne m'aura fallu que quinze ans pour le convaincre qu'il ne pouvait pas vivre sans moi !

— Je suis tellement contente pour vous, dit Kate en ignorant le pincement qui lui serrait le cœur. Mariés et à la tête d'un restaurant… Mon père ne m'a jamais tenue informée des derniers scoops de l'île !

— Nous avons aussi une petite fille, Hope. Elle a un an et demi et c'est déjà une vraie terreur. Il semblerait qu'elle tienne plus de Ky que de Marsh ! expliqua Linda en posant la main sur son bras. C'est lui que tu allais voir, d'ailleurs, je me trompe ?

— Non, répondit Kate en s'efforçant de ne rien laisser transparaître dans sa voix. Mon père avait mené des recherches sur l'île et j'ai besoin de l'aide de Ky.

— Tu sais ce que tu fais, je suppose…, dit Linda en scrutant le visage impassible de Kate.

— Oui, répondit-elle de façon neutre, tandis que son estomac se nouait. Je sais ce que je fais.

— Bien, dit Linda en lâchant le bras de son amie. En tout cas, n'hésite pas à nous rendre visite, que ce soit au restaurant ou à la maison. Nous habitons en bas de la route qui mène chez Ky. Marsh sera ravi de te voir et je pourrai te présenter Hope, ainsi que la carte du restaurant. L'une comme l'autre valent le détour !

— Bien sûr que je passerai, répondit Kate en lui serrant les mains. Je suis tellement contente de te revoir. Je sais que je n'ai pas vraiment gardé le contact, mais…

— Je comprends, dit Linda en hochant la tête. Mais c'est du passé ! Je dois y aller, il y a du monde le midi en ce moment, c'est la pleine saison. Bonne chance !

Linda soupira en se demandant si Kate était vraiment aussi calme qu'elle voulait le faire croire et si Ky se comporterait aussi sottement que d'habitude.

— Merci, murmura Kate, qui savait qu'elle en aurait besoin.

La promenade jusqu'à la maison de Ky était aussi enchanteresse que dans son souvenir. Elle longea les petites boutiques et les vitrines qui présentaient de l'artisanat local et un peu de brocante. Elle dépassa les maisonnettes aux toits de bois blanc et bleu, et les charmantes ruelles bordées d'arbres et de pelouses d'un vert éclatant.

Un chien retenu par une chaîne se mit à courir vers elle en aboyant faiblement, comme s'il sentait que c'était ce que l'on attendait de lui, mais sans grand enthousiasme. Kate distinguait déjà la tour blanche du phare. Autrefois, il y avait un gardien qui y travaillait, mais cette époque était maintenant révolue. Elle s'engagea finalement sur l'allée qui menait chez Ky.

Ses mains devinrent aussitôt moites et Kate se maudit. A quoi lui servait de laisser tous ces souvenirs l'envahir ? Elle aurait tout le temps pour se rappeler le bon vieux temps, plus tard. Lorsque ce serait sans danger.

Le chemin était comme autrefois. A peine de la largeur d'une voiture, sommairement couvert de gravier et longé de buissons qui empiétaient sur la voie. La végétation avait toujours poussé de façon anarchique par ici, ce qui convenait tout à fait au style du lieu… Et du propriétaire.

Ky lui avait un jour expliqué qu'il n'appréciait pas plus que cela les visites. S'il avait envie de compagnie, il lui suffisait d'aller en ville, où il connaissait tout le monde. C'était bien le genre de Ky Silver. Si j'ai envie de te voir, je te le ferai savoir. Sinon, hors de ma vie.

Il avait eu envie de sa présence, fut un temps... Anxieuse, Kate changea son attaché-case de main. Quelle que soit sa disposition du moment, il faudrait bien qu'il l'écoute. Elle avait besoin de deux de ses principaux talents : celui de plongeur et celui de battant.

Lorsque la maison se détacha au bout du chemin, Kate s'arrêta, le regard fixe. Elle était toujours aussi petite et rustique, mais ne donnait plus l'impression de risquer de s'effondrer à la première bourrasque.

Le toit avait été refait. Au moins cela devait-il éviter à Ky d'avoir à sortir toutes ses casseroles et pots à chaque averse. Le porche, qui à l'époque n'était qu'un vague projet, s'étendait maintenant tout le long de la façade. La porte grillagée de l'entrée qui partait en lambeaux avait, elle aussi, été remplacée. Le bois de cèdre s'était patiné harmonieusement, prenant des reflets argentés du plus bel effet ; les fenêtres n'avaient pas été nettoyées, mais brillaient tout de même. La maison ne semblait pas refaite à neuve, mais avait fière allure. Il y avait même des massifs d'impatiens dans des jardinières de bois.

Elle s'était trompée. Ky Silver avait changé, au fond. Il lui restait maintenant à déterminer comment et à quel point.

Elle atteignait la première marche lorsqu'un bruit à l'arrière de la maison attira son attention. Kate se rappela qu'un appentis jouxtait la maison, contenant les planches de surf de Ky et tous ses outils. Soulagée de ne pas avoir à le retrouver à l'intérieur, Kate contourna la maison jusqu'au petit jardin. On entendait le bruit des vagues, car la mer n'était qu'à deux minutes à pied.

NORA ROBERTS

Avait-il gardé l'habitude de se rendre sur la plage tous les soirs ? Il disait que c'était juste pour aller voir. Pour aller sentir. Parfois, il revenait avec un morceau de bois flotté, quelques coquillages ou autres trésors rejetés par la mer. Il lui avait une fois rapporté un coquillage poli par le sable et les vagues, qu'il tenait dans le creux de la main. Kate n'aurait pas été plus émue s'il s'était agi d'un diamant.

Chassant les souvenirs, elle entra sous l'abri qui était aussi haut que la maison et faisait presque la moitié de sa surface. La dernière fois qu'elle était venue, il était encombré de planches et de caisses diverses. Elle eut la surprise d'y trouver la coque d'un bateau. Lui tournant le dos, Ky était occupé à poncer le mât sur un plan de travail.

— Tu l'as construit, laissa-t-elle échapper d'un ton admiratif.

Combien de fois lui avait-il parlé du bateau qu'il construirait un jour ? Kate avait toujours eu l'impression qu'il s'agissait là de sa véritable ambition. De l'acajou sur du chêne, disait-il. Un bateau à voiles de dix-sept mètres, avec un seul mât, qui fendrait les vagues. Il voulait des ferrures en bronze et un pont en teck. Ky le lui avait décrit si précisément à l'époque qu'elle se l'était représenté aussi clairement qu'elle le voyait en ce moment. C'était à son bord qu'il avait prévu, un jour, de naviguer d'Ocracoke à la Nouvelle-Angleterre.

— Je te l'avais dit, répondit Ky en se retournant pour lui faire face.

Tournant le dos à la lumière, Kate se découpait à contre-jour. Ky, lui, était presque dans l'ombre.

— Oui, répondit Kate qui se sentit soudain ridicule. Tu me l'avais dit.

— Mais tu ne m'as pas cru, reprit Ky en posant le papier de verre qu'il avait à la main. Tu as toujours eu du mal à te projeter au-delà du moment présent.

Pourquoi donc fallait-il qu'elle soit aussi séduisante et calme ? Une goutte de sueur descendit le long de la colonne vertébrale de Ky.

Infernal, impatient, fascinant, se dit Kate. Aurait-elle toujours la même impression face à lui ?

— Toi, c'est avec le moment présent que tu as toujours eu un problème...

Elle remarqua qu'un de ses sourcils se soulevait, mais ne sut dire s'il s'agissait de surprise ou de moquerie.

— Dans ce cas-là, nous devrions peut-être considérer que nous avons toujours eu un problème, reprit Ky en avançant jusqu'à elle et se plaçant enfin dans la lumière. Pourtant, cela ne nous a pas toujours gênés.

Ky tendit la main et effleura son visage. Kate ne bougea pas et il sentit sa peau aussi douce et fraîche que dans son souvenir.

— Tu as l'air fatigué, Kate.

Elle tremblait intérieurement mais répondit d'une voix ferme :

— Le voyage a été long.

— Tu as besoin de soleil, déclara-t-il en caressant du pouce l'ovale de son visage.

— Je compte bien en profiter, confirma-t-elle en se reculant, cette fois.

Content de voir qu'elle battait en retraite la première, Ky s'adossa à la porte ouverte.

— C'est ce que j'ai cru comprendre. Dans ta lettre,

tu disais vouloir me parler en personne. Pourquoi ne pas m'expliquer ce dont il s'agit tant que tu es là ?

En d'autres circonstances, son sourire moqueur aurait pu avoir raison d'elle, mais là il la hérissa littéralement.

— Mon père avait commencé des recherches que je souhaite terminer.

— Et ?

— J'ai besoin de ton aide.

Ky se mit à rire et s'avança vers la lumière du soleil. Il avait besoin d'air, de distance. Il avait besoin de la prendre dans ses bras, encore.

— Je devine au ton de ta voix qu'il n'y a rien qui te fait plus horreur que d'avoir à me demander cela.

— Non, répondit-elle d'un ton assuré qui lui donna une sensation de pouvoir et d'autorité. Rien, en effet.

Son regard resta vide tandis qu'il la fixait. Son expression était froide et distante. Kate avait déjà vu cela.

— Dans ce cas, mettons les choses au clair avant de commencer. Tu as quitté l'île et tu m'as quitté, en emportant tout ce que je désirais.

Il n'arriverait pas à l'impressionner aujourd'hui, comme il en était capable à l'époque, d'un simple regard.

— Ce qui s'est passé il y a quatre ans n'a rien à voir avec ce qui nous concerne maintenant.

— Bien au contraire, bon sang ! lança Ky en s'approchant d'elle, ce qui la fit involontairement reculer d'un pas. Tu as toujours aussi peur de moi ?

Sa question changea aussitôt sa peur en colère.

— Non, répondit-elle d'une voix assurée. Je n'ai pas peur de toi, Ky. Je n'ai pas la moindre intention de discuter du passé, mais il est vrai que je t'ai quitté et que j'ai quitté l'île. Aujourd'hui, je suis ici pour travailler et j'ai besoin que tu m'écoutes. Si mon projet t'intéresse, nous parlerons alors des conditions, c'est aussi simple que cela.

— Je ne suis pas un de tes élèves, m'dame, ironisa-t-il d'une voix traînante. Pas la peine de me faire la leçon.

Elle serra sa mallette un peu plus fermement.

— Lorsqu'on parle affaires, il faut toujours clarifier certaines choses au préalable.

— Et qui te dit que c'est à toi de les clarifier ? rétorqua-t-il, narquois.

— Je me suis trompée, décréta soudain Kate en s'efforçant de garder son calme. Je trouverai quelqu'un d'autre.

Elle eut à peine le temps de faire deux pas que Ky saisit son bras.

— Non, certainement pas, lança-t-il avec un regard furieux qui noua la gorge de Kate.

Elle savait ce qu'il insinuait. Elle ne trouverait jamais personne qui éveillerait chez elle le même désir. Délibérément, Kate dégagea son bras.

— Je suis venue te parler d'un travail, pas débattre de quelque chose qui est révolu.

— Je n'en suis pas si sûr que cela, mais pourquoi ne commencerais-tu pas par me dire ce qu'il y a dans ton attaché-case si professionnel, madame le professeur ?

Combien de temps pourrait-il endurer cela ? C'était une véritable souffrance que de la voir lui échapper ainsi chaque seconde un peu plus.

Kate inspira profondément. Elle aurait dû se douter que ce ne serait pas tâche facile. Rien n'était jamais simple avec Ky.

— Des cartes, répondit-elle. Des carnets remplis de

calculs, de plans, de recherches, de théories parfaitement étayées et de faits précisément détaillés. Selon moi, mon père était sur le point de déterminer l'endroit exact où le *Liberty* a coulé. Il s'agit d'un navire marchand anglais qui a sombré avec toute sa cargaison au large des côtes de la Caroline du Nord il y a de cela deux cent cinquante ans.

Ky l'écouta silencieusement pendant toute la durée de son exposé. Son expression resta totalement impassible et il la fixa longuement avant de répondre.

— Suis-moi à l'intérieur et montre-moi ce que tu as.

Il était tellement arrogant que Kate eut envie de tourner les talons. Après tout, il n'était pas le seul plongeur de l'île. Mais elle s'obligea à recouvrer son calme. Elle savait qu'il était le meilleur et le suivit donc à l'intérieur.

Ici aussi il y avait eu du changement. La cuisine dont elle se souvenait avait un plancher constellé de taches de peinture. La table, qui servait aussi de plan de travail, était une tablette de pique-nique branlante. Elle découvrit un plancher poncé et vernis, un buffet ancien parfaitement restauré et de vieux billots de boucher qui formaient un plan de travail autour de l'évier. Un Velux éclairait la table, repeinte et flanquée de deux bancs de bois.

— Tu as fait tout ça toi-même ?

— Oui. Cela t'étonne ?

Il semblait maintenant clair qu'il leur serait impossible d'avoir ensemble une conversation courtoise. Kate déposa sa mallette sur la table.

— Oui, plutôt, tu avais l'air assez content de tes murs prêts à s'effondrer.

— J'étais content de pas mal de choses, à l'époque.
Tu veux une bière ?

— Non, répondit Kate en s'asseyant et sortant un
premier carnet de son attaché-case tandis que Ky ouvrait
le réfrigérateur. Je pense que ceci devrait te donner
une idée des recherches de mon père. J'ai marqué les
pages essentielles, pour que tu ne perdes pas ton temps
à tout parcourir.

— D'accord, dit Ky, une bière à la main.

Il s'assit et garda le regard braqué sur Kate en portant
la bouteille à ses lèvres. Ensuite, il ouvrit le carnet et
commença à le feuilleter.

L'écriture d'Edwin Hardesty était claire et lisible. Il
avait consigné des éléments concrets, sans s'embarrasser
d'effets de style. Ce qui aurait pu se révéler passionnant
comme un carnet de voyage était en fait aussi indigeste
qu'une thèse. Mais c'était précis et documenté.

Le *Liberty* avait disparu avec ses cargaisons de
sucre, thé, soieries, vin et autres trésors rapportés des
colonies. Hardesty avait établi une liste de son chargement particulièrement détaillée. A croire qu'il avait
répertorié jusqu'au moindre biscuit ! En quittant les
côtes britanniques, le navire transportait aussi de l'or.
Vingt-cinq mille pièces. Ky leva les yeux et croisa le
regard de Kate, qui l'observait.

— Intéressant, commenta-t-il simplement avant de
reprendre sa lecture.

Seules trois personnes avaient survécu au naufrage
et avaient été rejetées sur le rivage. L'un des rescapés,
membre d'équipage, avait décrit la tempête, détaillant
la hauteur des vagues, le bruit du bois qui se brise et de
l'eau qui s'engouffre dans les brèches. C'était une histoire

particulièrement effroyable que Hardesty avait racontée en des termes pragmatiques et neutres et complétée par des notes en bas de page. Le matelot avait aussi indiqué la dernière position connue du *Liberty* avant de sombrer. Mais Ky n'avait pas besoin des calculs de Hardesty pour déduire que l'épave se trouvait à deux milles et demi de la côte d'Ocracoke.

Passant d'un carnet à l'autre, Ky parcourut les notes de Hardesty, prit connaissance de ses théories, des documents qui les étayaient, des indices qui les corroboraient, et étudia les cartes marines tracées par le vieil homme. Il se souvenait de l'intérêt qu'il portait à leurs sorties en mer et qu'il avait du mal à comprendre, tant cela ne cadrait pas avec le personnage. Enfin, Ky avait la clé de sa passion pour la plongée.

Ainsi, il cherchait de l'or. Ky eut un petit sourire narquois. Pendant toutes ces années, Hardesty avait été à la recherche d'un trésor. S'il s'était agi de quelqu'un d'autre, il aurait considéré qu'il s'agissait d'une nouvelle et fumeuse théorie sur des trésors engloutis. Chaque ville côtière avait sa légende à ce sujet. Edward Teach avait navigué fréquemment sur les eaux peu profondes de la crique pour semer les navires royaux qui le poursuivaient, jusqu'à sa dernière bataille, au large d'Ocracoke. Cela suffisait à alimenter les légendes de trésors oubliés.

C'était finalement le docteur Edwin J. Hardesty, professeur à Yale, homme sans humour ni imagination, considérant qu'il était sacrilège de perdre son temps à des frivolités, qui avait rempli tous ces carnets.

Ky savait qu'il avait la possibilité d'ignorer tout cela, mais Kate était là, face à lui, et il avait trop le goût de l'aventure pour ne pas croire à la destinée.

Des souvenirs oubliés

— Alors comme ça, tu veux partir à la chasse au trésor? lança Ky en reprenant sa bière.

Elle ignora la tonalité moqueuse de sa voix et, les bras croisés sur la table, se pencha vers lui.

— Je compte mener à bien les recherches de mon père.

— Tu crois à tout cela?

Y croyait-elle? Kate ouvrit la bouche pour répondre, puis la referma. Elle n'en savait rien.

— J'ai du mal à imaginer que mon père ait passé tout ce temps sur des recherches qui ne mènent à rien. Je veux tenter le coup et pour cela j'ai besoin de ton aide. Bien sûr tu seras dédommagé.

— Vraiment? demanda-t-il, un demi-sourire aux lèvres. Je serai dédommagé?

— J'ai besoin de toi, de ton bateau et de ton équipement pour un mois, peut-être deux. Je ne peux pas plonger toute seule, car je ne connais pas assez bien les fonds et je perdrais trop de temps. Il faut que je sois rentrée dans le Connecticut à la fin du mois d'août.

— Pour blanchir à la craie des tableaux noirs...

— Je ne te permets pas de critiquer mon métier.

— Mais je suis sûr que vous avez une craie toute particulière à Yale, poursuivit Ky sur le même ton moqueur. Bien, donc tu t'es accordé six semaines pour sortir de l'eau un trésor.

— Si les calculs de mon père sont exacts, cela prendra moins longtemps.

— Encore faut-il qu'ils le soient, remarqua Ky avant de s'avancer vers elle. Je n'ai pas d'emploi du temps, mais si tu veux six semaines de mon temps, tu devras y mettre le prix.

— Qui s'élève à?...

— Cent dollars par jour et cinquante pour cent de tout ce que l'on trouvera.

Kate lui jeta un regard impassible en rangeant le carnet dans l'attaché-case.

— Oublie la Kate d'il y a quatre ans, Ky. Je ne suis plus aussi naïve. Cent dollars par jour c'est exorbitant lorsqu'on parle d'un mois de travail minimum. Il est par ailleurs hors de question que je te donne cinquante pour cent. Je te propose cinquante dollars par jour et dix pour cent.

A sa grande surprise, Kate trouva très amusant de négocier ainsi avec lui, cela la confirmait dans l'idée que leur rencontre était purement et simplement professionnelle.

Toujours avec ce sourire énervant en travers du visage, Ky fit tourner la bière dans la bouteille.

— Je ne sors pas mon bateau pour cinquante dollars par jour.

Kate hocha la tête d'un air dubitatif. Ky sentit son cœur se serrer. C'était une attitude qu'elle prenait souvent lorsqu'elle se concentrait.

— Tu es devenu un vrai mercenaire, on dirait !

— Il faut bien vivre, madame le professeur, lança-t-il en se demandant si les mêmes pensées lui traversaient l'esprit. Tu as besoin d'un service ? Eh bien tu dois le payer. Rien n'est gratuit. Soixante-quinze par jour et vingt-cinq pour cent. Disons que c'est en souvenir du bon vieux temps.

Ne souffrait-elle pas au moins un peu ? Bon sang, ils se trouvaient pourtant dans la maison où ils avaient fait l'amour pour la première fois ! Et aussi pour la dernière…

— Non, disons plutôt que c'est un geste commercial, reprit Kate en tendant la main.

Lorsqu'il la prit dans la sienne, elle regretta aussitôt son geste. Elle sentit sa peau dure et rugueuse sur la sienne. Sa poigne de fer. Et en même temps, elle se rappela comment ses doigts effleuraient son corps et la rendaient totalement folle.

— Marché conclu, dit Ky qui crut reconnaître une lueur du passé dans ses yeux. Mais je ne te garantis pas que nous trouverons quoi que ce soit.

Il garda sa main dans la sienne, tout en sachant qu'elle avait envie de se dégager.

— J'ai bien compris.

— Je déduirai les arrhes versées par ton père de tout cela.

— Très bien, conclut-elle. Quand commençons-nous ?

— Retrouve-moi au port demain à 8 heures, dit-il. Laisse-moi les documents, j'aimerais les consulter plus en détail.

— Ce ne sera pas nécessaire, commença Kate qui sentit Ky serrer plus fort sa main.

— Si tu n'as pas confiance, garde-les, dit-il d'une voix dangereusement calme. Et trouve-toi quelqu'un d'autre.

Leurs regards se croisèrent. Kate se sentait prise au piège, et pas uniquement parce qu'il lui tenait la main. Elle savait qu'il y avait des sacrifices qu'elle devrait faire.

— Je te retrouve à 8 heures.

— Parfait, répondit-il en la libérant. Ce fut un plaisir de négocier avec toi, Kate.

Ainsi congédiée, elle se leva.

— Au revoir.

Ky se leva à son tour et termina sa dernière gorgée de

bière en la regardant partir. Puis il s'obligea à s'asseoir jusqu'à ce qu'il soit sûr qu'elle soit hors de vue. Il resta assis le temps que son parfum se soit évanoui.

Des épaves et des trésors engloutis. Cela aurait pu être la plus enthousiasmante des aventures si sa seule et unique envie, pour l'instant, n'avait été de sauter sur son bateau et de foncer vers l'horizon. Il n'avait pas imaginé qu'il serait aussi troublé par sa présence. Elle l'ensorcelait totalement. Il avait oublié qu'à la sentir si près, son estomac se nouait à ce point.

Il n'avait jamais réussi à tirer un trait sur leur histoire. Il avait eu beau remplir sa vie de tout ce qu'il pouvait imaginer, depuis quatre ans, la seule personne qui comptait était cette fine intellectuelle à l'air hautain et aux yeux de biche.

Ky s'assit, le regard rivé sur la mallette qui portait les initiales de Kate. Il ne s'était pas attendu à ce qu'elle revienne. Il venait de découvrir qu'il n'avait pas accepté la rupture. D'une façon ou d'une autre, il avait réussi à se tromper lui-même pendant quatre ans. En la retrouvant, il comprenait qu'il s'était agi d'une question de survie. Il avait été obligé de se voiler la face, car il devait continuer à vivre, à prétendre que ce moment de sa vie était derrière lui, sinon il serait devenu fou.

Et voilà qu'elle était revenue, mais pas pour lui. Ky passa la main sur la surface en cuir de l'attaché-case. Elle avait simplement fait appel au meilleur plongeur qu'elle connaissait et allait le payer pour ses services. C'était tout. Le passé semblait ne plus avoir d'importance pour elle.

La colère montait en lui, doucement mais sûrement. Sa main se crispa autour de la bouteille de bière. Il lui donnerait ce qu'elle venait chercher. Et peut-être même aurait-elle droit à un petit extra.

Cette fois, lorsqu'elle partirait, il ne resterait pas là, planté comme un imbécile. C'est elle qui devrait faire semblant pendant le reste de ses jours. Lorsqu'elle partirait, il en aurait fini avec elle. Pour de bon.

Il se leva brusquement et retourna sous l'appentis. S'il restait à l'intérieur, il risquait de se soûler.

3

Kate se fit couler un bain tellement chaud que le miroir au-dessus du lavabo blanc se couvrit aussitôt de buée. A la surface de l'eau, l'huile parfumée dessinait des petits cercles irisés. Kate ne savait plus depuis combien de temps elle était là. L'eau chaude l'aidait à retrouver son calme. Elle avait franchi un point de non-retour et elle avait survécu… Tandis qu'elle discutait avec Ky dans sa cuisine, elle avait lutté contre les souvenirs de leurs éclats de rire et de la passion qu'ils avaient vécue. Combien de dîners avaient-ils partagés là-bas, dégustant leur pêche du jour et savourant un bon vin ?

Elle ne savait comment elle avait réussi à ravaler ses larmes tandis qu'elle rentrait à l'hôtel, mais elle y était arrivée et demain ce serait un peu plus facile et ainsi de suite, au fil des jours. Il fallait qu'elle arrive à s'en convaincre.

L'animosité de Ky allait l'y aider. Ses petites piques ironiques la rappelleraient à l'ordre chaque fois qu'elle se laisserait emporter par la tentation de penser à leur aventure de jeunesse. Tout cela était une question de point de vue. Elle avait toujours su prendre du recul sur les événements.

Il était possible que ses sentiments pour Ky ne soient

pas totalement oubliés. En tout cas, pas autant qu'elle l'avait espéré ou prétendu. Pourtant, elle se répétait que seul quelqu'un d'inconscient pouvait aller au-devant de nouvelles souffrances sciemment. Seul un vrai romantique était capable d'imaginer que l'amertume serait, un jour, douce. Depuis longtemps déjà, Kate n'était plus l'inconsciente romantique qu'elle avait été. Ils travailleraient ensemble parce qu'ils avaient des intérêts communs. C'était tout.

Il fallait dire que c'était quelque chose, cette mission. Deux cent cinquante ans. Kate ferma les yeux et laissa son esprit vagabonder. Bien sûr, ils ne retrouveraient ni le sucre, ni la soie, mais peut-être que des objets de cuivre auraient résisté à deux siècles et demi de corrosion… La coque serait recouverte d'algues et de coquillages, mais certaines pièces de chêne auraient peut-être supporté toutes ces années sous l'eau. Le loch, qui servait à mesurer la vitesse, avait peut-être été protégé dans un endroit étanche et serait toujours lisible ? Tout cela pourrait devenir la collection d'un musée portant le nom de son père. Ce serait un dernier hommage qui lui permettrait enfin de se débarrasser de la culpabilité inconsciente qu'elle ressentait depuis si longtemps.

L'or, lui, serait toujours là. Kate sortit de la baignoire, exaltée à cette pensée. L'attrait du précieux métal ne l'épargnait pas, même si elle savait que ce qui serait le plus palpitant, et peut-être même le plus gratifiant dans cette aventure, serait la quête elle-même. Mais si elle le trouvait…

Que ferait-elle ? Pensive, Kate suspendit la serviette de l'hôtel et se glissa dans son peignoir. Derrière elle, le miroir était toujours recouvert de la vapeur du bain qui se vidait lentement. Le placerait-elle sagement sur un compte ? S'offrirait-elle des vacances sur les îles grecques pour voir de ses propres yeux ce qui avait tant exalté Byron ? Le sourire aux lèvres, Kate alla dans la chambre chercher sa brosse à cheveux. Il était curieux qu'elle n'y ait jamais pensé avant, mais peut-être était-ce mieux ainsi.

« Tu as toujours eu du mal à te projeter au-delà du moment présent. »

Qu'il aille au diable ! Folle de rage, Kate plaqua violemment sa brosse sur la table. Elle s'était projetée. Elle s'était rendu compte que tout ce qu'il lui proposait était une aventure passagère dans une cabane délabrée. Pas de garanties, pas d'engagement, pas d'avenir. Au moins remerciait-elle le ciel d'avoir eu la lucidité suffisante pour se rendre compte qu'elle devait tirer un trait sur cette histoire de rien du tout. Pourtant, elle n'avait jamais laissé entendre à Ky à quel point elle avait souffert de laisser derrière elle ce rien du tout-là.

Son père avait eu raison de souligner à demi-mot les défauts de Ky et ses obligations envers elle-même et son métier. Le manque d'ambition de Ky et son désintérêt complet pour les projets d'avenir étaient bel et bien des défauts. Elle avait des responsabilités et, en les assumant, elle s'accordait le luxe de l'indépendance et de la reconnaissance.

Apaisée, elle reprit sa brosse. Elle revenait bien trop souvent sur le passé. Il était temps que cela cesse. Avec précision, elle releva ses cheveux en chignon. A partir de cet instant, elle se concentrerait sur ce qui allait arriver, et non sur ce qui s'était passé ou aurait pu se passer.

Il fallait qu'elle sorte prendre l'air.

La panique était là, toute proche, prête à s'emparer d'elle. Peu lui importait maintenant son état de fatigue et le fait que la seule chose dont elle rêve à ce moment précis soit de se glisser dans son lit pour permettre à son corps et son esprit de trouver le repos. Elle était trop nerveuse pour espérer se reposer. Elle allait traverser la rue pour aller rendre visite à Linda et Marsh. Elle verrait leur bébé et pourrait laisser le dîner s'éterniser. Et lorsqu'elle rentrerait à l'hôtel, elle serait trop épuisée pour pouvoir ne serait-ce que rêver.

Demain, du travail l'attendait.

Elle s'habilla rapidement et arriva au Roost juste après 18 heures. Ce qu'elle découvrit lui plut au premier coup d'œil. C'était raffiné sans être chic. Pour une fois la salle n'était pas obscure, comme ces restaurants du Connecticut où elle allait avec son père ou ses collègues et qui lui donnaient l'impression d'entrer dans une cathédrale… Ici, l'ambiance semblait détendue, accueillante.

Des tableaux représentant des scènes marines ornaient les murs en stuc. Partout dans la salle, un attirail d'objets marins était exposé — un compas en cuivre étincelant, une voile colorée drapant le bar, des tabourets en forme de tonneaux… Un mât avait été dressé vers le plafond avec un nid-de-pie dans lequel avaient été plantées des fougères qui tombaient en cascade.

Il y avait déjà un certain nombre de tables occupées et on entendait le bruit des couverts qui heurtaient légèrement les assiettes. Le tout était couvert par le murmure indistinct des conversations et le fumet des plats.

C'était vraiment chaleureux. Simple, mais bien

organisé. Les serveurs, habillés en matelots, allaient et venaient, rapidement, mais sans précipitation. Les fenêtres donnaient sur un somptueux coucher de soleil sur le port de Silver Lake. Kate se détourna pourtant, car elle savait que son regard finirait par tomber sur le *Vortex* ou son emplacement vide.

Demain viendrait bien assez vite. Elle voulait une dernière nuit sans souvenirs.

— Kate !

Elle sentit deux mains se poser sur ses épaules et reconnut la voix. Un large sourire éclairait son visage lorsqu'elle se retourna.

— Marsh, je suis tellement contente de te voir.

Calmement, comme toujours, il la détailla du regard. Il vit aussitôt la tension et le soulagement dans ses yeux. Lui aussi avait eu un petit faible pour elle, qui s'était transformé au fil de l'été en admiration et en respect.

— Toujours aussi belle ! Linda me l'avait dit, mais je suis content de le constater par moi-même.

Kate se mit à rire. Elle avait toujours eu l'impression avec lui que la vie pouvait se nicher dans les mots les plus simples. Elle ne s'était jamais demandé pourquoi ce qui l'apaisait chez Marsh la faisait vibrer chez Ky.

— J'ai pas mal de retard en matière de félicitations, il me semble. Votre mariage, votre fille, votre restaurant…

— Je les accepte toutes avec plaisir ! Que dirais-tu de notre meilleure table ?

— Je n'en attendais pas moins ! répondit-elle en le prenant par le bras pour l'accompagner jusqu'à une table près de la fenêtre. J'avais toujours pensé que tu fonderais une famille et trouverais un travail qui te ressemble. C'est le cas, et tu as l'air heureux.

— Je n'en ai pas seulement l'air, je le suis, dit-il en posant sa main sur la sienne. Au fait, Kate, nous avons appris pour ton père. Je suis désolé.

— Merci.

Marsh prit place en face de Kate et la fixa de son regard doux et calme qui ne ressemblait en rien à celui de son frère. Ky était le vrai rêveur des deux.

— En revanche, je dois admettre que je ne regrette pas le fait que cela te fasse revenir parmi nous. Tu nous as manqué, dit-il avant de laisser le silence s'installer un moment. Tu nous as manqué à tous.

Kate déplia sa serviette couleur carmin.

— Les choses évoluent, dit-elle lentement. Linda et toi en êtes certainement la preuve la plus évidente. Je me rappelle qu'à l'époque tu la trouvais plutôt agaçante.

— Cela n'a pas changé ! s'exclama Marsh, amusé en se tournant vers la jeune serveuse aux cheveux attachés. Voici Cindy, elle s'occupera bien de toi, mademoiselle Hardesty — ou devrais-je dire docteur Hardesty ?

— Mademoiselle suffira, répondit Kate. Je suis en vacances !

— Mlle Hardesty est une invitée d'honneur, expliqua-t-il à la serveuse. Que dirais-tu d'un petit apéritif ? Ou du vin, peut-être ?

— Du Piesporter, intervint une voix grave derrière eux.

Kate crispa les doigts sur sa serviette, mais leva les yeux aussi calmement que possible en direction de Ky.

— Madame le professeur a un petit faible pour ce vin.

— Bien, monsieur Silver, répondit la serveuse.

Avant que Kate n'ait le temps de dire quoi que ce soit, la jeune fille avait déjà tourné les talons.

— Eh bien, Ky, quelle autorité ! commenta Marsh.

Ky haussa les épaules en s'appuyant sur le dossier de la chaise de son frère. La tension était nettement palpable, mais aucun des trois ne le laissa apparaître.

— J'ai eu soudain envie de langoustines, reprit Ky.

— Je te les recommande, d'ailleurs, dit Marsh à Kate. Linda et le chef ont longuement débattu de la recette avant d'en concocter une nouvelle qui frôle la perfection.

Kate fit de son mieux pour ignorer le regard sombre et insistant de Ky et sourit à Marsh.

— Je serai ravie de les goûter. Veux-tu te joindre à moi ?

— Ce serait avec plaisir, mais Linda a dû rentrer à la maison en catastrophe car notre petite Hope a encore fait des siennes et persécute sa baby-sitter. J'essaierai de venir pour le café. Bon appétit !

Il se leva tout en lançant un regard appuyé à son frère.

— Marsh ne s'est jamais vraiment remis de son adoration pour toi, lança Ky en prenant place avant même d'y avoir été invité.

— Marsh est un ami, répondit Kate en déposant sa serviette sur ses genoux. Même si ce restaurant appartient à ton frère, Ky, je suis certaine que tu ne veux pas plus de ma compagnie pour dîner que je ne veux de la tienne.

— C'est là que tu te trompes !

Ky lança un petit sourire à la serveuse qui leur apportait le vin. Il ne prit pas la peine de corriger Kate sur le réel propriétaire du Roost. Kate quant à elle resta impassible, ses bonnes manières lui interdisant de répliquer, tandis que Cindy débouchait la bouteille et en versait les premières gouttes dans le verre de Ky.

— Parfait, lui dit Ky après avoir goûté le vin blanc. Je ferai le service.

Il s'empara alors de la bouteille et remplit le verre de Kate avant de reprendre :

— Puisque nous avons tous les deux choisi le Roost ce soir, pourquoi ne pas faire un petit test ?

Kate prit une gorgée de vin. Il était sec et bien frais. Elle se rappela la première bouteille qu'ils avaient partagée, assis par terre chez Ky, la nuit où elle lui avait offert son innocence. En le fixant, elle reprit une gorgée.

— Quel genre de test ?

— Essayer de voir si nous sommes capables de dîner ensemble parmi des gens civilisés. Jusqu'à présent cela ne nous avait pas été accordé.

Kate fronça les sourcils en le voyant lever son verre. C'était la première fois qu'elle le voyait boire dans un verre à vin. Lors des quelques occasions où ils avaient ouvert une bouteille, ils avaient bu dans des petits verres plats. Le pied du verre semblait trop délicat pour ses mains, le vin trop doux pour son regard.

Ils n'avaient jamais dîné ensemble en public auparavant, c'était un fait. Son père n'aurait jamais accepté qu'elle partage sa table avec quelqu'un qu'il considérait comme son employé. Kate le savait et ne s'y était donc pas risquée.

Maintenant, les choses étaient différentes et elle le savait. Ky était son employé, d'une certaine façon, mais elle pouvait décider par elle-même. Elle leva son verre et le tendit vers lui.

— Buvons à nos affaires, qu'elles soient fructueuses.

— Je n'aurais pas dit mieux, dit-il en trinquant à son tour en la fixant intensément. Le bleu te va bien.

Ce bleu nuit donne à ta peau une teinte délicate. On a envie de la goûter du bout des lèvres, lentement.

Kate ne baissa pas les yeux. Elle était stupéfaite de la facilité avec laquelle il donnait à sa voix ce ton profond et si intime qui lui faisait perdre la tête. Il avait le talent de changer les mots en des secrets mystérieux. Un talent auquel elle avait toujours eu du mal à résister, comme c'était le cas en ce moment…

— Puis-je prendre votre commande ? demanda la serveuse qui venait d'arriver à hauteur de leur table.

— Nous prendrons des langoustines avec une salade maison, répondit Ky en souriant.

Kate resta silencieuse et regarda Ky se reculer sur sa chaise, son verre à la main. Il souriait toujours, mais ce sourire ne s'accordait pas avec son regard.

— Tu ne bois pas ton vin, demanda-t-il. J'aurais peut-être dû te demander si tes goûts avaient changé au fil des ans.

— Il est très bon, répondit-elle en en prenant une nouvelle gorgée et gardant son verre à la main comme pour s'y accrocher. Marsh a l'air en forme. Je suis contente pour Linda et lui, je les ai toujours imaginés ensemble.

— Vraiment ? demanda Ky en levant son verre à la rencontre du rayon de lumière qui traversait la fenêtre. Marsh n'était pas convaincu à l'époque, et puis avec le temps… Il a toujours été plus long que moi à prendre des décisions.

— Tu as toujours été beaucoup plus insouciant que lui, surtout, répondit Kate en tâchant de masquer son trouble.

— Pourtant ce n'est pas mon frère que tu es venue trouver avec tes cartes et tes plans, n'est-ce pas ?

— Non, en effet, répondit-elle en retenant son souffle. Peut-être est-ce parce que j'ai considéré qu'un peu d'inconscience pouvait être utile.

— Tu me trouves utile, c'est cela, Kate ?

La serveuse déposa les salades devant eux sans dire un mot. Le regard de Ky l'en avait dissuadée.

Kate aussi avait croisé son regard.

— J'ai toujours pensé que l'on économisait beaucoup de temps et d'énergie en s'adressant directement à la personne la plus apte et la plus qualifiée pour faire un travail, expliqua-t-elle en posant son verre pour attraper sa fourchette. C'est la seule raison qui me fait revenir à Ocracoke : remplir cette mission. Je crois que les choses seront plus simples pour nous deux si cela est clair.

Une lueur de défi traversa le regard de Kate au moment où elle prononça ces mots. Ky sentit la colère monter en lui, mais parvint à se contrôler. Ainsi, Kate comptait jouer sur les mots, il en prenait bonne note. Elle avait toujours eu l'esprit vif, mais avec le temps, son caractère s'était nettement affirmé. Il repensa à la jeune Kate un peu ingénue qu'il avait connue, et son cœur se serra.

— Pourtant, si je me souviens bien, c'était toi qui aimais à compliquer les choses à l'époque. Tu voulais toujours que je t'explique l'utilisation, l'histoire et le fonctionnement précis de chaque pièce d'équipement avant de sortir en plongée.

— Cela s'appelle de la prudence !

— C'est sûr qu'en matière de prudence tu me bats à plates coutures, reprit-il en prenant une longue gorgée de vin. Il y a des gens qui étudient le vent pendant la moitié de leur vie. Moi, je préfère me laisser emporter…

— Oui, rétorqua-t-elle en souriant froidement. Je me souviens bien… Pas d'attaches ni de projets, demain le vent pourrait tourner.

— Si l'on prend racine pendant trop longtemps, on finit comme ces arbres, là-bas, dit Ky en pointant du doigt quelques genévriers chétifs.

— Pourtant, tu es toujours ici, où tu es né et as grandi.

Ky remplit le verre de Kate.

— L'île est trop isolée et la vie trop simple, pour certains, mais je préfère cela aux beaux quartiers avec leurs garden-parties et leurs country clubs.

Pour Ky, c'était à ce monde-là que Kate appartenait. Il leva les yeux vers elle et sentit tout son désir contenu bouillonner en lui. Elle était de ces gens qui, vêtus d'élégants vêtements de soie, une tasse en porcelaine à la main, dissertent sur d'obscurs poètes anglais du XVIIIᵉ siècle. Etait-ce pour cela qu'il se sentait en sa présence tellement maladroit, grossier et incapable de contrôler ses émotions ?

S'il avait vécu deux siècles auparavant, il l'aurait enlevée, ils seraient partis tous deux pour le grand large et y seraient restés. Ils auraient pu aller de port en port. Si être avec elle signifiait ne plus jamais rentrer chez lui, alors c'est en mer qu'il aurait choisi de s'exiler. Mais au moins aurait-il été avec elle. Les doigts de Ky se crispèrent autour de son verre. Oui, avec elle.

On glissa une assiette devant Ky et il reprit pied avec la réalité. Il n'était pas au XVIIIᵉ siècle, c'étaient ses cartes qui lui avaient fait imaginer tout cela. Finalement, peut-être trouveraient-ils tous deux plus que ce qu'ils attendaient.

— J'ai examiné les documents que tu m'as confiés.

— Ah oui ? dit-elle avec intérêt.

— Ton père a mené des recherches très approfondies.

— Evidemment.

Ky eut un petit rire avant de reprendre.

— Evidemment, répéta-t-il. Quoi qu'il en soit, j'ai l'impression qu'il a trouvé une piste intéressante. Cependant, es-tu au courant que le secteur dont il parle est très dangereux ?

Kate avait envie de poser sa fourchette et de le harceler de questions, mais elle prit sur elle et continua à déguster ses langoustines.

— Des requins ? demanda-t-elle d'un ton qu'elle voulait dégagé.

— Les requins sont partout, répondit-il indifférent. Ce que beaucoup de gens oublient c'est que pendant la Seconde Guerre mondiale il y a eu des affrontements par ici. Il y a encore de nombreuses mines le long de cette partie de la côte. Si nous devons aller jusqu'au fond de la mer, il faudra garder cela à l'esprit.

— Je ne compte rien laisser au hasard.

— Oui, mais parfois les gens se projettent tellement loin qu'ils en oublient de regarder ce qui est juste sous leurs pieds.

Ky avait à peine touché à son assiette, mais il reprit son verre de vin. Comment aurait-il pu avaler quoi que ce soit alors qu'elle était là et que tout son corps en était pleinement conscient ? Il ne cessait de se demander ce qu'il ressentirait s'il pouvait enlever une à une les épingles qui retenaient ses cheveux, comme il l'avait fait si souvent par le passé… Il ne pouvait contrôler les souvenirs qui lui revenaient à l'esprit les uns après les autres. Il se revoyait l'enlaçant étroitement et restant ainsi, immobile, pour le seul plaisir de sentir son corps contre le sien. Il revoyait les regards longs et silencieux qu'elle lui jetait avant que la passion ne prenne possession d'elle et ensuite cette impression de liberté totale qui se dégageait d'elle lors de leurs dernières et grisantes étreintes.

Comment tout pouvait-il être si simple entre eux à l'époque et si compliqué maintenant ? Est-ce que leurs corps aussi avaient oublié ? Est-ce que ses mains ne glisseraient plus dans les cheveux bruns de Kate, ce brun qui prenait tant de nuances dès qu'elle était au soleil ? Elle murmurait toujours son prénom lorsque la passion la consumait. Il avait envie qu'elle le dise, juste une fois, d'une voix douce et entrecoupée, tandis que leurs corps encore brûlants et palpitants de plaisir s'entremêlaient. Il n'était pas sûr de pouvoir résister.

L'esprit ailleurs, il fit un geste pour commander du café. Peut-être n'avait-il pas envie de lutter. Il avait besoin d'elle. Il avait oublié à quel point le désir pouvait se révéler lancinant et irrésistible. Peut-être pourrait-il l'assouvir ? Il n'avait pas l'impression de la laisser totalement indifférente… Certaines choses ne changent jamais. Tout ce qu'il espérait, c'était que cette fois-ci cela lui suffirait.

Lorsque ses yeux se posèrent sur elle de nouveau, Kate y sentit une menace. Ky était un homme difficile à saisir. Tout ce qu'elle parvint à comprendre, c'est qu'il venait de prendre une décision la concernant. Elle but une gorgée de café. Les choses étaient différentes, cette fois, car c'était elle qui était à la barre et elle comptait bien le lui faire comprendre. Il était d'ailleurs temps de commencer à mettre les choses au clair.

— Je serai à 8 heures sur le port, lança-t-elle brusquement. J'aurai besoin de bouteilles, mais j'apporterai ma propre combinaison. Pense à rapporter mon attaché-case. J'imagine qu'il faut compter un maximum de six à huit heures par jour en mer.

— As-tu plongé régulièrement ces dernières années ?

— Ne t'inquiète pas pour moi.

— Je sais que tu as eu le meilleur des professeurs, dit-il en vidant son verre nerveusement, mais si cela fait longtemps, mieux vaut commencer doucement les premiers jours.

— Je suis parfaitement compétente.

— J'attends plus que de la compétence chez une partenaire.

Ky reconnut cette lueur dans ses yeux, et son désir s'aiguisa encore. Il trouvait toujours aussi excitant de sentir qu'il lui faisait perdre son calme et son flegme.

— Nous ne sommes pas partenaires. Tu travailles pour moi.

— C'est une question de point de vue, rétorqua Ky en se levant et lui bloquant le passage. La journée sera longue, tu ferais mieux d'aller récupérer un peu du sommeil que tu as en retard.

— Je n'ai pas besoin que tu te préoccupes de ma santé, Ky.

— C'est de la mienne que je m'inquiète. Tu ne descendras pas avec moi à moins d'être reposée et en bonne forme. Si je te vois arriver avec les yeux cernés demain matin, tu ne plongeras pas. Lorsqu'on est fatigué, on fait des erreurs, et une erreur de ta part pourrait me coûter très cher. Est-ce que cela vous paraît suffisamment raisonnable, madame le professeur ?

— C'est parfaitement clair, répliqua Kate.

Lorsqu'elle se leva et que leurs corps se frôlèrent, ils ne purent réprimer un léger sursaut.

— Je vais te raccompagner.

— Ce n'est pas nécessaire.

Ky la prit par le poignet, délicatement mais fermement.

— C'est simplement de la courtoisie. Tu as pourtant toujours été très à cheval sur ce genre de détails.

Jusqu'à ce que je sente ta peau sur la mienne…, pensa-t-elle. Non, il était hors de question qu'elle se laisse aller à se remémorer ce genre de choses, surtout si elle voulait trouver le sommeil cette nuit. Kate hocha la tête en un geste d'acceptation silencieuse.

— Je veux remercier Marsh.

— Tu pourras le remercier demain, intervint Ky en déposant un pourboire sur la table. Il est occupé.

Kate s'apprêta à protester, mais vit Marsh rentrer précipitamment en cuisine à ce moment-là.

— D'accord, dit-elle en passant devant Ky et se dirigeant vers la sortie.

L'air de la fin de journée semblait parfumé. Le soleil était bas, même s'il n'allait pas se coucher avant au moins une heure. A l'ouest, les nuages étaient teintés de touches de mauve et de rose. Une fois dehors, Kate se dit qu'il devait y avoir plus de monde à l'intérieur du restaurant que dans les rues.

Un bateau de pêche rentrait au port. Certains touristes resteraient sur l'île tandis que d'autres prendraient le dernier ferry pour se rendre à la crique de Hatteras.

Elle aurait eu envie de prendre le large dès maintenant, à l'heure où la lumière baissait et la brise s'atténuait. Partir maintenant sur la mer immense et solitaire.

Chassant ces pensées de son esprit, Kate prit le chemin de l'hôtel. Ce dont elle avait besoin n'était pas une promenade en mer, mais une bonne nuit de sommeil. Ses rêveries étaient déraisonnables et une journée importante l'attendait demain.

Le même hôtel. Ky leva les yeux pour trouver sa fenêtre. Il savait qu'elle avait sûrement pris la même chambre. Il avait déjà eu l'occasion de l'y raccompagner, mais alors elle le tenait tendrement enlacé contre elle. Il l'imagina levant les yeux et riant d'une de leurs aventures du jour, avant qu'il ne l'embrasse, tendrement, longuement avant que la porte ne se referme derrière elle.

Parce qu'elle était passée par le même cheminement de pensée, Kate se tourna vers Ky comme ils approchaient de l'entrée de l'hôtel.

— Merci, Ky, dit-elle en faisant mine de chercher sa clé dans son sac. Je suis arrivée, tu n'as pas besoin de te retarder davantage.

— En effet.

Il ne repartirait pas sans rien. Il brûlait d'impatience et de désir. Il ne la laisserait repartir qu'avec quelque chose qui lui rappellerait leur fougueuse nuit dans cette même chambre d'hôtel quelques années auparavant.

— Mais je crois que nous n'avons jamais vraiment eu la même conception du besoin, toi et moi, reprit-il en la prenant soudain par la nuque.

— Non, ne fais pas ça, dit-elle en se raidissant, mais sans se dégager pour autant.

Elle ne voulait pas paraître vulnérable en tentant de l'esquiver. Pourtant elle l'était, vulnérable, sous ses doigts.

— Je crois que c'est quelque chose que tu me dois, dit-il d'une voix tellement calme que l'air sembla vibrer. Ou peut-être que je me le dois à moi-même.

Son regard, sa voix, étaient durs. C'était délibéré. Il y avait au fond de lui une soif de revanche sur ce qui n'avait pas été. Ou peut-être sur ce qui avait eu lieu, justement. Il posa sur ses lèvres sa bouche insatiable et la serra dans ses bras avec force. Si jamais elle avait oublié, ceci l'aiderait à se rappeler.

Ky sentit Kate serrer les poings. Qu'elle le déteste, qu'elle le méprise… Il préférait cela à sa froide politesse.

Mais bon sang que c'était bon… Elle était si douce et délicate, comme ces vaguelettes d'écume qui venaient lécher le rivage. Il sentait confusément qu'il pourrait se noyer en elle sans un murmure ou une plainte.

Elle aurait voulu que cela soit différent, différent au point qu'elle ne ressente rien. Mais ce n'était pas le cas.

Elle sentait ses lèvres impatientes, ces mêmes lèvres qui avaient toujours produit sur elle cet effet dévastateur. Il y avait aussi son corps mince et insatiable, tellement fait pour le sien, comme avant… Et son odeur d'eau salée qui n'avait pas non plus changé. Lors de chacun de leurs baisers, il y avait en bruit de fond la mer, le vent ou les mouettes. Cette fois encore, c'était le cas. Derrière eux, les bateaux se balançaient doucement au gré des vagues, et l'eau caressait le bois des coques. Une mouette, perchée sur un pilotis, laissa échapper une longue plainte solitaire. Le flot des sentiments du passé monta en elle et vint se mêler aux sensations présentes.

Elle ne lui résista pas. Kate s'était bien juré de ne pas

lui montrer la lutte que se livraient en elle sa raison et ses sentiments. Pourtant, au moment de le repousser, il lui sembla que son cerveau refusait de transmettre le message. Elle n'avait pas le choix.

Elle sentit la caresse enivrante de sa langue, et ses paumes s'ouvrirent doucement avant de venir se poser contre son torse. Chacun de ses muscles lui était si familier. Ky l'embrassait comme avant, totalement, sans inhibition ni patience.

Le temps lui sembla s'évanouir, et elle redevint une jeune femme, amoureuse et inconsciente. Ce qu'elle ne s'expliquait pas, c'était que cela lui fasse monter les larmes aux yeux.

Il fallait qu'il la laisse partir, sinon il ne répondrait plus de rien. Il serait bientôt capable de la supplier et il s'y refusait farouchement. Il ne se sentait pas assez fort pour accepter de la laisser s'échapper une fois encore. Il était tellement déchiré qu'il laissa échapper un soupir. C'est alors qu'il la repoussa, frustré, furieux et ensorcelé…

Il finit par la regarder et se rendit compte que son regard était le même que celui qu'elle lui avait jeté après leur premier baiser, mi-surpris, mi-interrogateur. Il ne savait plus vraiment où il en était. Quoi qu'il ait cherché à prouver, il savait que la seule chose dont elle devait maintenant être sûre, était qu'il était toujours autant attiré par elle. Se mordant la lèvre pour ne pas jurer, il battit en retraite en la saluant d'un vague hochement de tête.

— Huit heures de sommeil ! lui rappela-t-il sans même se retourner.

Certains jours, le soleil semble se lever plus lentement que d'autres, comme si la nature voulait célébrer sa majesté un peu plus longtemps. En allant se coucher, Kate avait laissé les persiennes relevées, car elle savait que les premières lueurs de l'aube la tireraient du sommeil avant que son réveil n'ait eu le temps de sonner.

Elle considérait le lever du jour comme un cadeau qui lui était fait, personnellement. Debout à sa fenêtre, elle le regardait s'épanouir. Le premier souffle de la légère brise du matin vint lui caresser le visage et les cheveux, et sembla s'immiscer dans le fin tissu de sa chemise de nuit. Kate buvait les couleurs, la lumière et le grondement silencieux du jour qui pointait au-dessus des eaux.

Ce moment de contemplation était en soi un boule-versement de sa routine habituelle, établie au fil des mois et des années précédentes. Pour elle, le matin était le moment où l'on se prépare, où l'on revoit ses notes et son emploi du temps, en avalant deux tasses de café et un rapide petit déjeuner. Elle n'avait jamais le temps de s'offrir l'aube, tout entière, alors, ce matin, elle le prenait.

Elle avait bien dormi, finalement. Aucun rêve n'était

revenu la hanter entre le moment où elle s'était glissée entre ses draps et celui où les premiers rayons du soleil s'étaient posés sur son visage. Elle s'était levée aussitôt. Il n'y aurait pas de rêves maintenant non plus.

Kate laissa ce nouveau jour la remplir de toutes ses promesses. C'était aujourd'hui que tout commençait. Tout, depuis la découverte des papiers de son père jusqu'aux retrouvailles avec Ky, n'avait été que prélude. Même leur étreinte fugace de la veille n'était rien d'autre qu'un pâle fantôme du passé.

Elle s'habilla et sortit à la rencontre du matin.

Elle ne pourrait rien avaler. L'excitation qu'elle avait si soigneusement essayé de contenir semblait prête à se libérer. De nouveau, elle avait l'impression d'avoir pris une bonne décision. Quoi qu'il lui en coûte, elle irait chercher cet or dont son père avait rêvé. Elle marcherait dans ses traces. Et si elle ne trouvait rien, au moins aurait-elle essayé.

Elle avait l'impression que par cette quête elle se débarrasserait de tous ses vieux démons.

Le baiser de Ky... Il avait été troublant, bouleversant, comme autrefois. Et elle s'était sentie absorbée, comme autrefois. Même si elle savait qu'elle devait affronter Ky et son passé, elle n'avait pas imaginé à quel point il serait si cruellement facile de se laisser entraîner encore vers ce monde aux sombres rêveries où seul Ky l'avait emmenée.

Maintenant qu'elle le savait, il fallait qu'elle se prépare à affronter le vent.

Il ne lui avait jamais pardonné d'avoir dit non. De l'avoir blessé dans sa fierté. Elle était retournée dans son monde à elle alors qu'il lui avait demandé de faire partie du sien. Il lui avait demandé de rester sans rien lui offrir, pas même une promesse. Il aurait suffi qu'il lui donne cela — aussi improbable et vague que soit cette promesse — et elle ne serait pas partie. Elle se demandait s'il en était conscient.

Peut-être s'imaginait-il que si elle s'abandonnait entre ses bras cette fois encore, ils seraient quittes. Mais cela n'arriverait pas. Kate enfonça les mains dans les poches de son short. Il aurait pourtant suffi qu'il insiste un peu, hier soir, et il aurait su à quel point elle était troublée par un seul baiser de lui...

Mais il ne le saurait pas. Elle ne s'y laisserait plus reprendre. Cet été, son unique horizon serait le trésor. Cette fois-ci, elle ne repartirait pas les mains vides.

Il était déjà à bord du *Vortex*, occupé à arrimer le matériel, les cheveux dans le vent. Il était simplement vêtu d'un short et d'un T-shirt sans manches, qui dévoilaient ses muscles et sa peau dorée par le soleil.

Kate sentit son estomac se nouer et dut faire un effort pour chasser cette sensation absurde. Mais après tout, n'était-il pas normal qu'une femme ressente quelque chose à la vue d'un si parfait corps d'athlète ? C'était tout naturel, et cela n'avait pas forcément à voir avec Ky en particulier. Tandis qu'elle s'avançait vers le bateau, Kate essayait de s'en convaincre.

Il ne l'avait pas vue. Un bateau de pêche au loin avait attiré son attention. Comment se faisait-il qu'elle note toujours une certaine impatience en lui ? Il ne semblait jamais parfaitement immobile ou silencieux. Que pouvait-il bien voir là-bas, vers l'horizon ? Le défi ? L'aventure ?

Il semblait toujours prêt à l'action et pourtant, il était

parfaitement capable de s'asseoir pour contempler les vagues, comme si la chose la plus importante au monde était cette bataille éternellement recommencée entre la terre et l'eau.

Il se redressa alors sur le pont, les mains sur les hanches, observant le navire qui se dirigeait vers le large. C'était un spectacle qu'il avait eu des milliers de fois l'occasion de voir, et pourtant, il s'arrêtait pour le contempler une fois de plus. Kate suivit son regard. Elle aurait aimé voir ce qu'il voyait.

En silence, elle grimpa sur le ponton. Il dut sentir sa présence, car il se retourna aussitôt, les yeux brillants.

— Tu es en avance, lança-t-il en lui tendant la main pour l'aider à monter à bord.

— Je me suis dit que tu étais peut-être aussi impatient que moi de commencer.

Leurs paumes se serrèrent, mais ni l'un ni l'autre n'eurent envie de faire durer ce contact.

— Ce devrait être une sortie facile, aujourd'hui, dit-il en se tournant vers l'avant du bateau. Le vent vient du nord, pas plus de dix nœuds.

— Parfait, répondit-elle, même si ni l'un ni l'autre n'auraient été dérangés par un peu plus d'air.

Kate devinait que Ky brûlait de partir maintenant, d'être dans le feu de l'action. Afin de simplifier les choses au maximum, elle l'aida à larguer les amarres avant d'aller se placer à l'arrière du bateau. Ainsi, elle laisserait suffisamment d'espace entre eux. Ils ne parlèrent pas. Le moteur démarra, brisant le silence du petit matin. En douceur, Ky manœuvra jusqu'à la sortie du port, laissant derrière lui un sillon qui clapotait contre les piliers. Il garda la même vitesse tandis qu'il traversait les bas-fonds de la crique d'Ocracoke. Kate se retourna pour regarder le village s'éloigner petit à petit.

C'était vraiment comme dans un rêve. La dernière chose qu'elle distingua fut un enfant qui descendait crânement le long de la jetée avec sa canne à pêche sur l'épaule. Elle se retourna alors vers la mer.

La brise tiède, le soleil éblouissant. L'excitation. Avant de venir, Kate ne savait pas si elle ressentirait la même chose qu'autrefois, mais là, en fermant les yeux, elle avait la réponse. Derrière ses paupières closes, elle sentait encore la luminosité du soleil tandis que la brise salée fouettait son visage, et elle sut que c'était quelque chose de profond en elle, quelque chose qui n'avait pas changé, qui l'avait attendue.

Assise parfaitement immobile, elle sentit que Ky augmentait la vitesse. Le bateau glissait sur les flots sans accroc, tel un félin au milieu de la jungle. Les yeux fermés, elle sentait le mouvement, la vitesse, le soleil. C'était un frisson qu'elle n'avait jamais complètement oublié.

Elle avait eu raison de penser que la quête serait plus palpitante que le résultat. La quête et, quoi qu'elle en dise, l'homme qui était à la barre.

Il s'était bien juré de ne pas la regarder. Pourtant, il le fallait, au moins une fois. Les yeux clos, un demi-sourire aux lèvres, les cheveux balayés par le vent qui avait réussi à défaire son chignon… Tout cela fit remonter en lui un flot de souvenirs. Il se remémora le jour où il l'avait vue ainsi pour la première fois, ce même jour où il s'était dit qu'il l'aurait un jour juste pour lui. Elle avait l'air calme, totalement sereine, alors qu'il avait l'impression qu'une guerre faisait rage en lui.

Et même lorsqu'il se fut retourné face à la mer, Ky continua de la voir, adossée contre la poupe. En réaction, il essaya de l'imaginer devant une de ses classes, décortiquant patiemment *Henri IV* ou *Don Juan*. Cela n'y fit rien. Il était hanté par cette vision de Kate, assise derrière lui et faisant le plein de vent et de soleil, comme si elle avait été en manque.

C'était peut-être le cas, d'ailleurs. Bien qu'elle ignorât tout des pensées de Ky à ce moment précis, Kate n'avait jamais été plus loin que ses salles de classe ou que ses exigences personnelles. Bien sûr, il y avait toujours une partie d'elle qui restait enseignante, mais elle ne pouvait ignorer une autre part d'elle-même : celle d'une rêveuse.

Avec la sensation du vent et du soleil sur sa peau, Kate se sentait trop euphorique pour se laisser impressionner, trop heureuse pour s'inquiéter. C'était vraiment un sentiment unique que de revivre quelque chose que l'on a connu et aimé, puis perdu.

Peut-être était-ce à l'image de ce baiser passionné qu'elle avait partagé avec Ky la nuit précédente. Elle en avait eu besoin. Cela avait été un besoin insensé, et même dangereux. « Juste une fois, se dit-elle. Juste cette fois-là. »

Rassérénée, elle rouvrit les yeux. Elle était maintenant capable de soutenir les reflets irisés du soleil sur la surface de l'eau. Ils ondulaient, fascinants, captivants. Le bateau de pêche que Ky observait depuis le port avait maintenant jeté l'ancre et mettait ses filets en place. Elle reconnut les filets utilisés pour les harengs et dont Ky lui avait expliqué le fonctionnement.

Elle se demanda pourquoi il n'avait pas choisi le métier de pêcheur, qui lui aurait permis de vivre de la mer totalement. Sûrement parce que cela aurait signifié mettre un terme à sa solitude. Les pêcheurs vivent et travaillent ensemble, et il était très rare que Ky choisisse de se mêler aux autres. Parfois, à des moments comme celui-ci, elle parvenait parfaitement à le comprendre.

Que ce soit grâce à ce sentiment nouveau de liberté, ou à cette force renouvelée qu'elle découvrait en elle, Kate alla retrouver Ky, parfaitement calme.

— C'est aussi beau que dans mon souvenir.

Ky redoutait le moment où elle se retrouverait à proximité de lui. Pourtant, il eut l'impression que la tension qu'il avait ressentie depuis son arrivée s'était quelque peu atténuée.

— Les choses n'ont pas vraiment changé, il faut dire.

Ensemble, ils observèrent les mouettes qui tournaient autour du bateau de pêche, en quête de quelque prise facile.

— La pêche a été bonne, cette année, reprit-il.

— Tu as beaucoup pêché ?

— De temps en temps.

— Des palourdes aussi ?

Le sourire lui monta aux lèvres en la revoyant, le pantalon relevé jusqu'aux genoux, le jour où il lui avait appris à creuser dans le sable.

— Oui, bien sûr.

Kate aussi se souvenait. De cela, mais surtout des jours et des nuits qu'ils avaient partagés.

— Je me suis souvent demandé à quoi ressemblait l'île pendant l'hiver.

— C'est calme.

Kate hocha la tête.

— Je me suis aussi souvent demandé pourquoi tu préférais cette saison.

Ky se tourna vers elle, le regard fixe.

— Vraiment ?

Elle n'aurait peut-être pas dû dire cela, mais il était trop tard, et Kate haussa les épaules.

— Ce serait mentir que de prétendre que je n'ai jamais repensé à l'île ou à toi durant les quatre dernières années. J'ai toujours cherché à te cerner un peu mieux.

Ky se mit à rire. C'était tellement typique de Kate de formuler les choses ainsi.

— C'était sans doute parce que tu n'avais pas trouvé de réponse à toutes tes questions si méthodiques. Tu penses vraiment trop comme un professeur, Kate.

— Parce que la vie n'est pas une sorte de questionnaire à choix multiple ? répliqua-t-elle. Deux ou trois bonnes réponses peuvent être apportées à chaque question, mais une seule est totalement et clairement correcte.

— Non, je pense qu'une seule est totalement et clairement incorrecte.

Ky reconnut dans ses yeux cette expression pensive et absorbée qu'il lui avait déjà vue. Il savait qu'elle était en train de méditer sa réponse. Qu'elle soit d'accord ou pas avec lui, elle allait d'abord peser le pour et le contre avant de se prononcer.

— Toi non plus tu n'as pas changé, murmura-t-il.

— C'est ce que j'ai pensé de toi, tout d'abord, mais je pense que nous nous trompons tous les deux. Ni l'un ni l'autre n'est resté le même, et c'est bien ainsi.

Kate se tourna vers le large. Elle se concentra sur l'horizon en silence avant de pousser un cri de surprise.

— Regarde ! s'exclama-t-elle en lui prenant le bras. Des dauphins !

Il y avait peut-être une dizaine de ces mammifères marins qui sautaient hors de l'eau en poussant leurs petits cris si caractéristiques. Kate se prit à rêver d'être un dauphin et de pouvoir passer ainsi de l'air à l'eau en toute liberté.

— C'est fantastique n'est-ce pas ? murmura-t-elle. J'avais presque oublié.

— A quel point ? demanda Ky en détaillant son profil. A quel point avais-tu oublié ?

Kate tourna la tête, se rendant compte à cet instant de leur proximité. Inconsciemment, elle s'était rapprochée de lui lorsqu'elle avait vu les dauphins. Maintenant, elle ne parvenait pas à regarder autre chose que son visage, à quelques centimètres du sien, et ne ressentait plus rien, sinon la chaleur de sa peau sous sa main. Sa question semblait lui être répercutée, dans tout ce qu'elle impliquait, par la surface de la mer.

Elle se recula d'un pas. Tout près, il y avait la mer, profonde et déchirée par les vagues.

— J'ai oublié ce que je devais oublier, répondit-elle. J'aimerais jeter un coup d'œil aux cartes de mon père. Tu les as emportées ?

— Ta mallette est dans la cabine, dit-il en serrant un peu plus fort la barre. Tu devrais arriver à retrouver ton chemin.

Sans répondre, Kate le contourna pour emprunter les quelques marches abruptes qui menaient sous le pont.

Là se trouvaient deux étroites couchettes, aux draps impeccablement tendus. La petite cuisine, ou coquerie, n'abritait que le strict minimum. Kate savait qu'elle allait retrouver la cabine parfaitement rangée, aussi organisée qu'une cellule de moine.

Kate se remémora les moments passés avec Ky sur une de ces couchettes, brûlants de passion, tandis que le bateau se balançait doucement au gré des courants et que la radio diffusait des airs de jazz.

Elle empoigna la poignée de cuir de son attaché-case de toutes ses forces, comme si la douleur pourrait l'aider à lutter contre ses souvenirs. Il était illusoire d'espérer se débarrasser de ce type de flash-back, mais au moins pouvait-elle essayer de garder le contrôle de ses émotions. Avec soin, elle déplia l'une des cartes sur une couchette.

Comme tout ce que faisait son père, la carte était précise et simple. Même si ce n'était pas son métier, Hardesty avait dessiné une carte que n'importe quel marin aurait suivie en toute confiance.

On y voyait la côte de la Caroline du Nord, le lagon de Pamlico Sound et les îles de Outer Banks, de Manteo à Cape Lookout. Son père avait non seulement répertorié les latitudes et les longitudes, mais aussi les profondeurs des fonds marins.

Soixante-seize degrés nord, trente-cinq degrés est. D'après les indications, c'était la zone dans laquelle son père pensait que le *Liberty* reposait, et c'était à peine à quelques kilomètres d'Ocracoke. Quant à la profondeur… Oui, cela restait très accessible à un plongeur. Ky et elle pourraient se contenter de combinaisons et de bouteilles, sans avoir à s'encombrer des casques et chaussures de lest, nécessaires aux plongées en eaux profondes.

Et la petite croix marque le point précis…, pensa-t-elle,

un peu grisée, mais tout en s'efforçant de garder la tête froide. Elle repliait la carte avec soin, lorsqu'elle sentit le bateau ralentir. Ky coupa les moteurs. Kate remonta les marches fébrilement et retrouva la lumière du jour.

Il était déjà en train de vérifier les bouteilles, même si elle savait qu'il avait déjà dû tout inspecter avant de partir.

— Nous allons plonger ici, nous sommes à un demi-mille du dernier endroit que ton père a exploré l'été dernier, expliqua Ky en se relevant.

Puis, il ôta son T-shirt, et avant même que Kate n'ait eu le temps de se retourner pour attraper ses affaires, il était déjà en maillot de bain.

Elle mit les battements précipités de son cœur sur le compte de la plongée en perspective. Si sa gorge était nouée, c'était évidemment à l'idée de retrouver les profondeurs marines. Son corps était si fin et musclé, et sa peau si mate… Mais ce qui l'intéressait étaient ses compétences et ses connaissances. Quant à lui, il ne pensait certainement qu'à son salaire et aux vingt-cinq pour cent du trésor.

Kate enfila une combinaison sans manches, bien ajustée, qui laissait deviner ses courbes féminines et révélait ses longues jambes que Ky savait aussi douces que l'eau et aussi musclées que celles d'un coureur de fond. Ils étaient ici pour trouver un trésor enfoui. Certains trésors, pourtant, étaient perdus à tout jamais.

Ky leva les yeux vers Kate qui était en train d'ôter les épingles de ses cheveux. Ses longues mèches tombèrent une à une sur ses épaules. Retenant son souffle, Ky souleva le premier jeu de bouteilles.

— Nous plongerons une heure aujourd'hui.

— Mais…

— C'est déjà plus que suffisant, interrompit-il sans même lui adresser un regard. Cela fait quatre ans que tu n'as pas plongé.

Kate le laissa l'équiper avec les bouteilles, en serrant le harnais.

— Je ne t'ai jamais dit cela.

— Non, mais je mettrais ma main au feu que, si tu avais plongé, tu m'en aurais parlé.

Un vague sourire se dessina au coin de ses lèvres lorsque Kate garda le silence. Après s'être équipé de ses propres bouteilles, Ky enjamba le bastingage et emprunta l'échelle. Kate avait le choix : négocier ou le suivre.

Il cracha dans son masque pour le nettoyer avant de le rincer dans la mer. Puis il se couvrit les yeux et le nez avant de se laisser tomber dans l'eau. Moins de dix secondes plus tard, Kate le rejoignait. Ky attendit un instant, afin de s'assurer qu'elle n'avait pas de mal à nager ou à respirer, puis il amorça la descente.

Non, elle n'eut pas de mal à respirer, mais cette première bouffée ressembla plus à un soupir. Tandis que son corps entrait dans l'eau, Kate retrouvait les sensations de son baptême de plongée et cette impression incroyable que l'on ressent lorsque l'on respire sous l'océan.

Elle leva les yeux vers le ciel pour voir les petits rais de lumière qui perçaient la surface de l'eau et tendit la main pour regarder les reflets danser sur sa peau. Elle aurait pu rester là des heures, lui semblait-il, mais elle devait rejoindre Ky dans les profondeurs obscures.

Ky vit passer un banc de harengs et se demanda s'ils finiraient dans les filets du bateau qu'il avait vu partir un peu plus tôt. Lorsque d'un même mouvement les poissons se dévièrent de leur route pour le frôler, il se retourna vers Kate. Elle lui avait dit qu'elle savait ce qu'elle voulait et cela se vérifiait. Elle nageait avec plus d'aisance et de précision que jamais.

Il s'était imaginé qu'elle allait lui demander comment il comptait s'y prendre pour rechercher le *Liberty*. Mais ce ne fut pas le cas. Ky se dit qu'il n'y avait que deux explications plausibles à cela : soit elle voulait éviter toute discussion avec lui, soit elle avait elle-même déjà déterminé un plan d'action. La connaissant, Ky penchait pour la seconde option. Elle semblait aussi avoir les idées plus claires et arrêtées que jamais. La méthode la plus logique pour chercher l'épave lui semblait être de progresser en arcs de cercle successifs autour des précédents sites explorés par Hardesty. Ainsi, si Hardesty ne s'était pas trompé, ils finiraient par retrouver le *Liberty*. S'il s'était trompé... Ils auraient passé l'été à la chasse au trésor.

Si les bouteilles sur son dos rappelaient à Kate qu'elle ne devait pas s'abandonner totalement à cette sensation de liberté, elle avait pourtant l'impression qu'elle pourrait passer sa vie sous l'eau. Elle avait envie de tout toucher — l'eau, les algues, le sable. Elle tendit la main vers un banc de merlans bleus, elle les observa se disperser avant de se regrouper en un même élan coordonné. Elle savait qu'il y avait des moments, tandis que le plongeur se mouvait dans ce sombre monde liquide, où il était possible d'oublier jusqu'au soleil. Peut-être Ky avait-il eu raison de limiter leur temps de plongée. Il fallait qu'elle fasse attention à ne plus se fier à ses premières impressions.

La forme plane et circulaire qui se distinguait à peine

dans le sable attira l'attention de Ky. Aussitôt, il saisit Kate par le bras pour l'immobiliser. La raie pastenague, qui arpentait les fonds marins en quête de savoureux crustacés, était certainement intéressante à observer, mais elle était aussi mortelle. A première vue, Ky estima qu'elle était à peu près aussi grande que lui. Il distinguait maintenant sa queue, munie d'un aiguillon aussi affûté qu'un rasoir. Mieux valait soigneusement l'éviter.

A la vue de la raie, Kate se rappela que l'océan n'était pas que beauté et mystères. C'était aussi un monde de mort et de douleur. Le poisson se mit alors à avancer et sortit sa queue, semblable à un fouet qui s'élança pour capturer un infortuné merlan qui passait par là. C'était la nature, c'était la vie, mais Kate détourna le regard. Au travers des masques, ses yeux croisèrent ceux de Ky.

Elle s'était attendue à y voir de la dérision ou de l'amusement envers ce qui n'était qu'une faiblesse ridicule de sa part. Elle ne vit aucun des deux. Son regard était bienveillant, ce qui était vraiment rare. Il tendit la main et lui frôla la joue, comme il le faisait pour la réconforter, des années auparavant. Elle sentit sa chaleur et il le vit. Alors, aussi rapidement qu'elle s'était ouverte, cette parenthèse se referma. Ky lui tourna le dos et s'éloigna en lui faisant signe de le suivre.

Il ne pouvait se permettre de se laisser distraire par ces moments de vulnérabilité, ces élans de tendresse. Ils avaient déjà eu raison de lui par le passé. Leur priorité était la mission qu'ils avaient définie. Quels que soient ses autres projets, Ky devrait se rappeler de garder le contrôle. Le moment venu, il profiterait pleinement de Kate, il se l'était promis. Il prendrait ce qu'elle lui devait. Mais plus jamais elle n'aurait accès à son cœur.

Lorsqu'il l'amènerait dans son lit, ce serait le résultat d'un froid calcul, rien de plus.

C'était aussi quelque chose qu'il se promettait.

Ils ne virent aucune trace du *Liberty*, mais Ky découvrit quelques pièces rouillées, couvertes de petits coquillages, qui devaient provenir d'autres naufrages. Peut-être un navire de guerre ou un sous-marin de la Seconde Guerre mondiale. La mer absorbait ce qu'on lui abandonnait.

Il fut tenté de nager un peu plus loin, mais il savait qu'il leur faudrait au moins vingt minutes ensuite pour rejoindre le bateau. Il fit demi-tour, repassant en revue le secteur qu'ils venaient d'inspecter.

Ce n'était pas tout à fait la quête de l'aiguille dans la meule de foin, mais pas loin, pensa Kate. Deux siècles de tempêtes, d'orages et de courants marins... Même s'ils disposaient de la position réelle où le *Liberty* avait coulé, bien des calculs seraient nécessaires, ajoutés à un peu de chance, pour arriver à restreindre les recherches à un cercle de vingt milles de diamètre.

Ky croyait à la chance de la même façon que Hardesty devait croire au calcul. Peut-être qu'un savant mélange des deux leur permettrait de découvrir les restes du *Liberty*.

Jetant un coup d'œil derrière son épaule, il vit Kate évoluer derrière lui. Elle regardait de tous les côtés, mais Ky pensait que son esprit n'était pas au trésor ou aux navires engloutis. Elle était, comme quatre ans auparavant, totalement séduite par la mer et le monde qu'elle abritait. Se souvenait-elle de toutes les informations qu'elle lui avait demandées avant sa première plongée ? Comment le corps s'adapte-t-il au changement de pression ? Comment le dioxyde de carbone est-il absorbé ? Quelles sont les implications physiologiques pour l'organisme ?

Ky sourit en amorçant la remontée. Il était sûr qu'elle se rappelait chacune de ses réponses, au mot près, voir au chiffre près en ce qui concernait les calculs de pression.

Un rayon de soleil vint la caresser tandis qu'elle remontait à la surface, petit à petit. La lumière qui traversait ses cheveux lui donnait une apparence éthérée. Pour Ky, les sirènes devaient à peu près lui ressembler, si elles existaient : fines et longues, avec de longs cheveux clairs flottant au gré des courants. Un homme ne pouvait rester avec une sirène que s'il acceptait le monde dans lequel elle évoluait comme étant le sien. Il tendit la main vers ses cheveux juste au moment où ils faisaient surface tous les deux.

Kate se débarrassa de l'embout, releva son masque et se mit à rire.

— Oh, c'était merveilleux ! Juste comme dans mon souvenir.

Elle rit de nouveau en nageant sur place, et Ky se rendit compte que cela faisait quatre ans qu'il n'avait pas entendu ce son. Pourtant, il se le rappelait parfaitement.

— Tu avais l'air plus décidée à profiter de la plongée qu'à partir à la recherche d'une épave, répondit Ky en souriant lui aussi.

Il trouvait son enthousiasme communicatif, et c'était pour lui un bonheur de revoir ce sourire qu'il s'était imaginé ne plus jamais retrouver.

— Tu as raison, confirma-t-elle en tendant le bras vers l'échelle presque à contrecœur. De toute façon, je ne m'attendais pas à trouver quelque chose dès la première plongée, et c'était si bon de se retrouver sous l'eau ! Chaque fois, je me dis que je n'aurai plus jamais besoin du soleil, et dès que je remonte il me paraît plus chaud et vif que dans mon souvenir.

Kate ôta ses bouteilles et en vérifia les valves avant de les poser. Encore euphorique, elle enleva ses palmes, puis son masque et pencha la tête en arrière, vers le soleil.

— C'est vraiment quelque chose d'unique, ajouta-t-elle, les yeux clos.

— Et tu ne connais pas encore la plongée en apnée, dit Ky en ouvrant la fermeture de sa combinaison. J'ai découvert cela à Tahiti, et c'est vraiment incomparable. Tu ne peux pas imaginer les sensations que l'on éprouve à nager dans des eaux transparentes avec pour seul équipement un masque, des palmes et nos propres poumons.

— Tahiti ? demanda Kate, intriguée, en rouvrant les yeux. Tu y as été ?

— Oui, quelques semaines, l'année dernière, répondit-il en plaçant sa combinaison dans un bac.

— Ton goût pour les îles ?

— Et pour les jupes en fibres végétales…

Kate éclata de rire encore une fois.

— Oui, je suis sûre que tu portes très bien ce genre de costume !

Il avait oublié combien elle avait la repartie vive lorsqu'elle était détendue. Ky tendit la main et la passa fugacement dans ses cheveux.

— J'aurais dû prendre des photos, en effet, lança-t-il avant de descendre les quelques marches de la cabine.

— Tu étais trop occupé à contempler les Tahitiennes pour t'embarrasser d'un appareil photo ? ironisa Kate en s'asseyant sur l'étroit banc de bois du pont.

— Plus ou moins, oui, mais ne t'y trompe pas, je n'ai pas non plus laissé les Tahitiennes indifférentes, répondit Ky en lui lançant une pêche.

Kate eut un petit cri de surprise, mais rattrapa le fruit et le porta à sa bouche.

— Tu as toujours de bons réflexes.

— Surtout quand j'ai faim, répondit Kate en léchant le jus qui s'écoulait le long de son poignet. Je n'ai pas pu déjeuner ce matin, j'étais trop tendue.

Ky finit de remonter, chargé de deux bouteilles de soda bien frais.

— A cause de la plongée ?

— Oui et aussi…

Kate s'interrompit en se rendant compte qu'elle était en train de lui parler comme elle l'aurait fait quatre ans auparavant.

— Oui ? reprit Ky en tâchant de garder une voix neutre.

Kate se leva et se tourna vers la poupe. A perte de vue, il n'y avait que le ciel et la mer.

— L'aube, expliqua-t-elle à mi-voix. La vision du soleil en train de se lever sur l'océan. Toutes ces couleurs… Je n'avais pas vu un lever de soleil depuis une éternité.

Tout en parlant, elle secoua ses cheveux mouillés. Ky regarda les gouttes tomber sur le pont. S'obligeant à retrouver son calme, Ky s'adossa contre le bastingage et mordit dans sa pêche.

— Comment ça se fait ?

— Pas le temps… Pas besoin.

— Est-ce que le temps et le besoin représentent la même chose pour toi ?

— Quand ta vie est organisée autour d'emplois du temps, cela finit par se confondre.

— Et c'est ce que tu veux ? Une vie faite d'emplois du temps ?

Kate tourna la tête et croisa son regard. Comment pourraient-ils jamais se comprendre ? Le monde de chacun était un mystère pour l'autre.

— C'est ce que j'ai choisi.

— Un de tes questionnaires à choix multiple ? répliqua Ky.

— Peut-être. A moins que certaines questions n'offrent qu'une seule réponse, répondit-elle avant de couper court à la conversation. Mais parle-moi de Tahiti, Ky. A quoi est-ce que ça ressemble ?

— La douceur de l'air, de l'eau… Du bleu, du vert et du blanc. Ce sont les couleurs qui me viennent aussitôt à l'esprit. Et puis des taches exubérantes de rouge, d'orange et de jaune.

— Comme un tableau de Gauguin.

Avec la longueur du bateau entre eux, il fut plus facile à Ky de sourire.

— J'imagine…

— Tu as beaucoup plongé ?

— Oui. Il y avait des coquillages superbes, et puis des coraux tellement gros que j'aurais pu remplir tout un bateau. Sans parler de poissons que je n'avais vus que dans des aquariums, et des requins…, dit-il en se remémorant le jour où il avait bien failli finir entre les dents de l'un d'eux. Les eaux de Tahiti sont loin d'être ennuyeuses.

Kate retrouva une fois encore son regard passionné, avide de sensations. Elle ne le pensait pas capable de faire fi des règles de sécurité, mais savait que si le danger était devant lui, il l'affronterait les yeux dans les yeux. Non, décidément, ils ne se comprendraient jamais.

— As-tu rapporté un collier de dents de requin ?

— Je l'ai offert à Hope, répondit-il amusé. Mais Linda ne veut pas encore le lui laisser.

— Je la comprends ! Et qu'est-ce que cela fait d'avoir une nièce ?

— C'est bien. Elle me ressemble.

— Toujours cet ego masculin…

Ky haussa les épaules.

— J'adore la regarder faire tourner Marsh et Linda en bourriques ! Il faut dire qu'il n'y a pas beaucoup d'activités sur l'île.

— C'est curieux, j'ai du mal à réaliser que Marsh et Linda sont mariés et parents. Lorsque je suis partie, il la traitait comme sa petite sœur.

— Ton père ne te tenait pas au courant de ce qu'il se passait sur l'île ?

— Non, répondit Kate d'une voix grave.

— Tu ne lui demandais pas ? insista Ky.

— Non.

— Il ne t'avait pas non plus parlé de ses recherches ni de la raison de ses visites répétées à Ocracoke.

Kate écarta les mèches de cheveux qui se trouvaient sur son visage. Ky n'avait pas prononcé cette phrase sur le ton d'une question, pourtant elle décida de lui répondre.

— Non, il ne m'a jamais parlé du *Liberty*.

— Cela ne te chagrine pas ?

Kate sentit la douleur lui serrer l'estomac, mais elle l'ignora.

— Non, pourquoi ? Il avait le droit d'avoir son jardin secret.

— Pourtant, c'était un droit qu'il te refusait.

La douleur revint, plus forte. Kate traversa le pont et attrapa son T-shirt.

— Je ne vois pas de quoi tu parles.

— Si, tu vois très bien de quoi je parle, insista Ky en lui prenant les mains. Tu le sais, mais tu n'es simplement pas prête à l'admettre.

Kate avait levé les yeux et fixé Ky, comme pour regarder la vérité en face.

— Arrête avec cela, Ky, lança-t-elle d'une voix tremblante. Arrête !

Il avait envie de la secouer, de l'obliger à admettre qu'il avait raison afin qu'elle lui dise qu'elle l'avait quitté parce que son père l'y avait incitée. Il voulait qu'elle admette qu'elle n'avait pas eu la force ni le courage de tenir tête à l'homme qui l'avait élevée et façonnée à son image.

Il s'obligea à libérer ses mains et tourna le dos en haussant les épaules.

— J'arrête, murmura-t-il. J'arrête pour l'instant. L'été ne fait que commencer.

Il alla démarrer le moteur avant de se tourner vers elle une dernière fois en déclarant :

— Nous savons tous les deux qu'il peut se passer beaucoup de choses en un été.

5

— La principale caractéristique de Hope, expliqua Linda en rattrapant un vase que l'enfant avait bousculé, c'est qu'elle n'en fait qu'à sa tête !

Kate observait la fillette aux cheveux noirs qui était en train de grimper sur une chaise pour se regarder dans un miroir. Depuis quinze minutes qu'elle était arrivée, Hope n'était pas restée tranquille plus de quelques secondes d'affilée. Elle était très vive, étonnamment adroite et avait un regard tellement décidé qu'on avait tout de suite l'impression qu'elle savait ce qu'elle attendait de la vie et comment l'obtenir. Ky avait raison, sa nièce lui ressemblait.

— C'est ce que je vois. Comment trouves-tu l'énergie de t'occuper du restaurant, de ta maison et de ce bolide en prime ?

— Les vitamines, répondit Linda en soupirant. Des kilos de vitamines. Hope, ne mets pas tes doigts sur le miroir !

— Hope ! répondit la fillette en faisant des grimaces à son reflet. Jolie ! Jolie ! Jolie !

— L'ego des Silver, commenta Linda. Il n'y a rien à faire contre cela…

Amusée, Kate regarda Hope redescendre de la chaise,

atterrir sur le derrière, protégé par sa couche, et entreprendre de détruire méthodiquement la tour du jeu de construction qu'elle avait bâtie juste avant.

— Non, elle a raison, c'est vrai qu'elle est jolie ! Cela prouve qu'elle est suffisamment intelligente pour s'en rendre compte, c'est tout.

— J'aurais du mal à te contredire sur ce point. Quoique… Lorsqu'elle étale du dentifrice sur le sol de la salle de bains…

Linda vint s'asseoir sur le canapé.

— Te rends-tu compte que cela fait déjà une semaine que tu es là, et c'est la première fois que nous prenons le temps de discuter ?

Kate se pencha vers Hope et lui passa la main dans les cheveux.

— C'est que tu es une femme très occupée, Linda.

— Tout comme toi.

Kate devina la question qui se cachait derrière cette remarque et sourit.

— Tu sais, je ne suis pas revenue ici pour aller à la pêche ou à la plage, Linda.

— Ça m'apprendra à essayer de faire preuve de tact ! Alors raconte-moi donc ce que Ky et toi faites lors de vos sorties en mer.

Kate savait qu'avec Linda il ne servait à rien d'essayer d'esquiver les questions.

— Nous cherchons un trésor, répondit-elle du tac au tac.

— Ah ? dit Linda, à peine surprise en sauvant un pot de fleurs des griffes de sa fille. Le trésor de Barbe-Noire… Mon grand-père en parle encore. Des doublons espagnols, la rançon d'un roi et des bouteilles de rhum.

J'ai pourtant toujours imaginé qu'il était enterré quelque part sur l'île.

Sans même se détourner de Kate, Linda tendit à Hope un petit canard en plastique.

— Non, pas celui de Barbe-Noire.

Il existait des dizaines de théories et de légendes sur le lieu où l'infâme pirate aurait caché son butin. Les spéculations allaient elles aussi bon train quant au montant de ce fameux trésor. Pour Kate, cependant, tout cela n'était qu'un mythe, même si, d'une certaine façon, sa quête à elle n'était pas beaucoup plus réaliste.

— Mon père a mené des recherches sur un navire marchand anglais qui a coulé au large d'Ocracoke au XVIIIe siècle.

— Ton père ? interrogea Linda, qui avait du mal à imaginer Edwin Hardesty comme un chasseur de trésors. C'était donc pour cela qu'il revenait tous les ans... Pardonne-moi de te dire cela, Kate, mais c'est vrai que ce n'est pas exactement le genre de personne que l'on imagine en train de se passionner pour la plongée ou la pêche. Il est resté très discret sur ses activités.

— Oui, même envers moi.

— Tu n'étais pas au courant ? demanda Linda en jetant un coup d'œil rapide en direction de sa fille qui s'était mise à frapper sur un seau en plastique avec une pièce de puzzle.

— Non, je l'ai découvert en classant ses papiers, il y a quelques semaines. C'est ainsi que j'ai décidé de poursuivre ce qu'il avait entamé.

— Et tu es venue trouver Ky.

— Oui, dit Kate en frottant ses mains sur le tissu de

sa jupe. J'avais besoin d'un bateau et d'un plongeur, de préférence originaire de l'île. Ky est le meilleur.

Linda leva les yeux vers Kate, il y avait dans son regard comme une expression d'impatience.

— Est-ce la seule raison ?

Encore une fois, le goût du souvenir envahit Kate.

— Oui, c'est la seule raison.

Linda se demanda comment Kate pouvait s'imaginer qu'elle allait la croire, alors qu'elle-même ne semblait pas convaincue.

— Et si je te disais qu'il ne t'a jamais oubliée ?

Kate fit non de la tête de façon presque implorante.

— Ne me dis pas cela.

— Je l'aime beaucoup, commença Linda avant de se lever pour aller distraire Hope. Même s'il est irritant et compliqué, il reste le frère de Marsh… Et donc mon beau-frère. Quant à toi, tu es quelqu'un dont je me sens très proche, alors il m'est difficile d'être objective.

Kate fut tentée d'ouvrir son cœur et de se libérer de ses doutes, de ses questions.

— Je suis touchée, Linda, mais crois-moi, ce qu'il y avait entre Ky et moi est fini depuis longtemps. Nos vies ont changé.

Linda revint s'asseoir en silence. Elle savait qu'elle ne pouvait forcer Kate à s'épancher. Elle ressemblait tellement à Ky en cela, même si par ailleurs ils étaient totalement différents.

— D'accord. Bon, maintenant que tu sais à quoi j'ai occupé ces quatre dernières années, c'est à ton tour de me raconter ta vie !

— Oh, elle est bien plus calme que la tienne !

Linda se mit à rire.

— Une guerre civile serait plus calme que la vie dans cette maison !

— J'ai énormément travaillé pour obtenir mon doctorat du premier coup. Comme j'ai commencé à enseigner en même temps, je te laisse imaginer le peu de temps libre dont je disposais, expliqua Kate en se levant.

Tout cela semblait si terne, si triste… Bien sûr, elle avait choisi d'apprendre et d'enseigner, mais lorsqu'elle en parlait ainsi, cela la désespérait.

Des jouets étaient éparpillés partout dans le salon, petits instantanés d'enfance. Une cravate avait été posée sur le dossier d'une chaise sur laquelle Linda avait laissé son sac à main. Instantanés de mariage. Une famille. Comment diable pourrait-elle survivre dans sa grande maison, une fois rentrée dans le Connecticut ?

— Cette dernière année à l'université Yale a été passionnante et difficile à la fois, poursuivit Kate, qui se demandait pourquoi elle tâchait de se justifier ainsi. Je ne m'étais jamais imaginé qu'enseigner demandait autant de travail qu'étudier.

— C'est même certainement plus dur, intervint Linda. Il faut que tu aies les réponses.

— Oui, reprit Kate en s'accroupissant pour regarder la collection de peluches de Hope. Mais j'imagine que cela fait partie des choses qui m'attirent vers ce métier. J'aime le défi que cela représente. J'aime voir mes élèves assimiler ce que je leur explique.

— Parce que tu t'imagines encore qu'ils l'assimilent ? lança Linda, taquine.

Kate se mit à rire.

— Disons que lorsque cela arrive, c'est ce qu'il y a de plus enrichissant qui soit. Je suppose que c'est ce que l'on ressent plus ou moins en tant que maman. Tu enseignes au quotidien, finalement.

— J'essaye, en tout cas.

— C'est la même chose.

— Es-tu heureuse ? demanda Linda à brûle-pourpoint.

Hope tendit à Kate un dragon rose en peluche. Etait-elle heureuse ? Elle avait toujours couru après une forme d'accomplissement, mais le bonheur… Son propre père ne lui avait jamais posé cette question toute simple. Elle-même n'avait jamais pris le temps de se le demander.

— J'aime enseigner, commença-t-elle. Je serais malheureuse si je ne pouvais plus le faire.

— Belle façon de répondre sans répondre !

— Parfois il n'y a pas de réponse négative ou positive…

— Ky ! cria Hope si fort que Kate sursauta et se retourna vivement vers l'entrée.

— Non, intervint Linda qui avait noté la réaction de Kate. Elle parle du dragon. Comme c'est lui qui le lui a offert, elle l'appelle Ky.

— Ah.

Kate s'en voulut de s'être laissé surprendre ainsi, mais elle s'efforça de sourire en regardant le dragon rose vif. Il n'était pas normal que le fait d'entendre son prénom la mette dans un tel état, les mains tremblantes et l'esprit confus.

— C'est bien son genre de choisir un dragon rose, lança-t-elle en se relevant pour changer de sujet.

— Oui, répondit Linda en la regardant droit dans les yeux. Il aime ce qui est original, unique.

Kate finit par se détendre et leva un regard amusé vers Linda.

— Tu n'abandonnes jamais.

— Non, pas lorsque je crois en quelque chose, répondit Linda, l'air décidé. Je crois en Ky et toi. Vous pourrez bien dire ce qu'il vous plaira tous les deux, je sais que vous êtes faits l'un pour l'autre.

— Tu n'as pas changé, dit Kate dans un soupir. Je découvre que tu es devenue épouse, mère et patronne d'un restaurant, mais au fond tu es restée la même.

— Etre épouse et mère ne me rend que plus convaincue que j'ai raison ! lança-t-elle. Mais nous ne possédons pas le restaurant.

— Ah bon ? interrogea Kate, surprise. Pourtant tu m'as dit que le Roost était à Marsh et toi.

— Nous en sommes les gérants, expliqua Linda, et actionnaires à vingt pour cent. C'est Ky qui possède le Roost.

Linda jeta un regard réjoui à Kate.

— Ky ?

Kate était incapable de masquer son étonnement. Le Ky qu'elle connaissait avait toujours refusé de posséder quoi que ce soit, excepté son bateau et sa vieille bicoque. C'était un choix de vie de sa part. Acquérir un restaurant demandait plus que des fonds, cela demandait de l'ambition.

— Il ne t'a rien dit, semble-t-il ?

— Non, répondit Kate, en se remémorant les diverses occasions qu'il avait eues de le faire. J'ai du mal à l'imaginer investissant dans autre chose que dans un bateau !

— Rassure-toi, tout le monde a été surpris. Sauf peut-être Marsh, mais il le connaît mieux que quiconque. Quelques semaines avant notre mariage, Ky nous a annoncé qu'il avait acheté les murs et comptait remodeler l'ensemble. A cette époque, Marsh faisait la navette en ferry tous les jours jusqu'à Hatteras pour travailler et j'aidais ma tante dans sa boutique d'artisanat pendant la saison touristique. Lorsque Ky nous a proposé d'acquérir vingt pour cent du restaurant et d'en devenir les gérants, nous avons sauté sur l'occasion… Et nous ne le regrettons pas !

— Vous avez bien fait, certainement, confirma Kate qui avait adoré l'ambiance chaleureuse et la qualité des plats servis. J'ai cependant beaucoup de mal à croire que Ky ait pu se lancer dans les affaires.

— Il sait ce qu'il veut. Je crois simplement que pour l'instant il ne sait pas comment l'obtenir.

Kate hocha la tête, mais elle était décidée à ne pas relancer la conversation sur les ambitions de Ky.

— Je pensais aller me promener sur la plage, veux-tu m'accompagner ?

— Ce serait avec plaisir, mais…

D'un signe de la main, elle montra la petite Hope profondément endormie sur le sol, le dragon dans les bras.

— C'est vraiment tout ou rien, avec elle, n'est-ce pas ? fit remarquer Kate en riant.

— Le bon côté, c'est que quand elle s'arrête, je peux moi aussi faire une pause ! plaisanta Linda en prenant la fillette dans ses bras. Profite de ta promenade et n'hésite pas à passer au Roost ce soir, si tu en as l'occasion.

— Oui, répondit Kate en posant la main sur la petite tête brune qui ressemblait tant à Ky. Elle est très belle, Linda, tu as beaucoup de chance.

— Je le sais, crois-moi, je ne suis pas près de l'oublier !

Kate sortit de la maison et remonta la ruelle déserte. Le ciel semblait bas et la lumière était presque grise, même s'il ne pleuvait pas encore. Pourtant tout indiquait l'orage, depuis la fraîcheur de la brise, jusqu'au calme menaçant de la mer. Kate se dirigea vers la plage.

Sur l'île, l'eau semblait exercer une fascination presque magnétique. Ky en était le plus parfait exemple.

Dans le Connecticut, il était plus facile de ne pas aller à la plage, même si Kate avait toujours adoré les côtes rocheuses et venteuses de la Nouvelle-Angleterre. Elle ne le faisait pas par peur de rouvrir de vieilles cicatrices. Kate avait appris à éviter la douleur. Ici, en revanche, il était si simple de rejoindre la mer, il suffisait de marcher droit devant soi, suffisamment longtemps. Il était dur de résister.

Kate était simplement vêtue d'une petite jupe et d'un chemisier que le vent faisait gonfler. Elle vit deux hommes, des casquettes vissées sur le front et leurs cannes à pêche solidement amarrées dans le sable, en train de discuter, assis sur des seaux retournés. Leurs voix étaient couvertes par le ressac, mais il était probable qu'ils étaient en train de discuter de leurs lignes ou de leurs appâts et des prises de la veille. Elle n'irait pas les déranger et ils respecteraient sa solitude. C'était ainsi que cela se passait avec les insulaires.

L'eau était aussi grise que le ciel, mais Kate s'en moquait. Elle avait appris à apprécier les changements d'humeur de la mer. Lorsqu'elle était ainsi, grondante et menaçante, cela signifiait qu'un orage se préparait. Kate fut surprise de se sentir exaltée à cette idée. Cela ne lui ressemblait pas.

L'écume semblait bouillonner et s'élevait parfois vers le ciel en gerbe. Le cri des mouettes ne semblait plus mélancolique ou plaintif, mais presque provocateur. Non, décidément un ciel gris menaçant se mêlant à un océan gris était tout sauf lugubre. C'était de l'énergie. Cela regorgeait de vie.

Le vent la décoiffait, enlevant les épingles qui rete-naient ses cheveux, mais Kate ne s'en rendait pas compte. Elle se tenait à la limite entre le sable mouillé par les rouleaux et le reste de la plage et elle tenait tête au vent et à la mer. Il fallait qu'elle réfléchisse à ce qu'elle venait d'apprendre au sujet de Ky. Il fallait qu'elle affronte ce qu'elle avait voulu se cacher à elle-même.

Etre là, baignée par cette lumière si particulière aux instants qui précèdent un orage, lui faisait du bien. Le vent lui vidait la tête et lui permettait de garder les idées claires. Les sons et les odeurs lui rappelleraient ce qu'elle avait eu et qu'elle avait délaissé et ce qu'elle avait choisi.

Elle avait connu cette force supérieure qui l'avait laissée pantelante et le souffle court. C'était Ky, un homme capable d'atteindre vos émotions les plus intimes par sa seule présence. Cette force l'avait attirée, tout comme ce mélange de douceur et d'arrogance qui le définissait. Mais ils avaient des conceptions de la vie totalement incompatibles, et c'était ce qui les avait séparés.

Peut-être s'était-il finalement décidé à accepter une part de responsabilités dans sa vie, avec le restaurant. C'était peut-être aussi simple que cela. Auquel cas, Kate décida qu'elle devait s'en réjouir pour lui… Mais cela ne faisait aucune différence, ils restaient totalement opposés.

Elle avait choisi le calme, l'ordre. La réussite était une satisfaction en elle-même, car cela provenait de ce qu'elle aimait. Enseigner lui était vital, c'était plus qu'un travail ou même qu'une vocation. Transmettre ses connaissances la nourrissait. Peut-être que l'espace d'un instant, chez Linda, cela ne lui avait pas semblé suffisant, mais Kate savait qu'à trop espérer on risquait d'être déçu, ou de ne rien recevoir du tout.

Tandis que le vent lui fouettait le visage, elle regarda au loin les premières pluies s'abattre en un sombre rideau sur l'océan. Si le passé était un trésor qu'elle avait perdu, aucune carte ne l'y mènerait. On lui avait toujours appris que la vie ne se vivait que dans un sens.

Ky ne cherchait jamais à savoir pourquoi il avait soudain besoin d'aller au bord de l'eau. Il s'était totalement habitué à ses changements d'humeur et ne cherchait plus à les analyser. Il avait tout bonnement ressenti l'appel de la mer et de l'orage et décidé d'y céder.

Les yeux braqués sur l'océan, il avançait sur le sable de la plage. Il aurait pu, sans la moindre hésitation, trouver son chemin par une nuit sans lune. Il était resté tant de fois sur le rivage à regarder la pluie tomber sur la mer… Pourtant, jamais il ne trouvait cela monotone. Le vent rabattrait l'orage sur la plage, mais il serait bien temps d'aller chercher un refuge… S'il se décidait à s'abriter, car la plupart du temps Ky préférait laisser les trombes d'eau s'abattre sur lui pour continuer à profiter du spectacle de la mer démontée.

Il avait assisté de nombreuses fois à des tempêtes tropicales ou à des ouragans. Même s'il trouvait cela grisant, il aimait aussi le spectacle apaisant d'une pluie d'été. Aujourd'hui, il était même reconnaissant à cette pluie qui lui permettait de passer une journée sans Kate.

Ils étaient tant bien que mal parvenus à une trêve, qui, bien que fragilisée par diverses tensions, leur permettait au moins de passer tout ce temps, jour après jour, dans un si petit espace. Pourtant, il se sentait nerveux, tendu — assez pour risquer de commettre une erreur, ce qui lui était interdit en tant que plongeur.

La voir, passer du temps avec elle, en sachant qu'elle avait choisi de le rayer de sa vie, était infiniment plus difficile que d'être séparé d'elle. Pour Kate, il n'y avait qu'un moyen d'arriver à l'objectif qu'elle s'était fixé. Il était un outil, au même titre que ses cahiers et ses crayons, et s'il avait du mal à l'accepter, il ne pouvait s'en prendre qu'à lui. Il avait accepté ses conditions, il ne lui restait plus qu'à les remplir.

Il ne l'avait plus entendue rire depuis leur première plongée. Cela lui manquait. Autant peut-être que le goût de ses lèvres, ou la chaleur de son corps entre ses bras. Elle ne lui donnerait rien de tout cela d'elle-même.

Alors, la nuit, avec les vagues pour seule compagnie, il se demandait parfois s'il serait capable de survivre une heure de plus. Il le fallait, pourtant. Ce n'était qu'une sorte d'instinct de survie qui l'avait maintenu en vie au fil des dernières années. Son rejet l'avait rongé avant de le pousser à essayer de se prouver quelque chose. C'est grâce à Kate qu'il avait décidé de courir le risque d'engager jusqu'à son dernier centime dans le Roost. Il avait besoin de quelque chose de tangible. Le Roost le lui avait procuré, de la même façon que le bateau destiné à la location qu'il s'était acheté. Jamais il n'aurait imaginé cela il y a encore quelques années.

Il était donc propriétaire d'un restaurant qui faisait des bénéfices et d'un bateau qui commençait à lui rapporter. C'était un sévère accroc à son sens inné du risque. Mais pour lui, ce n'était pas l'argent qui importait, mais la spéculation, le risque, l'opportunité. La chasse au trésor provoquait le même genre de sensations.

Que recherchait-elle, au fond ? L'or était-il vraiment son objectif ? Cherchait-elle simplement une façon originale de passer ses vacances, ou était-elle toujours liée à son père par une sorte de dévotion aveugle ? Etait-ce le charme de la chasse elle-même qui avait eu raison d'elle ? Les yeux rivés sur le mur de pluie qui s'avançait lentement, Ky décida que c'était ce qu'il espérait le moins de toutes les possibilités.

A moins de cent mètres l'un de l'autre, Kate et Ky observaient l'arrivée de l'orage, ignorant tout de la présence de l'autre. Il pensait à elle et elle à lui, et pendant ce temps la pluie se rapprochait. Le vent se renforça. L'un comme l'autre refusaient de reconnaître leur propre solitude.

Ils se retournèrent finalement pour remonter les dunes et se virent alors.

Kate se demanda depuis combien de temps il pouvait être là. Comment était-il possible qu'elle n'ait pas senti sa présence ? Elle se sentit aussitôt prise d'une sorte de fièvre incontrôlable. Elle avait envie de lui. Elle savait que le reconnaître était déjà courir à la catastrophe, mais cela n'ôtait pas l'envie. Si elle s'enfuyait maintenant à toutes jambes, ce serait une façon d'admettre sa défaite. Elle choisit plutôt de faire le premier pas dans sa direction.

Sa jupe en fin coton blanc se gonflait et se rabattait autour de ses jambes. Mais Ky savait déjà qu'elles étaient parfaites. Sa peau semblait si pâle, ses yeux si sombres… Une fois encore, Ky pensa aux sirènes, aux illusions et aux rêves.

— Tu as toujours aimé la plage avant l'orage, dit Kate en arrivant à portée de voix.

Elle n'avait pas réussi à sourire. Elle s'était pourtant dit qu'elle allait lui sourire.

— C'est une question de minutes, maintenant, répondit-il en glissant une main dans la poche de son jean. Si tu es venue à pied, tu vas te faire mouiller.

— Ce n'est pas grave, les orages comme celui-ci ne durent pas longtemps, dit Kate en se tournant pour regarder l'orage. Je suis passée chez Linda. Tu as raison pour Hope.

— A quel sujet ?

— Elle te ressemble, dit-elle en parvenant à sourire cette fois, même si la tension lui nouait la gorge. Savais-tu qu'elle a appelé une de ses poupées comme toi ?

— Un dragon n'est pas vraiment une poupée, corrigea Ky.

Les murs d'indifférence qu'il arrivait si bien à élever autour de lui la plupart du temps ne résistaient pas à l'évocation de sa nièce.

— Elle est formidable, n'est-ce pas ? reprit-il. D'ailleurs elle a le pied marin.

— Tu l'emmènes sur ton bateau ?

Ky entendit l'étonnement dans sa voix et le balaya d'un haussement d'épaules.

— Oui, pourquoi pas ? Elle adore l'eau.

— C'est juste que j'ai du mal à t'imaginer…

S'interrompant, Kate se tourna vers la mer. Elle avait décidément du mal à l'imaginer s'occupant d'un bébé, lui offrant un dragon en peluche, ou l'emmenant faire un tour en mer…

— Tu me surprends, dit-elle alors d'une voix calme. A tous les niveaux.

Il avait envie de tendre la main pour toucher ses cheveux. Emprisonner toutes ses mèches folles entre ses doigts. Il enfonça un peu plus les mains dans ses poches.

— Vraiment ?

— Linda m'a dit que tu étais le propriétaire du Roost.

— C'est vrai. De la plus grosse partie en tout cas.

Il n'avait pas besoin de la regarder pour savoir qu'elle aurait cette expression pensive, songeuse.

— Tu ne m'en as pas parlé lorsque nous y avons dîné.

— Parce que j'aurais dû ? La plupart des gens se moquent bien du propriétaire tant que la cuisine est bonne et le service rapide.

Elle n'avait pas besoin de lever les yeux pour savoir qu'il venait de hausser les épaules.

— J'imagine que je ne suis pas la plupart des gens, répondit-elle doucement.

— En quoi est-ce un problème ?

Sans prendre le temps de réfléchir, elle se tourna vers lui, les yeux brillants de colère et d'émotion mêlées.

— Parce que tout est un problème ! Les pourquoi, les comment… Parce que tant de choses ont changé et tant de choses sont restées les mêmes. Parce que je veux…

Kate recula d'un pas. Son regard se teinta de panique avant qu'elle ne tourne les talons.

— Quoi ? demanda Ky en la saisissant par le bras. Qu'est-ce que tu veux ?

— Je ne sais pas ! hurla-t-elle sans se rendre compte que c'était la première fois qu'elle criait de la sorte depuis des années. Je ne sais pas ce que je veux et je ne me comprends pas.

— Ne cherche pas à comprendre, dit-il en l'attirant vers lui et la serrant dans ses bras. Oublie tout ce qui n'est pas ici et maintenant.

Ky sentait que ses nuits sans sommeil avaient usé ses nerfs. Tomber sur elle alors qu'il ne s'y était pas attendu avait fini de le déstabiliser.

— Tu m'as laissé une fois et je ne te courrai pas après, mais tu ne t'enfuiras pas aussi facilement, Kate. Pas cette fois.

Son visage s'était assombri en prononçant ces derniers mots. Son étreinte se resserra. Ses lèvres s'approchèrent des siennes, dangereuses, tentantes… Et elle s'en moquait. Ce qu'elle voulait, c'était sentir leur goût, leur chaleur, leur exigence. Peu lui importait ce qui se passerait ensuite. Sa raison pourrait bien lutter contre ses sentiments jusqu'à la fin des temps, elle s'en moquait. A cet instant même, serrée contre son corps, sous les violentes bourrasques du vent, elle savait déjà comment tout cela allait inévitablement se terminer.

— Dis-moi ce que tu veux, Kate, demanda-t-il d'une voix basse, mais impérieuse. Dis-moi ce que tu veux, maintenant.

Maintenant. Si seulement elle n'avait à se préoccuper que d'ici et maintenant… Elle commença à secouer la tête, mais sentit son souffle contre sa peau. Il n'en fallait pas plus pour que le futur et le passé se fondent en un même oubli.

— Toi, s'entendit-elle murmurer en prenant son visage et l'attirant vers elle. Seulement toi.

Le souffle éperdu du vent, les vagues déferlantes, la menace de la pluie… Kate sentait son corps contre le sien, impatient et tendu. Elle goûtait ses lèvres douces et pressantes. Malgré le tonnerre qui semblait résonner dans sa tête et le vacarme de l'orage, elle s'entendit gémir.

Elle sentit ensuite la caresse de sa langue et s'y abandonna, avec délice. Ses mains se mirent à parcourir son visage, comme pour apprendre ce qu'elle n'avait pas oublié, ou refaire connaissance avec lui. Serait-elle jamais rassasiée de Ky ?

Il n'était pas rasé, et sa barbe naissante était rêche sous ses mains. Elle sentit l'angle aigu de sa mâchoire, puis remonta jusqu'à ses cheveux, si doux sous le vent. Elle y plongea ses doigts.

Elle était capable de le rendre fou de désir, et pourtant Ky en demandait encore. La façon qu'elle avait de le toucher, tellement assurée, tellement douce, et sa bouche, tellement brûlante… L'envie prit possession de son corps de façon si rapide et impérieuse qu'il n'eut pas même le temps de s'en rendre compte. Il l'étreignit plus fermement encore, sa force contre sa douceur, sa brusquerie contre sa délicatesse, mais leurs flammes enfin réunies.

A travers le fin tissu de son chemisier, il sentait sa chair se réchauffer. Il savait que sa peau était fine et fragile comme un pétale de rose. Il savait qu'elle aurait un doux parfum et le goût du miel. Les souvenirs se mêlaient au moment présent et à ses sensations pour le rendre éperdu de désir. Il savait ce que c'était de lui faire l'amour, et cela ne faisait qu'accentuer son envie.

Il voulait l'aimer ici et maintenant, près de la mer, tandis que le ciel au-dessus d'eux s'ouvrirait pour déverser ses trombes d'eau.

— Je te veux, murmura-t-il en enfouissant son visage

au creux de son cou. Tu sais combien je te veux, tu l'as toujours su.

— Oui.

La tête lui tournait. Chaque caresse, chaque mot, ajoutait à son vertige. Elle avait toujours eu des doutes, mais cela n'avait jamais effacé son désir, qui revenait prendre possession d'elle avec toute la force de la passion. Ils avaient ce pouvoir l'un sur l'autre. Kate savait qu'ils seraient emportés par un ouragan de bruit et de fureur. Un ouragan secret et obscur. Cependant, Ky savait de quoi il parlait en lui disant qu'elle ne pourrait s'enfuir aussi facilement cette fois-ci. Cette pensée l'obligea à réfléchir un instant, quand il aurait été si simple de se laisser emporter par la folie du moment.

— Nous ne pouvons pas, murmura-t-elle, le souffle court, en essayant de s'écarter de lui. Ky, je ne peux pas. Ce n'est pas juste pour moi.

Elle prit son visage entre les mains et le repoussa doucement. Une colère froide couvait dans le regard de Ky.

— Si ça l'est, ça l'a toujours été.

— Non, ce n'est pas vrai. J'ai toujours été attirée par toi, je ne peux le nier et il serait ridicule de ma part de prétendre le contraire, mais ce n'est pas ce que je veux, au fond.

La pression des doigts de Ky se resserra sur sa main, mais elle n'était plus en état de ressentir quoi que ce soit.

— Je t'ai demandé ce que tu voulais et tu m'as répondu.

Tandis qu'il parlait, le ciel s'ouvrit, exactement comme il l'avait imaginé. La pluie venue de la mer avait un goût de sel. Aussitôt trempés jusqu'aux os, ils restèrent pourtant là, immobiles, la main de Ky serrant fermement celle de Kate. Elle sentit la pluie ruisseler sur son corps. Elle ne savait pourquoi, mais elle était maintenant décidée à ne pas se laisser emporter par la passion.

— Oui, et je n'ai pas menti, c'était toi que je voulais à ce moment.

— Et maintenant ?

— Je vais rentrer au village.

— Bon sang, Kate, mais qu'est-ce que tu veux vraiment ? s'écria-t-il.

Elle le fixa un moment. Sous la pluie, ses yeux étaient sombres et menaçants, comme la mer derrière eux. Curieusement, il lui était plus dur encore de lui résister lorsqu'il était ainsi, furieux, incontrôlable. Kate sentit le désir lui nouer l'estomac. C'était tout ce qu'il y avait entre eux. Il n'y avait jamais rien eu d'autre. Du désir sans compréhension. De la passion sans futur. De l'émotion sans raison.

— Rien que tu puisses m'offrir, répondit-elle en dégageant sa main. Rien que nous ne puissions partager. Je m'en vais.

Elle dut puiser dans ses dernières ressources pour trouver la force de faire les premiers pas qui l'éloignaient de lui.

— Tu reviendras, lança Ky dès qu'elle lui tourna le dos. Et si ce n'est pas le cas, cela ne change rien, je termine toujours ce que j'ai commencé.

Kate frémit mais ne s'arrêta pas.

6

L'orage était passé. Au petit matin, la mer était redevenue calme et bleue et comme parsemée d'éclats de diamants. Le soleil brillait et le ciel semblait avoir été lavé de tout nuage. On aurait dit que la pluie avait tout rafraîchi, l'air, l'herbe, et même la pierre et le bois des maisons.

C'était une journée magnifique, le vent était calme, mais il en allait autrement de Kate.

Elle s'était engagée dans son projet. C'était son contrat avec Ky qui l'avait poussée à se rendre au port jour après jour comme elle l'avait fait. C'était pour cela qu'elle montait sur le bateau alors qu'elle n'avait qu'une envie : faire ses valises et s'enfuir de l'île aussi vite qu'elle y était venue. Si Ky était capable de continuer à travailler après ce qui s'était passé sur la plage, elle aussi devrait y arriver.

Peut-être remarqua-t-il ses traits tirés, mais il ne fit aucun commentaire. Tandis qu'ils se dirigeaient vers le large, ils ne s'adressèrent pratiquement pas la parole. Ky restait à la barre et Kate s'était installée à la poupe, mais même le bruit du moteur ne parvenait pas à leur faire oublier le malaise qui s'était installé entre eux. Ky vérifia leur position, puis coupa les moteurs. Le silence se maintenait, orageux.

Chacun de son côté se mit à enfiler sa tenue. Les combinaisons, les ceintures lestées, les lampes frontales pour explorer les fonds obscurs, les masques. Ky vérifia la jauge et la boussole à son poignet droit, ainsi que sa montre à gauche tandis que Kate attachait sous son genou les sangles du fourreau de son couteau de plongée.

Toujours sans prononcer un mot, ils vérifièrent les valves des bouteilles puis les sanglèrent sur leur dos. Ky entra dans l'eau le premier, puis attendit que Kate le rejoigne. Ensemble, ils se coulèrent sous la surface de la mer.

Kate ressentit cette fois encore l'euphorie du plongeur. Elle s'attendait chaque fois à trouver l'expérience plus familière, et pourtant la magie restait la même. Très vite, elle oubliait toute la technologie qui lui permettait de visiter les fonds marins ainsi, de respirer, d'avancer, de voir sous l'eau, et se laissait aller au plaisir de la découverte.

Ils descendirent plus profondément, sans se perdre de vue. Kate savait que Ky avait l'habitude de plonger tout seul, ce qui était très risqué. Elle savait aussi que quels que soient la colère ou le ressentiment qu'il avait à son égard, elle pouvait lui confier sa vie. Si elle n'avait pas eu une totale confiance en Ky, elle ne serait jamais revenue à Ocracoke.

Ils descendirent plus profondément que lors de leurs autres sorties. Kate égalisa la pression en relâchant un peu d'air.

Lorsque Ky lui fit signe d'allumer sa lampe frontale,

elle s'exécuta aussitôt. Elle sentait petit à petit l'excitation s'emparer d'elle.

La lumière du soleil était loin au-dessus d'eux. Ils arrivaient dans un monde qui ne la voyait jamais. Des algues se balançaient doucement, au rythme du courant. De temps à autre, un poisson plus intrépide que les autres s'approchait d'eux avant de s'évanouir dans l'obscurité d'un mouvement rapide.

Ky nageait en douceur, battant des pieds pour avancer à une vitesse régulière. Leurs lampes semblaient trancher dans les ténèbres, éclairant des poissons et des formations rocheuses qui devaient être là depuis des siècles. Kate avait l'impression d'y voir des visages ou des formes connues.

Non, jamais elle ne plongerait seule, décida Kate tandis que Ky ralentissait pour l'attendre. Il lui serait trop facile de perdre la notion du temps ou de l'espace. Respirer lui paraissait tellement simple, mais elle savait qu'il ne fallait jamais perdre de vue la jauge qui indiquait la quantité d'oxygène dans les bouteilles.

L'enchantement qu'elle ressentait était tel qu'elle oubliait souvent que plonger comportait des risques mortels, et une erreur était vite arrivée dans ces moments d'euphorie. L'impression d'être hors du temps, la sensation de liberté totale lui plaisaient trop. Parfois, cela lui rappelait les bras de l'être aimé. C'était un plaisir presque aussi sensuel, et tout aussi difficile à contrôler.

Il y avait tant de choses à voir, à toucher. Des crustacés de formes et de couleurs variées, tellement différents dans leur propre milieu que lorsqu'ils échouaient sur le sable avant de finir dans les seaux des enfants. Des poissons allaient et venaient parmi les algues qui semblaient animées elles aussi, tandis que hors de l'eau elles redevenaient molles et sans vie. A la différence des hommes et des phoques, certaines créatures ne connaîtraient jamais le frisson d'aller sur terre et sous la mer.

Le faisceau de sa lampe passa sur une autre roche incrustée de coquillages et d'algues. Kate allait continuer son chemin, mais une sorte d'instinct la fit se retourner et éclairer de nouveau dans cette direction. Parfois la nature donnait de drôles de formes, très structurées, à certains rochers. On aurait presque dit…

Avec précaution, Kate s'arrêta et fit demi-tour en se servant de ses bras. Comme elle éclairait l'intégralité de la forme, l'excitation la gagna et elle saisit le bras de Ky fortement. Elle lui fit d'abord un signe de tête, puis lui indiqua du doigt ce qu'il fallait éclairer.

Lorsque leurs deux lampes furent braquées dans la même direction, Kate aurait pu crier de joie. Ce n'était pas un rocher. Plus ils s'en approchaient et plus cela paraissait évident. Malgré la corrosion avancée et les couches de coquillages, la forme était nettement celle d'un canon.

Ky nagea autour de leur découverte et sortit son couteau de son fourreau pour frapper le canon avec le manche. Ils entendirent un étrange son métallique se propager dans l'eau. Kate n'avait, pour sa part, jamais rien entendu d'aussi musical. Elle éclata de rire, relâchant des grappes de bulles qui attirèrent l'attention de Ky. Il lui adressa un large sourire.

Ils venaient de découvrir un vieux canon rouillé, et elle semblait aussi extatique que s'il s'était agi d'un coffre rempli de doublons. Mais Ky la comprenait. Ce qu'ils venaient de retrouver n'avait pas été vu par qui que ce soit depuis probablement plus de deux siècles. En soi, c'était déjà un trésor.

D'un geste de la main, il lui fit signe de le suivre et se mit à nager vers l'est. Maintenant qu'ils avaient mis la main sur quelque chose, il était probable qu'ils découvrent d'autres trésors.

Kate avait du mal à abandonner sa première trouvaille, mais elle suivit Ky, en se retournant de temps à autre. Elle n'avait pas imaginé que ce serait aussi impressionnant. Comment expliquer ce que l'on ressent lorsqu'on découvre des objets qui ont reposé plus de deux siècles par le fond ? Que pourraient comprendre de son expérience ses collègues de Yale ? Peut-être saisiraient-ils l'importance historique de sa découverte, mais qui mieux que Ky pouvait se faire une idée de la joie intense que cela impliquait ? Il était rare qu'un plaisir intellectuel vous donne envie de sauter partout !

Qu'aurait pensé son père ? Qu'aurait-il éprouvé s'il avait fait lui-même cette plongée ? Elle ne le saurait jamais. Elle aurait tant aimé lui offrir ce moment d'exultation, ou peut-être le partager avec lui. Car ils avaient partagé si peu de choses… Finalement il n'aurait connu que la recherche, la documentation et les calculs. Un seul regard sur ce canon lui apprenait tellement plus.

Lorsque Ky s'arrêta et lui toucha l'épaule, son ressenti était aussi confus que sa pensée. Si elle avait pu parler, elle lui aurait demandé de la prendre dans ses bras, sans savoir pourquoi. A la joie et l'excitation du moment se mêlait une curieuse tristesse. Un regret de ce qui n'était plus, de ce qu'elle ne retrouverait jamais.

Peut-être avait-il une petite idée de ce qui l'émouvait ainsi. Ne pouvant lui parler, il passa légèrement la main sur sa joue. Ce frôlement parut à Kate plus réconfortant que n'importe quel discours.

Elle comprit à ce moment-là qu'elle n'avait jamais cessé de l'aimer. Peu importaient les années et la distance qui les avaient séparés, un peu de sa vie était resté ici, avec lui. Les quatre dernières années n'avaient été guère plus que de la survie. Il était donc possible de vivre avec le vide et même de s'en satisfaire jusqu'à ce que, soudain, la vraie vie vous retombe dessus.

Elle aurait pu paniquer. Elle aurait pu s'enfuir si elle n'avait été prisonnière à des dizaines de mètres sous l'eau. Elle devait accepter le fait qu'elle venait de comprendre quelque chose d'important, et elle espérait que le temps lui donnerait un jour la solution.

Ky avait envie de lui demander ce qu'elle pensait alors qu'il observait son regard qui exprimait tant d'émotions contradictoires… Mais il devrait attendre pour les mots. Le temps de leur plongée était presque écoulé. Il effleura encore une fois son visage et attendit un sourire de sa part. Lorsqu'elle le lui offrit, il s'écarta légèrement pour lui indiquer quelque chose qu'il avait remarqué un peu plus tôt.

C'était une planche de chêne, hors d'âge, presque fendue en deux et couverte de parasites divers. Pour la deuxième fois, Ky sortit son couteau et s'attacha à dégager la planche. Les débris et le limon leur coupèrent la visibilité un moment avant que Ky ne vérifie sa montre et n'indique la surface le pouce levé. Kate fit non de la tête, déçue à l'idée de devoir abandonner son exploration. Mais Ky pointa avec autorité sa montre et la surface une nouvelle fois.

Kate acquiesça à contrecœur. Ils se mirent à nager

vers l'ouest, afin de retourner vers la position du bateau. Ils repassèrent à proximité du canon et Kate sentit un petit frisson la parcourir. Elle l'avait trouvé ! Et les recherches ne faisaient que commencer.

A l'instant où elle sortit la tête de l'eau, elle se mit à rire.

— Nous avons trouvé ! s'exclama-t-elle en attrapant d'une main l'échelle à laquelle grimpait déjà Ky, la planche de chêne à la main. Je n'arrive pas à le croire, après à peine une semaine, c'est incroyable ! Ce canon doit être là depuis tant d'années. Il faut que nous arrivions à localiser la coque.

Kate fit passer ses bouteilles à Ky puis grimpa sur le pont.

— Oui, nous avons quelques chances d'y arriver.

— Quelques chances ? répéta Kate en écartant ses cheveux mouillés de devant ses yeux. Mais nous l'avons déjà découvert… Nous avons découvert le *Liberty* !

— Nous avons découvert une épave, corrigea-t-il. Rien ne nous dit que c'est le *Liberty*.

— Ça l'est ! affirma-t-elle avec détermination. Nous avons trouvé un canon à l'intérieur de la zone délimitée par mon père. Que te faut-il de plus ?

— De toute façon, quel que soit son nom, cela reste une épave inconnue. Ton nom sera dans les livres, madame le professeur !

Kate se tourna vers lui. Ils étaient chacun d'un côté de la planche qu'ils avaient remontée.

— Je me moque d'avoir ou pas mon nom dans les livres.

— Celui de ton père, alors, ajouta Ky en ôtant sa combinaison.

Kate se remémora les sensations qu'elle avait éprouvées en découvrant le canon. Il lui semblait que Ky avait compris cela. N'arrivaient-ils donc à se comprendre, à communiquer, que sous l'eau ?

— Et quel est le problème ?

— Je n'ai aucun problème avec cela. Il me semble seulement que cela devient une obsession. Tu as toujours eu un problème avec ton père.

— Parce qu'il ne t'acceptait pas ? rétorqua Kate.

Ky lui jeta un de ses regards étonnamment calmes qui signifiaient en fait que sa colère était à son comble.

— Non, mais parce que le fait qu'il m'accepte ou pas avait trop d'importance à tes yeux.

Il y eut un silence, comme souvent lorsque quelqu'un vise juste.

— Je suis venue ici terminer le projet de mon père, reprit Kate d'une voix blanche. C'était très clair depuis le début. Tu es payé et…

— Mais tu continues de le suivre à la trace, coupa Ky. Bien, nous allons manger un morceau et nous reposer avant de plonger une nouvelle fois.

Il ne lui avait pas même laissé le temps de lui répondre. Kate fit un effort pour contenir la vague de colère qui l'avait envahie. Elle avait trop envie de plonger pour risquer un conflit. Elle avait envie de découvrir encore d'autres pièces, non pas dans l'idée qu'elle aurait reçu l'approbation de son père, pas plus que celle de Ky, d'ailleurs, mais pour elle-même. Elle ouvrit sa combinaison et descendit dans la cabine.

Elle allait manger car elle aurait besoin de forces si elle voulait replonger. Elle se reposerait aussi, pour ne pas courir de risques inutiles. Ensuite, elle redescendrait trouver l'épave et surtout prouver à Ky qu'il s'agissait bien du *Liberty*.

Ky descendit à son tour et ouvrit un placard.

— Du beurre de cacahuète ? demanda-t-elle en le voyant attraper un bocal.

— Des protéines.

Kate éclata de rire.

— Tu le manges toujours avec des bananes ?

— C'est très énergétique.

Elle fronça le nez à l'idée de ce mélange peu orthodoxe.

— Lorsque nous aurons mis la main sur le trésor, je t'offrirai le champagne !

Leurs doigts se frôlèrent lorsque Ky lui tendit son sandwich.

— Ce n'est pas tombé dans l'oreille d'un sourd ! lança-t-il en attrapant une bouteille de lait. Allons déjeuner sur le pont.

Il ne savait pas exactement pourquoi il avait envie de remonter. Pour l'espace ? Le soleil ? Ou parce qu'il lui était pénible de se retrouver avec elle dans ce petit espace ? Prenant son silence pour un acquiescement, il remonta les quelques marches. Kate lui emboîta le pas.

— C'est peut-être plein de protéines, mais ça a un goût de médicament, dit-elle après avoir mordu dans son sandwich.

— Si tu ne manges pas je ne te laisserai pas descendre !

Kate abandonna et s'assit sur le pont. Le soleil était vif, et le bateau tanguait doucement. Dorénavant, elle avait décidé qu'elle ne laisserait pas ses piques l'atteindre et qu'elle ne répliquerait pas. Ils s'étaient lancés ensemble dans cette aventure, elle ne devait pas l'oublier. Les tensions et les critiques risquaient de leur rendre la tâche plus difficile encore.

— Il s'agit du *Liberty*, Ky, j'en suis sûre, murmura Kate, les yeux rivés sur la planche de chêne.

— C'est possible, mais il y a beaucoup d'épaves identifiées ou non. Diamond Shoal est un vrai cimetière.

— Diamond Shoal se trouve à cinquante milles au nord !

— Oui, mais toute la côte est parcourue par des courants littoraux. De plus, ils n'avaient pas nos équipements modernes de navigation, à l'époque. D'ailleurs, ils n'avaient même pas de phares jusqu'au XIXe siècle. Combien de navires auront coulé entre Christophe Colomb et la Seconde Guerre mondiale ?

— Oui, mais un seul nous intéresse, répondit Kate.

— Trouver une épave n'est pas très compliqué. Mais trouver celle que l'on cherche est une autre histoire. L'année dernière sur les plages de Hatteras, ils ont découvert des objets provenant d'épaves après le passage d'un ouragan. Il y a de nombreuses maisons sur l'île qui sont construites à partir de ce genre de débris, expliqua Ky en hochant la tête en direction de la planche.

— Tu penses que ce n'est pas forcément un morceau du *Liberty*, alors ? suggéra-t-elle, les sourcils froncés.

— En effet, répondit Ky, amusé par l'entêtement de Kate. Quoi qu'il en soit, rien ne nous dit qu'il n'y a pas de trésor.

Kate se refusa à lui dire une fois encore qu'elle se moquait bien des trésors. Ce qu'elle voulait c'était celui du *Liberty*. Au fond, Ky l'avait bien compris, les choses étaient simplement différentes pour lui. Kate avala une longue gorgée de lait frais.

— Que comptes-tu faire avec ta part du trésor ?

Les yeux mi-clos, Ky haussa les épaules. Il menait déjà la vie qu'il voulait et ce n'était pas un peu d'or qui allait changer cela.

— J'imagine que je m'achèterai un autre bateau.

— Etant donné la valeur estimée de ce trésor, tu pourrais t'acheter un sacré bateau !

Ky sourit, mais n'ouvrit pas les yeux.

— C'est bien ainsi que je l'entends ! Et toi ? Quels sont tes projets ?

— Je ne sais pas encore. J'avais pensé voyager un peu.

Elle avait encore beaucoup de mal à se projeter au-delà des recherches, même si elle regrettait de ne pas avoir un projet un peu original ou exaltant à lui exposer.

— Où ça ?

— Peut-être en Grèce. Dans les îles.

— Toute seule ?

Le mouvement du bateau la berçait doucement. En fermant les yeux elle hocha la tête.

— N'y a-t-il pas un enseignant érudit avec qui tu aimerais partir ? Quelqu'un avec qui tu pourrais avoir de longues discussions sur la guerre de Troie ?

— Mmm… Je n'ai pas envie de partir en Grèce avec un enseignant érudit.

— Quelqu'un d'autre, alors ?

— Il n'y a personne.

Assise sur le pont, le visage tourné vers le ciel et les cheveux dans le vent, elle ressemblait à une délicate figurine de porcelaine. De ces poupées que l'on peut regarder, admirer, mais que l'on ne doit pas toucher. Lorsqu'elle ouvrait les yeux, en revanche, et que sa peau se teintait de passion, Ky avait du mal à résister à l'envie de la serrer contre lui. Lorsqu'elle était ainsi, calme, distante, il souffrait intérieurement. Il devait apprendre à laisser ses désirs le traverser, car il savait qu'il n'y avait aucun moyen de les contrôler.

— Pourquoi ?

— Mmm ?

— Pourquoi n'y a-t-il personne ?

Kate ouvrit les yeux lentement.

— Comment cela ?

— Pourquoi n'y a-t-il personne dans ta vie ?

Aussitôt, elle se redressa et son regard se fit acéré. Ky remarqua que ses doigts se crispaient.

— Cela ne te regarde pas.

— Tu viens juste de me dire que ce n'était pas le cas !

— Je viens de te dire qu'il n'y a personne avec qui je voyagerais, rectifia-t-elle en se levant.

Ky l'arrêta en la saisissant par l'épaule.

— C'est la même chose.

— Non, ce n'est pas la même chose, mais quoi qu'il en soit, cela ne te regarde pas le moins du monde. Pas plus que ta vie personnelle ne me regarde.

— J'ai connu des femmes, lança-t-il. Mais je n'ai pas eu quelqu'un dans ma vie depuis que tu as quitté l'île.

Kate sentit un mélange de douleur et de plaisir la traverser. C'était une sensation à laquelle elle aurait facilement pu s'abandonner, mais c'était aussi dangereux que l'euphorie de la plongée.

— Arrête, demanda-t-elle en prenant sa main pour l'ôter de son épaule. Tu nous fais du mal à tous les deux.

— Pourquoi ? insista-t-il en prenant sa main dans la sienne. Nous nous désirons et, cette fois-ci, nous connaissons tous deux les règles du jeu.

Les règles du jeu. Pas d'engagement ni de promesses. Oui, maintenant, elle les connaissait, mais c'était comme les risques de la plongée, il était facile de les oublier. A ce moment précis, par exemple, avec ses yeux dans les siens, sa main prisonnière de ses doigts, les règles en question lui semblaient de plus en plus floues. Il allait la faire souffrir encore, c'était une évidence. Les dernières vingt-quatre heures le lui avaient confirmé.

— Ky, je ne suis pas prête.

Elle avait parlé d'une voix grave et vulnérable, même si elle n'avait rien d'implorant.

Ky l'invita à se lever en même temps que lui et ils se retrouvèrent face à face, main dans la main. Kate avait beau être grande, sa minceur lui donnait une apparence de fragilité. C'était cela, conjugué au regard qu'elle lui lançait, qui l'empêchait de prendre ce qu'il avait décidé qu'il prendrait, sans question, sans même son accord. Sans pitié, c'était ainsi qu'il avait décidé d'être avec elle, même s'il savait qu'il n'en serait pas capable.

— Je ne suis pas un homme patient.

— Je le sais.

Ky acquiesça avant de relâcher sa main tant qu'il en était encore capable.

— Il faudra t'en souvenir, insista-t-il avant de tourner les talons. Nous allons avancer un peu à l'est, au-dessus de l'épave et nous replongerons ensuite.

Une heure plus tard, ils découvraient une pièce de gréement, brisée et rouillée, à moins de trois mètres du canon. Par gestes Ky expliqua à Kate qu'ils devraient faire des piles de leurs trouvailles. Ils reviendraient ensuite avec le matériel nécessaire pour tout remonter. Ils découvrirent d'autres planches, certaines trop grosses pour être rapportées à la surface, d'autres plus petites et facilement transportables.

Lorsque Kate découvrit un bol en céramique, miraculeusement préservé, elle se fit une petite idée de ce qu'un archéologue devait ressentir après avoir passé des heures à creuser, lorsqu'il déterrait un objet d'un autre âge. Quelqu'un avait dû manger dans ce bol, peut-être s'agissait-il d'un marin, lors de sa première traversée de l'Atlantique vers le Nouveau Monde. Quoi qu'il en soit, ça avait été son dernier voyage…

Elle le déposa avec les autres pièces, bien décidée cependant à le remonter avec elle. D'ailleurs, elle laisserait tout le reste à un musée, mais cette première pièce était pour elle !

Ils découvrirent ensuite des morceaux de verre qui provenaient peut-être de bouteilles brisées. Des débris de céramique et autres morceaux de tasses, de bols ou d'assiettes recouvraient le fond de l'océan.

Ils avaient probablement retrouvé les cuisines, déduisit Kate. Au fil des ans, la pression de l'eau avait dû ronger le bateau jusqu'à ce qu'il soit réduit à ces fragments éparpillés au fond de l'océan. Maintenant, il fallait qu'elle trouve un indice sur le nom du navire.

Patiemment, se servant de son couteau pour retourner le sable, Kate se mit à la recherche de la moindre preuve. Même si c'était pire que de chercher une aiguille dans une botte de foin, elle ne risquait rien à tenter sa chance.

Soudain, elle attrapa le manche d'une louche de bois enfouie sous le sable. Avec un peu de chance, elle allait pouvoir prouver à Ky qu'il s'agissait bien du *Liberty* !

Tout à sa découverte, elle se retourna pour faire signe

à Ky sans remarquer la raie qui se trouvait à quelques dizaines de centimètres d'elle.

Il la vit. Ky n'était qu'à un mètre de Kate lorsque le mouvement de la raie pour se débarrasser de la couche de sable qui la dissimulait attira son attention. Il n'eut pas le temps de réfléchir et saisit la main de Kate d'un mouvement réflexe afin de l'attirer vers lui. Au même moment, il vit la longue queue acérée s'élancer dans sa direction.

Le cri de Kate fut assourdi par l'eau, pourtant Ky l'entendit nettement. Il sentit son corps se raidir contre lui, en réaction à la douleur et au choc. Le venin devait déjà être en train de se diffuser dans son corps. La louche qu'elle tenait en main un instant plus tôt flottait à quelques centimètres du fond.

Il savait ce qu'il devait faire et pourtant, l'espace d'un instant, la panique l'envahit. Il ne s'agissait pas simplement d'un autre plongeur à qui il devait porter secours, c'était Kate. Cependant, la sensation de son corps sans vie contre le sien lui éclaircit les idées.

Calmement, il commença par lui incliner la tête en arrière pour dégager ses voies aériennes. Il se plaça alors derrière elle, les mains au niveau de ses côtes. Il était presque soulagé qu'elle se soit évanouie car il aurait eu du mal à supporter qu'elle soit en train de souffrir. Il se mit à battre des jambes pour remonter vers la surface.

Tandis qu'ils remontaient, il la serra de toutes ses forces afin d'expulser l'air qui se dilatait dans ses poumons. Il ne fallait pas négliger le risque d'embolie, pourtant, ils remontaient plus vite que ne le préconisent les règles de sécurité… Mais le temps leur était compté car Kate allait saigner et le sang attirait les requins.

Une fois à la surface, Ky détacha sa ceinture lestée. Tandis qu'il la tenait d'un bras, il s'accrocha à l'échelle avant de détacher ses bouteilles et de les faire glisser sur le pont puis d'enlever celles de Kate. Il remarqua sa pâleur, mais en lui ôtant son masque il l'entendit gémir. Ce petit signe de vie lui redonna de l'énergie. Précautionneusement, il la hissa sur son épaule avant de remonter avec elle sur le pont du *Vortex*.

Doucement, il l'allongea sur le pont et fit glisser sa combinaison. Kate gémit encore lorsqu'il arriva au niveau de sa cheville, mais ne reprit pas connaissance. Ky étudia sa plaie avec soin. Malgré la combinaison, le dard était profondément enfoncé dans la chair. Si seulement il avait été plus rapide… Ky descendit en courant à la cabine pour remonter le kit de premiers secours.

Comme elle recouvrait ses esprits, Kate sentait la douleur lancinante qui remontait de sa cheville vers sa tête. Elle avait l'impression que des lances la traversaient de part en part. Elle avait le souffle coupé et était agitée de convulsions.

— Essaie de rester immobile.

Sa voix était douce et calme. Kate serra les poings et obéit. Elle ouvrit les yeux et fixa le ciel bleu pur. Son esprit était confus, mais elle regardait l'azur comme s'il s'était agi de la seule réalité tangible à laquelle elle devait s'accrocher. En se concentrant, elle dépasserait la douleur. La louche. Elle avait perdu la louche. Tout à coup, il lui semblait vital de retrouver cet objet.

— On a trouvé les cuisines, murmura-t-elle d'une voix rauque. J'ai découvert une louche. Ils devaient l'utiliser pour remplir de soupe le bol que j'ai trouvé. Le bol… Il n'est pas cassé, Ky ?

Sa voix sembla s'éteindre, mais la mémoire lui revenait.

— C'était une raie, n'est-ce pas ? reprit-elle faiblement. Je ne l'ai pas vue, elle est apparue tout à coup. Est-ce que je vais mourir ?

— Non !

Ky avait répondu d'une voix nette et pleine de colère. Il se plaça au-dessus de Kate, tenant fermement ses épaules pour s'assurer qu'elle comprendrait parfaitement ce qu'il allait lui dire.

— Oui, c'était une raie, confirma-t-il, sans préciser qu'elle devait mesurer plus de cinq mètres. Une partie du dard s'est logée au-dessus de ta cheville. Ce n'est pas très profond et je peux l'enlever, mais tu risques de souffrir.

La douleur et l'angoisse brouillaient son regard. Ky la serra plus fort.

Elle comprenait ce qu'il lui disait. Elle avait le choix entre attendre d'être à terre pour aller voir un médecin et lui faire confiance. Les lèvres tremblantes, elle s'efforça de parler clairement tout en le regardant droit dans les yeux.

— Fais-le maintenant.

— D'accord. Accroche-toi, tu peux crier autant que tu veux, mais essaie de ne pas bouger. Je serai rapide, dit-il avant de se pencher pour déposer un baiser sur ses lèvres. Je te le promets.

Kate hocha la tête en signe d'acquiescement et ferma les yeux en se concentrant sur la sensation de ses lèvres sur les siennes. Il alla très vite. Une seconde après elle sentit la douleur la déchirer. C'était bien au-delà de tout ce qu'elle avait pu ressentir ou même imaginer. Elle poussa un hurlement avant de s'évanouir aussitôt.

Ky laissa le sang s'écouler de la plaie pendant quelques secondes. Le venin s'évacuait. Il avait réussi à garder la tête froide au moment d'arracher l'aiguillon de sa chair, mais maintenant qu'elles étaient maculées de son sang, ses mains tremblaient. Il se dépêcha de nettoyer la plaie et de la bander. D'ici une heure, elle serait auprès d'un médecin.

Fébrilement, il prit son pouls à la base de son cou. Il était faible mais régulier. Son évanouissement n'était probablement pas dû au venin. C'était une façon d'échapper à la douleur.

Il inspira profondément, priant pour qu'elle reste inconsciente jusqu'à ce qu'elle soit en sécurité auprès d'un médecin.

Sans perdre une seconde de plus, il reprit la barre de son bateau pour faire demi-tour et foncer en direction d'Ocracoke.

7

Progressivement, Kate recouvrait ses esprits. Le brouillard qui l'enveloppait jusqu'alors s'éclaircissait petit à petit pour laisser apparaître un plafond blanc, qui avait remplacé le ciel bleu. Semi-consciente, elle se remémora la violence de la douleur qu'elle avait ressentie avant de perdre connaissance. Elle se sentait incapable de faire face une deuxième fois à la même souffrance. Une peur farouche s'empara d'elle. Si elle en avait eu la force, elle aurait fondu en sanglots.

Elle sentit alors une main fraîche sur sa joue. La voix de Ky, comme lointaine, se fraya un chemin jusqu'à son cerveau.

— Tout va bien, Kate. Tu es hors de danger, maintenant, entendit-elle.

Elle avait du mal à respirer, et ouvrir les yeux lui demanda un effort surhumain. La douleur était partie. La seule chose qu'elle sentait maintenant était sa main sur sa joue. La seule chose qu'elle voyait était son visage.

— Ky.

En prononçant son nom, Kate essaya de trouver sa main, seul repère tangible. Sa propre voix l'effraya. On aurait dit un soupir.

— Tout va bien, le médecin a pris soin de toi. C'est le Dr Bailey, tu te souviens ? Tu l'as déjà rencontré.

Ky lui caressait la main doucement pour la réconforter. Il avait cru devenir fou pendant ces longs moments d'incertitude.

Kate se concentra pour faire appel à sa mémoire. L'image d'un homme d'un certain âge, buriné par le soleil et de forte corpulence lui revint à l'esprit.

— Oui. Il aimait la bière et… le poisson !

Ky sourit faiblement.

— Oui. Tout ira bien pour toi, maintenant, mais il veut que tu te reposes quelques jours.

— Je me sens tellement bizarre, dit-elle en levant une main pour toucher son visage comme pour s'assurer qu'il était bien réel.

— C'est à cause des médicaments.

Kate tourna lentement la tête pour regarder autour d'elle. Les murs étaient d'un beige rassurant qui n'avait rien à voir avec les couleurs blafardes des hôpitaux. Sur le plancher se trouvait un tapis indien aux motifs passés. Kate se rappelait ce tapis. La dernière fois qu'elle avait été dans la chambre de Ky, la cloison n'arrivait qu'à mi-hauteur et une des vitres de la fenêtre était fendue sur toute sa longueur.

— Ce n'est pas l'hôpital, parvint-elle à articuler.

— Non, confirma Ky en lui passant la main sur le front. Il n'était pas nécessaire que tu restes à l'hôpital. Et il était hors de question de te laisser seule à l'hôtel.

— Ta maison, murmura-t-elle. C'est ta chambre, je reconnais le tapis.

Ils avaient fait l'amour ici. C'est de cela que Kate se souvenait.

— Est-ce que tu as faim ?

— Je ne sais pas.

A vrai dire, Kate ne ressentait rien. Elle essaya de se redresser, mais fut prise d'un vertige probablement causé par ses médicaments. Elle avait du mal à supporter cet état second et se demanda si elle ne préférait pas la douleur.

Calmement, Ky plaça des oreillers dans son dos, pour l'aider à s'asseoir.

— Le médecin a dit qu'il faudrait que tu manges en te réveillant. Juste un peu de soupe. Je vais m'en occuper, ne bouge pas.

Préoccupé, il se dirigea vers sa cuisine. Elle était pâle comme un linge. Elle n'avait pas assez de réserves, c'est ce que lui avait dit Bailey. Elle manquait de sommeil, ne mangeait pas assez et était trop tendue. Ky était bien décidé à remédier à tout cela. Elle mangerait et se reposerait jusqu'à ce que le médecin juge qu'elle était remise, il s'y engageait.

Le pire était qu'il savait déjà avant l'accident qu'elle était faible. Ky vida le contenu d'une boîte de conserve dans une casserole et envoya voler la boîte dans la poubelle. Il avait deviné à ses traits tirés qu'elle était épuisée, mais il était tellement absorbé par ses propres préoccupations qu'il n'avait pas réagi.

Il fit chauffer la soupe et l'eau pour le café. Il avait besoin de café. L'espace d'un instant, il resta immobile, les mains pressées sur ses yeux, dans l'espoir de retrouver son sang-froid.

Il n'avait jamais vécu vingt-quatre heures aussi angoissantes. Même après la visite du médecin et l'installation de Kate chez lui, Ky se sentait toujours dans un état de nervosité inquiétant. Il était paniqué à l'idée de quitter la chambre plus de cinq minutes. Il fallait dire que Kate avait eu une poussée de fièvre impressionnante. Il avait passé la nuit à ses côtés, épongeant la sueur de son front et lui parlant, bien qu'elle ne puisse l'entendre.

Il avait tenu toute la nuit à cause de son état de nerfs et grâce au café. Avec un demi-sourire, il tendit une fois de plus la main vers sa tasse.

Il savait qu'il la désirait toujours. Il savait qu'il ressentait encore quelque chose pour elle, malgré l'amertume et la colère. Il avait suffi qu'il la voie, allongée sur le pont de son bateau, inconsciente, et qu'il ait son sang sur les mains pour comprendre qu'il l'aimait encore.

S'il avait été capable d'affronter le désir, Ky était maintenant perdu face à l'amour. Comment pouvait-il aimer quelqu'un de si fragile, de si calme, de si… différent ? Pourtant, l'émotion qu'il avait éprouvée, il y a longtemps de cela, semblait avoir mûri en lui au point de s'être transformée en un véritable sentiment qu'il ne pouvait plus ignorer.

Pour l'instant, il devait consacrer toute son énergie à la remettre sur pied. Il lui servit un bol de soupe et se dirigea vers la chambre.

Il lui semblait qu'elle aurait facilement pu refermer les yeux et se laisser glisser vers l'inconscience. Mais c'était trop facile. Afin de rester éveillée, Kate s'efforça de se concentrer sur ce qui l'entourait. De nombreuses choses avaient changé ici. Les fenêtres étaient encadrées de panneaux de chêne. Ky avait installé une grande étagère afin d'exposer ses nombreux coquillages. Il y avait aussi une grande branche de bois flotté, poli au point de sembler satiné. Les poignées des portes, qui à l'époque étaient de simples cordons de ficelle, avaient été changées. Un fauteuil en rotin remplaçait les caisses de bois qu'elle avait connues.

Le lit, seul, demeurait inchangé. Il s'agissait d'un immense lit à baldaquin qui avait appartenu à la mère de Ky. Il avait donné tous les autres meubles de famille à Marsh, mais avait souhaité conserver ce lit. Il y était d'ailleurs né, par une nuit de tempête.

Ils y avaient aussi fait l'amour. La première fois et la dernière. Kate frotta sa main sur les draps, mais retint son geste lorsque Ky entra dans la pièce. Il y avait des souvenirs qu'il valait mieux oublier.

— On dirait qu'il y a eu beaucoup de changements, par ici, dit-elle faiblement.

— Un petit peu, oui, répondit Ky en déposant le plateau sur ses genoux tout en prenant place sur le bord du lit.

Kate sentit le fumet qui s'élevait de la soupe et ferma les yeux.

— Qu'est-ce que cela sent bon.

— Oui, mais il faut l'avaler pour reprendre des forces ! La sentir ne suffit pas !

Elle rouvrit les yeux et lui sourit tandis que Ky lui présentait une cuillère de soupe, qu'elle avala de bonne grâce.

— C'est délicieux, dit-elle en tendant la main vers la cuillère. Je vais le faire.

Ky semblait voir les choses autrement, cependant, car il replongea aussitôt la cuillère dans le bol.

— Ne t'inquiète pas. Il faut que tu manges. Tu as une mine à faire peur.

— Oui, j'imagine, répondit-elle. Mais je suppose

que c'est assez normal lorsqu'on a été piqué par une raie quelques heures auparavant !

— Vingt-quatre, rectifia Ky en lui présentant une nouvelle cuillerée de soupe.

— Vingt-quatre quoi ?

— Heures.

— J'ai été inconsciente tout ce temps ? demanda Kate en se tournant vers la fenêtre comme pour chercher une preuve contraire.

— Tu t'es évanouie plusieurs fois, en fait, et tu reprenais connaissance chaque fois, jusqu'à ce que Bailey te fasse une piqûre. Il a dit que tu ne t'en souviendrais probablement pas.

Heureusement d'ailleurs, car à chacun de ses réveils Kate avait souffert le martyre. Ky entendait toujours ses plaintes résonner à ses oreilles.

— Il a dû me faire une sacrée piqûre alors.

— Il a fait ce qu'il fallait.

Leurs regards se croisèrent et Kate lut la fatigue et la colère qui teintaient les yeux de Ky.

— Tu n'as pas dormi de la nuit ? demanda-t-elle dans un souffle.

— Non, je ne pouvais pas te laisser. Bailey a préféré t'endormir pour que tu ne ressentes pas la douleur, expliqua-t-il tandis que sa voix prenait une tonalité accusatrice. Ta blessure n'était pas si grave, mais le problème était que tu n'étais certainement pas en condition de la supporter. Bailey m'a dit que tu étais au-delà du stade de l'épuisement !

— C'est ridicule, je…

Afin de la faire taire, Ky lui fourra une cuillère de soupe dans la bouche.

— Ne me dis pas que c'est ridicule ! s'exclama-t-il. Si tu ne dors pas et que tu ne manges pas, il est normal que tu finisses par commettre une erreur !

Elle avait trop de médicaments dans le sang pour se mettre en colère à son tour. Lorsqu'elle lui répondit, ce fut dans un soupir.

— Je n'ai pas commis d'erreur.

— Ce n'était qu'une question de temps ! répliqua-t-il en essayant de contenir sa colère. Je me moque que tu tiennes autant à ce trésor. Tu n'en profiteras pas si tu restes au fond de l'eau !

La soupe la réchauffait doucement. Elle aurait préféré refuser sa cuillère, mais elle sentait que son corps en avait besoin.

— Je ne resterai pas au fond, poursuivit-elle d'une voix plus confuse encore. Demain nous retournerons plonger et je te prouverai que j'avais raison et qu'il s'agit bien du *Liberty*.

Ky s'apprêtait à la remettre à sa place une fois encore, mais un seul regard à ses yeux lourds et à ses joues blafardes lui fit ravaler ses mots.

— Si tu veux, répondit-il en lui tendant une dernière cuillère.

Dans quelques instants, il savait qu'elle serait de nouveau profondément endormie.

— Je vais tout donner à un musée, poursuivit-elle en fermant les yeux. Pour mon père.

Ky déposa le plateau sur le sol.

— Oui, je sais.

— C'était important pour lui. J'ai besoin… J'ai besoin de lui offrir quelque chose, dit-elle en rouvrant soudain les yeux. Je ne savais pas qu'il était malade.

Il ne m'a jamais parlé de son cœur, de ses cachets. Si j'avais su…

— Cela n'aurait rien changé, répondit Ky en enlevant doucement les oreillers de son dos.

— Je l'aimais.

— Je le sais.

— On dirait que je n'ai jamais réussi à me faire comprendre des gens que j'aimais, dit-elle le regard dans le vide. Je ne sais pas comment cela se fait.

— Repose-toi, maintenant, et quand tu iras mieux, nous irons trouver ce trésor.

Kate se sentit glisser vers la chaleur, la douceur et l'obscurité.

— Ky, appela-t-elle doucement.

Elle sentit sa main entourer la sienne. Les yeux fermés, elle avait juste besoin de se sentir encore reliée à quelque chose de concret et solide.

— Je suis là, murmura-t-il en lui passant la main dans les cheveux. Tu peux dormir.

— Pendant toutes ces années, commença-t-elle tout en sombrant peu à peu dans le sommeil. Pendant toutes ces années, je ne t'ai jamais oublié. Je n'ai jamais cessé de penser à toi. Jamais…

Ky l'observa. Elle dormait, les traits enfin apaisés. Elle était aussi pâle que du marbre, aussi douce que de la soie. Il ne put s'empêcher de porter la main de Kate à sa joue, juste pour sentir encore une fois sa peau contre la sienne.

Il allait chasser de sa mémoire ce qu'elle venait de dire. Il ne voulait pas y penser. Les épreuves et la fatigue l'avaient lui aussi mis à rude épreuve. S'il ne se reposait pas, il ne serait pas en état pour s'occuper d'elle à son réveil.

Il se leva précautionneusement et ferma les volets avant d'enlever sa chemise. Il s'allongea à côté de Kate et trouva le sommeil, pour la première fois en trente-six heures.

La douleur n'était plus aussi fulgurante que dans son souvenir, mais elle était devenue sourde et lancinante. Ce fut cela qui la réveilla, et Kate resta un long moment immobile, cherchant à se souvenir de ce qu'il s'était passé. Elle avait les idées plus claires, maintenant, et elle comprit que les effets des médicaments étaient en train de s'estomper. La pièce était obscure, mais elle pouvait deviner le clair de lune par les interstices des volets. Elle aimait cela, après avoir eu l'impression d'être prisonnière de l'obscurité pendant trop longtemps.

C'était la nuit. Elle espéra que quelques heures seulement s'étaient écoulées depuis son dernier réveil et non un jour entier. Elle avait déjà perdu assez de temps comme cela. Elle décida de passer en revue tous ses souvenirs. Elle voulait reprendre le contrôle sur son corps et son esprit.

Le bol en céramique, la louche et puis la raie. Elle ferma les yeux un instant, consciente qu'elle ne risquait pas d'oublier de sitôt la douleur aiguë que provoquaient les piqûres venimeuses de ces grands poissons.

Elle prêta alors attention au son régulier d'une respiration à son côté. Elle tourna la tête et trouva Ky, allongé près d'elle. Sa silhouette se découpait sur le drap blanc, baignée par les reflets de lune. Kate regarda un instant son torse se soulever au rythme de ses inspirations.

Il lui avait dit qu'il était là et qu'elle pouvait dormir. Kate se souvint que son regard trahissait sa fatigue extrême. Il était inquiet pour elle.

Une douce chaleur l'enveloppa. Cela faisait tellement longtemps qu'elle n'avait pas ressenti cela. Il avait pris soin d'elle, malgré sa colère. Il était resté près d'elle. Elle effleura sa joue du bout des doigts.

Cela suffit à réveiller Ky aussitôt. Il n'avait pas réussi à faire plus qu'un petit somme, tant il était préoccupé par Kate. Il se redressa et secoua la tête.

Il avait l'air d'un petit garçon pris en flagrant délit de somnolence en public. Cela émut Kate au plus haut point.

— Je ne voulais pas te réveiller, murmura-t-elle.

Ky alluma la lampe de chevet qui diffusa une douce lumière orangée.

— Tu as mal ?

— Non.

Il la regarda attentivement. Elle n'avait plus ce regard brumeux dû aux médicaments, mais n'avait pas encore repris des couleurs.

— Kate, je veux la vérité.

— Bon, c'est vrai, j'ai un peu mal.

— Bailey a laissé des médicaments.

Comme il s'apprêtait à se lever, Kate saisit son bras.

— Non, je n'en veux pas, ils me rendent trop groggy, attends encore un peu.

— Je le sais, mais ils calment la douleur, c'est le plus important.

— Pas maintenant, Ky, s'il te plaît. Je te promets que si cela empire je te préviendrai.

Le ton de sa voix presque implorant l'obligea à se satisfaire de sa parole. Elle semblait trop fragile pour qu'il la contredise. D'un geste machinal, il posa la main sur son front pour vérifier si elle avait de la fièvre. Emue, Kate posa sa main sur la sienne. Elle sentit ses doigts se crisper imperceptiblement.

— Merci, dit-elle en glissant ses doigts entre les siens. Tu as vraiment pris soin de moi.

— Il le fallait.

Il avait répondu de façon un peu trop sèche, sans même s'en rendre compte. Il ne devait pas se laisser attendrir par Kate. Pas maintenant. Pas dans ce lit, qui évoquait trop de souvenirs.

— Tu ne m'as pas quittée une seule seconde.

— Où voulais-tu que j'aille ?

Kate sourit et son autre main caressa sa joue. Tant de choses avaient changé et pourtant tant de choses restaient les mêmes.

— Tu étais en colère contre moi.

— Tu as été imprudente. Tu t'es mise en danger.

Il fallait qu'il quitte ce lit, qu'il s'éloigne de Kate, et de tout ce qui mettait sa volonté à l'épreuve.

Il resta pourtant tout près, la main dans celle de Kate. Ses yeux étaient si sombres et si doux dans la pénombre. Il y retrouvait la tendresse et l'innocence qu'il avait connues. Il aurait voulu la serrer contre lui, jusqu'à ce que toute trace de douleur ait disparu pour eux deux, mais il savait que s'il l'enlaçait maintenant, il serait incapable d'en rester là. Il essaya une nouvelle fois de se dégager en repoussant doucement sa main. Là encore, ce fut elle qui le retint.

— Si tu ne m'avais pas remontée jusqu'à la surface, je serais morte.

— C'est pourquoi il est toujours bien plus prudent de plonger avec un partenaire.

— J'aurais aussi pu mourir si tu n'avais pas fait tout ce que tu as fait.

Ky balaya cela d'un haussement d'épaules.

— La blessure n'était pas si grave, répondit-il laconiquement.

— Je n'avais jamais vu un poisson aussi grand, ajouta-t-elle en frissonnant.

— N'y pense plus, c'est fini, maintenant.

Etait-ce bien fini ? Maintenant que son regard était plongé dans le sien, Kate n'en savait plus rien. Avait-elle seulement réussi à tourner une seule page ? Pendant ces quatre années, elle s'était répété que la vie était faite de joies et de peines que l'on finissait par oublier et qui tissaient tout bonnement la trame de l'existence de chacun. Elle n'était plus sûre de rien et, plus que toute autre chose, elle avait besoin de certitudes, maintenant.

— Ky, s'il te plaît, prends-moi dans tes bras, murmura-t-elle.

Pourquoi donc s'évertuait-elle à le rendre fou ? Voulait-elle vraiment qu'il perde le contrôle ? Ky dut réunir toute sa volonté pour lui répondre :

— Kate, tu dois dormir. Demain matin…

— Je ne veux pas penser à demain matin, interrompit-elle dans un souffle. Maintenant… maintenant, j'ai besoin que tu me serres dans tes bras.

Avant que Ky ne puisse réagir, elle glissa son bras autour de sa taille et appuya sa tête sur son épaule.

Si elle ressentit son hésitation, elle ne devina pas

l'élan de désir qui prit possession de lui au moment de l'enlacer. Kate poussa un long soupir avant de fermer les yeux. Cela faisait trop longtemps qu'elle n'avait pas ressenti cela, cette tendresse, cette douceur que seul Ky avait su lui offrir. Personne ne l'avait jamais serrée ainsi, aussi gentiment, aussi gratuitement. Curieusement, elle ne s'était jamais étonnée qu'un homme aussi arrogant puisse aussi se comporter avec compassion et douceur.

Elle avait probablement été attirée par son côté sauvage, mais c'était de cette gentillesse qu'elle était tombée amoureuse. Elle venait seulement de le comprendre, au beau milieu de cette nuit si calme. Maintenant, lovée au creux de ses bras, elle savait enfin, et pour la première fois, ce qu'elle voulait.

Pour tisser son existence à elle ne fallait-il pas qu'elle finisse par accepter ce qu'elle désirait plus que tout ?

Elle était si fine, si douce sous le fin tissu de son T-shirt. Ses cheveux détachés frôlaient sa peau nue. Il sentait sa paume contre son dos. Il avait toujours trouvé qu'elle avait des mains d'artiste. Sa respiration était posée, sereine, comme lorsqu'elle dormait à côté de lui, autrefois... Il y avait aussi l'odeur de sa peau.

Il ne ressentit pas la douleur qu'il avait anticipée, mais bien un soulagement qu'il lui semblait avoir attendu pendant des années sans vraiment se le formuler. Ses muscles acceptaient enfin de se décontracter. Il ne ressentait plus ce poids insupportable sur la poitrine. Il ferma lui aussi les yeux et reposa la joue sur ses cheveux. Il avait l'impression qu'une éternité s'était écoulée depuis qu'il avait éprouvé un tel apaisement pour la dernière fois. Kate lui avait demandé de la prendre dans ses bras, mais avait-elle seulement imaginé qu'il avait tout autant besoin d'être serré, lui aussi ?

Elle le sentit se détendre petit à petit. Etait-elle à la fois responsable de cette tension et à l'origine de son apaisement ? L'avait-elle blessé plus qu'elle ne l'avait imaginé ? Avait-il éprouvé des sentiments plus forts que ce qu'elle croyait ou était-ce simplement que le désir physique avait fini par s'émousser ? Maintenant, à cet instant même, peu importait.

Ky avait raison. Cette fois-ci, elle avait les cartes en main. Elle n'attendrait pas plus de lui que ce qu'il était capable de lui donner, car quoi qu'il lui offre, c'était tellement, tellement mieux que ce qu'elle avait vécu pendant ces longues et désespérantes années sans lui. En retour, elle pourrait enfin lui faire don de ce qui la brûlait, de tout son amour.

— Rien n'a changé pour moi, murmura-t-elle avant de renverser la tête en arrière.

Ses longs cheveux glissèrent le long de ses épaules. Son regard était si franc et vulnérable. Un désir éperdu prit possession de Ky.

— Kate...

— Je ne m'attendais pas à ressentir cela de nouveau. Je ne serais pas revenue, sinon. Je n'en aurais pas eu le courage, ajouta-t-elle sans le quitter des yeux.

— Kate, tu es malade, articula-t-il douloureusement sans savoir qui il cherchait à convaincre, au fond. Tu as perdu beaucoup de sang et tu as de la fièvre. Je crois qu'il vaut mieux que tu dormes, maintenant.

Non, elle n'avait plus de fièvre. Elle se sentait parfaitement lucide et calme. Et elle avait follement envie de lui.

— L'autre jour sur la plage, pendant l'orage, tu as

dit que je reviendrais vers toi, dit-elle en resserrant son étreinte. Je savais que tu disais vrai, et c'est ce que je fais, maintenant. Fais-moi l'amour Ky, dans ce même lit où nous nous sommes aimés la première fois.

… *Et la dernière*, songea-t-il totalement dérouté.

— Kate, vraiment, je… Tu es malade, balbutia-t-il une nouvelle fois.

— Pas assez pour ne pas être consciente de ce que je suis en train de faire.

Kate se redressa et effleura sa joue du bout des lèvres. Les souvenirs affluèrent lorsqu'elle sentit sa barbe de deux jours contre ses lèvres. Cela faisait si longtemps… Trop longtemps.

— Pas assez pour ignorer ce dont j'ai besoin. Cela a toujours été de toi, reprit-elle en se rapprochant encore. De toi seul.

Peut-être aurait-il dû se lever, partir. Mais c'était impossible.

— Tu risques de le regretter demain.

— C'est pour cela qu'il faut profiter de cette nuit, répondit-elle calmement, un doux sourire aux lèvres.

Il ne pouvait lui résister. Résister à sa chaleur, à sa douceur. Il ne voulait pas la blesser. Elle lui semblait si fragile alors que l'intensité de son désir l'effrayait lui-même. Il se rappela leur première nuit, la première fois de Kate. Il lui avait fait l'amour avec tendresse et retenue. Ce souvenir précis en tête, il allongea Kate délicatement.

— Profiter de la nuit…, répéta-t-il dans un souffle avant de poser ses lèvres sur les siennes.

La magie de ce contact le bouleversa. Il goûtait et caressait ses lèvres entrouvertes avec une tendresse infinie, alors que quelques jours auparavant il s'était promis qu'il obtiendrait ce baiser, qu'elle le veuille ou non. Et comme sa langue frôlait celle de Kate, lentement, délicatement, le désir croissait en eux.

Kate prit son visage dans ses mains pour en caresser chaque courbe, chaque relief. Elle avait l'impression d'entendre son cœur battre et résonner de plus en plus fort, tandis qu'au creux de ses cuisses palpitait déjà le plaisir. Elle le sentit murmurer des mots doux sans ôter sa bouche de la sienne, et un frisson lui parcourut le bas des reins. Kate se sentait déjà dans un état second, comme de nouveau sous l'emprise de ses médicaments. L'envie, le besoin de lui devenaient si impérieux que Kate s'abandonna tout entière à son baiser.

Ky ressentit ce léger changement dans son attitude. Il avait toujours trouvé particulièrement excitant ce moment où Kate lâchait prise, comme soumise. Il savait qu'ensuite viendrait le moment où ce serait elle qui reprendrait le dessus et le mènerait jusqu'au bout du plaisir, le souffle court. Mais pour l'instant, elle était douce et indolente.

Il glissa la main sous sa chemise, touchant sa peau, la frôlant, la palpant du bout des doigts. Kate se mit à onduler imperceptiblement au rythme de ses caresses. Elle se laissait emporter, toujours plus profondément, puis elle plongea totalement, désireuse de retrouver l'euphorie du plaisir suprême. Elle voulait que Ky l'emmène avec lui, où qu'il aille.

La main de Ky remonta fébrilement jusqu'à ses seins. Il en sentit les pointes se tendre sous ses doigts et poursuivit ses caresses. Le souffle de Kate se fit saccadé.

Ky déboutonna lentement sa chemise et l'ouvrit comme s'il s'était agi du plus précieux des trésors.

Il n'avait jamais oublié à quel point elle était belle, et combien sa délicatesse était excitante. Il avait envie de profiter de ce moment tant de fois rêvé et qui, enfin, après tant de nuits de solitude, s'offrait à lui. Il voulait la regarder, la toucher, l'admirer jusqu'à plus soif. Il voulait encore une fois contempler le contraste entre sa propre peau, mate, et celle, si blanche, de Kate. Avec une tendresse qu'il n'avait que très rarement éprouvée, et presque jamais exprimée, sa bouche vint se poser à côté de ses doigts, poursuivant leurs caresses.

Elle avait l'impression de revenir à la vie. Son pouls s'accélérait et elle avait l'impression de sentir son sang irriguer tous ses membres. Son cœur battait à tout rompre dans sa poitrine et elle se demanda comment elle avait bien pu vivre pendant tout ce temps. Ou plutôt, survivre. Elle entendit son prénom et se souvint. Il n'y avait que Ky pour le prononcer ainsi.

Il lui semblait qu'elle avait oublié la plupart de ces sensations. Il y en avait trop pour pouvoir se les remémorer toutes. Mais les avait-elle seulement déjà ressenties ? Et si c'était le cas, comment avait-elle pu vivre sans par la suite ? Un soupir, un murmure, le frôlement d'un doigt sur sa peau. L'odeur d'un homme mêlée à celle de la mer, le goût de son amant qui s'attarde sur ses lèvres. Les lueurs des lampes derrière les paupières closes. Le temps qui s'évanouit. Pas d'hier. Pas de demain.

Elle sentit le tissu qui la séparait de Ky glisser le long de sa peau. Ky effleura ses côtes du bout des lèvres, faisant naître un long et délicieux frisson le long de sa colonne vertébrale.

Des souvenirs oubliés

Elle pensa à l'aube qui s'élevait lentement au-dessus de l'océan. Elle ressentait le même genre d'éveil en elle, à ce moment précis. La même magnificence, comme si la lumière et la chaleur avaient enfin touché la surface de son corps, pour la première fois depuis des années.

Ky n'avait jamais imaginé qu'il puisse être capable de refréner un désir aussi puissant que celui qu'il ressentait et y trouver autant de plaisir et une excitation sans cesse renouvelée. Il avait l'impression de ressentir individuellement chaque frisson qui traversait le corps de Kate et pouvait ainsi maîtriser ses caresses à son gré. Cela lui donnait une impression de pouvoir absolu, sur lui-même et sur les sensations de Kate.

Une première vague de plaisir brûlant s'empara d'elle et son corps se cambra contre le sien. Comme avide de nouvelles étreintes, plus profondes, elle le pressa contre elle. Elle parcourait son corps avec ardeur, et ses lèvres fiévreuses couvraient son visage de baisers avant de descendre le long de son cou. Ky crispa les mains sur les draps, de peur de la serrer trop brutalement. Il ne pouvait plus résister à l'appel impérieux de ses sens.

— Tu vas me rendre fou, murmura-t-il.

— Oui, soupira-t-elle en ouvrant les yeux. Oui.

— Laisse-moi te regarder. Laisse-moi voir ce que tu ressens lorsque nous faisons l'amour.

Kate se cambra de nouveau et un gémissement langoureux s'échappa de sa bouche tandis qu'une deuxième vague de plaisir l'emportait. Ky vit ses yeux s'obscurcir alors qu'il l'amenait lentement, progressivement, jusqu'à la frontière entre la folie et la passion. Il vit son visage se colorer, ses lèvres trembler en prononçant son nom.

145

Les ongles de Kate s'enfoncèrent dans la chair de ses épaules, mais il ne ressentait déjà plus la douleur.

Ensemble, guidés par le désir, ils ondulèrent et se balancèrent sans qu'aucun d'entre eux ne mène la danse. Ky ne la quitta pas des yeux un seul instant, se délectant de l'expression de son plaisir.

Leurs sens et leurs corps ne firent plus qu'un, les unissant en une harmonie parfaite.

8

Lorsque Ky se réveilla, Kate dormait encore profondément. Il remarqua qu'elle avait repris quelques couleurs. Il passa doucement la main dans ses cheveux, comme pour se l'approprier un peu. Sa peau était fraîche et sa respiration régulière.

Ce qu'elle lui avait offert cette nuit n'avait pas été dicté par les fantômes du passé ou l'amertume du regret. Non, elle s'était donnée à lui librement et il espérait que cela non plus ne changerait pas.

Il ne la laisserait pas lui échapper encore une fois. Pas d'un pouce. Il l'avait perdue quatre ans auparavant — mais peut-être n'avait-elle jamais vraiment été sienne, en tout cas pas de la façon dont il l'entendait. Cette fois-ci, cependant, il avait décidé qu'il en irait autrement.

Il avait besoin de prendre soin d'elle. C'était sa fragilité qui faisait naître ce sentiment en lui. Mais en dehors de cela, il avait aussi besoin d'une partenaire avec qui il se sente sur un pied d'égalité et elle était cette personne, par sa force. Sans bien savoir expliquer ce qu'il éprouvait, il avait la certitude diffuse que Kate était en tout point celle qu'il avait toujours attendue.

Sa maladresse, son arrogance, son inexpérience, ou peut-être un mélange des trois, avaient empêché leur union une première fois. Maintenant qu'une deuxième chance se présentait à lui, il comptait bien tout mettre en œuvre pour ne pas la laisser filer. Il lui restait à définir comment s'y prendre.

Il se leva et s'habilla en silence dans la pénombre de la chambre avant de sortir pour la laisser dormir.

Lorsqu'elle s'éveilla, Kate trouva pénible de quitter le doux monde des rêves. La chambre était obscure, et son esprit encore embrumé de sommeil. La douleur dans sa cheville se rappela à elle, soudain. Comment pouvait-elle souffrir quand tout le reste lui semblait tellement idyllique ? En soupirant, elle étendit le bras vers Ky, mais ne trouva que le lit vide.

Les rêveries et le doux brouillard du matin s'évanouirent aussitôt. Kate se redressa et fixa l'espace vide à côté d'elle, malgré la douleur que provoquait ce changement de position.

Avait-elle aussi rêvé cela ? Kate passa la main sur les draps. Ils étaient froids. Etaient-ce les médicaments et la fièvre qui l'avaient fait imaginer ce qui s'était passé entre eux ? Déstabilisée, elle écarta les mèches de cheveux qui lui tombaient sur le visage. Etait-il possible qu'elle ait imaginé tout cela, la tendresse, la douceur, la passion ?

Elle avait eu besoin de lui. Cela, elle ne l'avait pas rêvé. D'ailleurs elle ressentait encore ce nœud à l'estomac, mélange de désir et de manque. La sensation de plaisir qui l'habitait lorsqu'elle s'était réveillée s'était rapidement envolée, pour la laisser vide, avec la douleur pour seule prise sur la réalité. Elle avait envie de pleurer mais n'en avait pas la force.

— Tu es réveillée ?

Au son de la voix de Ky, elle tourna brusquement la

tête. Elle était vraiment à fleur de peau. Il portait un plateau et s'avançait vers elle en souriant.

— Je suis content de ne pas avoir à te tirer des bras de Morphée pour t'obliger à t'alimenter ! lança-t-il en allant ouvrir les volets. Tu as bien dormi ?

La lumière entra dans la pièce et une légère brise vint caresser son visage. Kate réprima un frisson.

— Oui, bien, répondit-elle, envahie d'un sentiment de gêne qu'elle n'avait pas anticipé. Je tiens à te remercier pour tout ce que tu as fait.

— Tu l'as déjà fait et ce n'était pas plus nécessaire à ce moment-là que maintenant, répondit-il en se tournant vers elle pour l'examiner, surpris par le ton de sa voix. Tu as mal ?

— C'est supportable.

— Cette fois-ci, je ne tolérerai pas d'objection, tu vas prendre un cachet, affirma-t-il en déposant le plateau sur ses genoux avant de se diriger vers le placard où se trouvait le petit flacon de verre.

— Ky, je t'assure que je n'en ai pas besoin, insista-t-elle en tâchant de se remémorer quand il avait bien pu lui proposer un cachet. C'est à peine douloureux.

— A peine, c'est déjà trop, s'il s'agit de toi, dit-il en s'asseyant à côté d'elle et plaçant les petits comprimés dans sa paume.

Lorsqu'elle sentit sa main autour de la sienne, Kate trouva la réponse à toutes ses questions. L'allégresse l'envahit progressivement.

— Je ne l'ai pas rêvé, n'est-ce pas ?

— Rêvé quoi ? demanda-t-il en embrassant le dos de sa main avant de lui tendre un verre de jus de fruit.

— Ce qui s'est passé cette nuit… En me réveillant, j'ai eu peur de l'avoir rêvé.

Ky sourit et s'avança vers elle pour déposer un léger baiser sur ses lèvres.

— Si c'était le cas, je crois que nous avons fait le même rêve, dit-il, en souriant de plus belle. C'était vraiment merveilleux.

— Dans ce cas, peu importe qu'il s'agisse d'un rêve ou de la réalité !

— Oh non ! s'exclama-t-il. Pour ma part, je préfère la réalité.

Kate se mit à rire et s'apprêtait à déposer les comprimés sur le plateau lorsque Ky arrêta son geste.

— Ky…

— Tu as mal, je peux le voir dans tes yeux. Les médicaments ne font plus effet depuis des heures, Kate.

— Mais ils m'ont totalement sonnée pendant un jour entier, insista-t-elle.

— Ce que je te donne est plus léger, dit-il en prenant sa main. Ecoute, Kate, je t'ai vue dans un état qui ressemblait à une agonie.

— Ky, s'il te plaît…

— Non, si tu ne le fais pas pour toi, alors fais-le pour moi.

Kate porta les pilules à ses lèvres et but son verre de jus de fruit en fermant les yeux.

— Est-ce que le Dr Bailey a dit quand est-ce que je pourrai plonger de nouveau ?

— Plonger ? répéta Ky. Kate, tu ne pourras déjà pas quitter le lit avant la fin de la semaine.

— Toute la semaine ? s'exclama Kate, incrédule. Ky, j'ai été piquée par une raie, pas attaquée par un requin !

— En effet, tu as été piquée par une raie, mais ton organisme était déjà tellement affaibli que Bailey était sur le point de t'envoyer à l'hôpital. Je comprends que tu aies traversé une période difficile depuis la mort de ton père, mais tu te rends la tâche plus ardue encore en ne prenant pas soin de ta santé.

C'était la première fois que Ky évoquait la mort de son père, mais Kate remarqua qu'il n'y avait pas vraiment de compassion dans sa voix.

— Tu sais comment sont les médecins, ils ont toujours tendance à exagérer.

— Pas Bailey, rétorqua Ky sèchement. C'est peut-être un ours mal léché, mais il connaît son affaire. Il m'a dit que tu étais totalement anémiée, à deux doigts du surmenage et bien cinq kilos en deçà de ton poids normal. Maintenant, madame le professeur, c'est moi qui prends les choses en main.

Ky lui tendit une fourchette et hocha la tête en direction de l'assiette qui devait contenir pas moins de quatre œufs brouillés, six tranches de bacon et quatre toasts.

— Je vois cela, répondit Kate.

— Je compte bien m'occuper de toi, Kate, que tu le veuilles ou non, insista-t-il en lui prenant fermement la main.

Kate leva vers lui ses grands yeux calmes.

— Je ne sais pas si je vais aimer cela ou pas, mais nous le découvrirons très vite, déclara-t-elle.

— Mange !

Un petit sourire se dessina au coin des lèvres de Kate. On n'avait jamais pris soin d'elle de la sorte, et elle devinait qu'elle n'aurait pas besoin de beaucoup de temps pour s'y accoutumer.

— D'accord, admit-elle, mais cette fois, je vais le faire moi-même.

Elle savait d'ores et déjà qu'elle serait incapable de terminer son assiette, mais elle décida de faire un effort et d'en avaler au moins la moitié. C'était d'ailleurs précisément la stratégie que Ky avait mise au point. Peut-être la connaissait-il finalement bien mieux qu'ils se l'imaginaient l'un et l'autre…

— Tu cuisines toujours aussi bien, dit-elle en mordant dans une tranche de bacon. Bien mieux que moi.

— Si tu es sage, je te ferai griller des filets de flétan ce soir.

Kate se rappelait avec délice ses préparations de poisson.

— « Sage » comment ?

— Aussi sage que je le jugerai nécessaire, répondit-il en acceptant le toast qu'elle lui tendait. Peut-être pourrais-je mendier un peu de moelleux au chocolat du Roost.

— Il semblerait que cela devienne sérieux !

— En effet.

— Ky, commença-t-elle, hésitante. Au sujet de la nuit dernière, ce qui s'est passé…

— … n'aurait jamais dû prendre fin !

Kate leva les yeux dans un battement de cils. Elle avait un regard calme et angélique.

— Je ne sais pas.

— Eh bien moi, si, répliqua-t-il en posant les deux mains sur son visage et l'embrassant tendrement. Mais ne commençons pas à compliquer les choses dès maintenant.

Les complications. Est-ce qu'un engagement était compliqué à prendre ? Son regard s'arrêta sur son assiette. Elle savait qu'elle n'avait tout bonnement pas la force de lui poser cette question. Pas maintenant.

— D'une certaine manière, reprit-elle doucement, j'ai l'impression de revenir en arrière, à cet été d'il y a quatre ans, et pourtant…

— Et pourtant nous avons fait du chemin.

Kate releva les yeux vers lui et lui tendit la main. Il avait toujours compris ce qu'elle ressentait. Même s'il pouvait sembler un peu brutal, il saisissait toujours précisément ce qu'elle voulait dire.

— Malheureusement, je trouve cela déstabilisant dans les deux cas.

— Je n'ai jamais aimé les eaux trop calmes. Il faut toujours quelques vagues pour que cela soit intéressant.

— Peut-être, répondit-elle en hochant la tête. Ky, je crois que je ne vais rien pouvoir avaler de plus.

— Je m'en étais douté, répondit-il en attrapant une fourchette sur le plateau avant de s'attaquer aux œufs brouillés. J'ai cependant l'impression que tu as mangé bien plus aujourd'hui qu'en ajoutant tous tes petits déjeuners de la semaine dernière.

— Probablement, reconnut-elle, découvrant sa manœuvre habile.

Kate s'adossa contre les oreillers. Elle se sentait de nouveau somnolente et décida qu'elle ne prendrait plus de cachets dorénavant. Si elle arrivait en plus à sortir un peu, ce serait parfait. Ensuite, il ne lui resterait plus qu'à convaincre Ky. Hélas ! Elle savait d'ores et déjà que ce ne serait certainement pas une mince affaire.

— Je ne veux pas perdre une semaine entière, dit-elle en tournant la tête vers la fenêtre et le ciel bleu.

Ky n'avait pas besoin de suivre son regard pour deviner ses pensées.

— J'irai plonger, dit-il. Demain ou après-demain.

— Tout seul ?

— J'ai déjà plongé seul par le passé.

Kate aurait pu essayer de le convaincre des risques qu'il courait en agissant de la sorte si elle avait eu le moindre espoir que cela serve à quelque chose. Mais elle savait que Ky était un solitaire et elle décida de s'y prendre autrement.

— C'est ensemble que nous sommes partis à la recherche du *Liberty*, Ky. Tu ne peux pas me mettre sur la touche du jour au lendemain.

Il l'observa un moment en silence avant d'attraper sa tasse de café qu'elle n'avait pas touchée.

— Tu as peur que je disparaisse avec le trésor ?

— Bien sûr que non, répondit-elle en essayant de garder son calme. Si je n'avais pas eu une totale confiance en toi, je ne t'aurais jamais montré les cartes.

— Bon, dit-il en hochant la tête. Dans ce cas, si je continue les recherches pendant que tu récupères, cela évite que nous perdions la semaine.

— C'est que je ne veux pas te perdre non plus, répondit-elle aussitôt.

Gênée, Kate se tourna vers la fenêtre de nouveau. Le ciel était d'un bleu assez pâle, qui lui faisait penser à certains matins d'été.

Ky resta immobile, savourant les mots de Kate.

— Tu t'inquiètes pour moi ?

Kate s'en voulut d'avoir parlé sans réfléchir. Il avait l'air tellement satisfait que cela en était irritant.

— Je n'ai aucune raison de m'inquiéter, le bon Dieu protège toujours les inconscients.

Le sourire aux lèvres, Ky déposa le plateau au pied du lit.

— Peut-être que cela me ferait plaisir, à moi, que tu t'inquiètes un peu.

— Désolée de te décevoir.

— Tu as toujours ce genre d'intonation guindée lorsque tu es embarrassée. J'adore ça !

— Je ne suis pas guindée !

Il passa la main dans ses cheveux détachés. Elle avait raison, elle n'avait certainement pas l'air guindée à ce moment précis. Douce et féminine, certainement, mais pas guindée.

— Je parle de ta voix. Elle me fait penser à celle de ces dames vêtues de dentelles qui passaient leur temps dans un salon à picorer des petits-fours.

Kate repoussa sa main. Il n'y arriverait pas en essayant de la charmer ainsi.

— Je devrais peut-être essayer de crier, alors.

— J'aime ça, aussi, mais ce que j'aime plus encore…, commença-t-il en déposant un baiser sur chacune de ses joues, c'est lorsque tu me souris. Tu me souris comme à personne d'autre.

Kate sentait déjà le rouge lui monter aux joues. Non, il ne l'aurait pas par le charme, mais s'il continuait ainsi, il était fort probable qu'il arrive à lui faire perdre le fil de ses pensées.

— Je vais m'ennuyer, Ky, si je reste ici, assise à ne rien faire.

— J'ai beaucoup de livres, tu sais, dit-il en faisant glisser le haut de sa chemise pour découvrir son épaule

155

et y déposer un baiser. Et je devrais pouvoir te dégotter quelques grilles de mots croisés aussi.

— Merci beaucoup, répliqua Kate de mauvaise grâce.

— J'ai même un exemplaire de Byron en bas.

Bien qu'elle se soit promis de ne pas lui adresser le moindre regard, Kate ne put s'empêcher de lever les yeux en entendant le nom de son poète préféré.

— Byron ?

— Je l'avais acheté après ton départ. C'est magnifique, déclara-t-il en déboutonnant les premiers boutons de sa chemise sans même qu'elle s'en rende compte. Jamais je n'oublierai la façon que tu avais de me le réciter. Je me souviens d'une nuit sur la plage, la lune était pleine au-dessus de l'eau… Tu m'avais dit un poème dont j'ai oublié le titre, mais qui commençait par ces mots : « C'est l'heure… »

— « C'est l'heure, poursuivit Kate, où parvient des ramures la note aiguë du rossignol. C'est l'heure où des serments d'amoureux semblent résonner mélodieusement dans chaque mot murmuré, et les douces brises et les sources proches font de la musique à l'oreille solitaire. »

Kate avait l'impression de retrouver l'atmosphère de cette nuit-là dans ses moindres détails. Ky la regardait en souriant.

— C'est curieux, tu n'as jamais eu l'air particulièrement intéressé par Byron. Je me souviens d'avoir tenté de te parler de ses poèmes sans grand succès, reprit Kate.

— Tu as raison, pourtant tu t'étais donné de la peine, je me souviens parfaitement de cela.

Il essayait de la distraire, c'était certain… Et cela fonctionnait, car Kate avait déjà du mal à se remémorer le motif de leur conversation.

— C'était un des poètes les plus importants de sa génération.

— Mmm, marmonna Ky en embrassant le lobe de son oreille.

— Il était fasciné par les thématiques de la guerre et du conflit, mais il a écrit plus de poèmes d'amour que Shelley ou Keats.

— Et dans la vie ?

— C'était un grand amoureux, en effet, murmura Kate, que les baisers de Ky commençaient à mettre dans un état second. Ses écrits sont empreints d'humour, il pouvait passer de la satire au lyrisme le plus achevé. S'il avait terminé *Don Juan*…

Kate laissa sa phrase en suspens. Un soupir, proche du gémissement, s'échappa de ses lèvres entrouvertes.

— T'aurais-je interrompue ? demanda Ky en descendant le long de son dos jusqu'à ses cuisses où il déposa un baiser. J'aime tellement t'écouter lorsque tu donnes tes cours.

— En effet, tu ne me permets pas vraiment de me concentrer…

— Parfait, dit-il en déposant un baiser sur ses lèvres, qu'il effleura du bout de la langue. J'avais pensé essayer de t'occuper un moment pour que tu ne t'ennuies pas trop à rester coincée au lit. Tu as quelque chose à ajouter sur Byron ?

Les caresses de Ky se firent plus insistantes, effleurant ses côtes avant de s'arrêter sur ses seins.

Soupirant une nouvelle fois, Kate prit Ky par le cou.

— Non, j'avais terminé. C'est vrai que je vais peut-être me plaire au lit, finalement, même sans les mots croisés.

— Tu vas te relaxer, dit-il doucement, mais fermement.

Kate aurait pu répliquer, mais il couvrit ses lèvres d'un baiser tellement passionné qu'elle resta muette et pantelante de désir face à lui.

— Je n'ai pas le choix, finit-elle par murmurer. Entre les médicaments et toi…

— C'est bien mon but ! répondit-il.

Il allait lui faire l'amour si délicatement qu'elle n'aurait qu'à se laisser faire et à ressentir les sensations qu'il provoquerait en elle.

— Il y a tellement de choses en toi que je désire, dont j'ai besoin, reprit-il en levant les yeux vers elle pour croiser son regard.

— Tu ne m'as jamais dit ce que c'était.

— C'est possible, dit-il en reposant son front contre le sien. Pour l'instant, le plus important pour moi est que tu ailles bien. Mais que les choses soient claires, je le désire autant pour toi que pour moi. J'avais depuis le début décidé d'essayer de t'attirer dans mon lit.

— Quels qu'aient été tes projets, il me semble que je suis encore en mesure de décider ce que je veux, rétorqua Kate en posant les mains sur son visage. J'ai choisi de faire l'amour avec toi cette nuit et je choisis de faire l'amour avec toi, maintenant.

En riant, Ky pressa doucement la paume de sa main contre ses lèvres.

— Pensez-vous que je vous laisse le choix, madame le professeur ? Ce serait mal me connaître !

Pensive, elle suivit le contour de son visage de son pouce. Il avait des traits aigus, élégants, malgré sa barbe de deux jours. N'avait-il pas raison ? Le connaissait-elle, au fond ? Etaient-ils faits l'un pour l'autre malgré toutes leurs différences ?

Lorsqu'ils étaient tous les deux, ainsi, il semblait à Kate que la question ne se posait même pas. Ils se complétaient tellement. Pourtant, cela ne pouvait être aussi simple. Il devait y avoir quelque chose de plus profond, même s'ils le niaient tous les deux. Et au bout du chemin, il y avait une décision qui les attendait.

— Si tu prends quelque chose qui ne t'est pas offert librement, tu n'as rien, dit-elle tandis que des frissons partaient de sa paume et remontaient tout son bras. Si je décide de te donner, en revanche, tu auras tout ce que tu désires sans même le demander.

— Vraiment ? demanda-t-il en effleurant sa bouche du bout des lèvres. Et toi, qu'est-ce que tu auras ?

Elle ferma les yeux et se laissa emporter par un délicieux courant de plaisir.

— Ce dont j'ai envie.

Mais pour combien de temps ? Ky ne pouvait s'empêcher de se poser la question, même s'il arrivait à ne pas la formuler. Le temps des questions viendrait, il le savait. Le temps des remarques et des décisions. Le temps des ultimatums. Mais pour l'instant, Kate avait l'air bien, détendue et alanguie.

Il ne parla plus et continua à lui prodiguer ses caresses, emportant son corps avec lui dans une dimension de plaisir. Personne n'avait jamais fait naître autant de sentiments en lui. Elle avait la clé qui ouvrait la porte du meilleur côté de sa personnalité.

Il l'écouta soupirer sous les caresses de ses doigts. Elle semblait exprimer une satisfaction totale qui faisait écho à son propre bien-être. Ni l'un ni l'autre n'avaient besoin de quoi que ce soit d'autre.

Kate savait pourtant que les choses n'étaient jamais aussi simples. Elles ne l'avaient jamais été avec qui que ce soit d'autre. C'était pour cela qu'elle ne s'était jamais donnée à quiconque. Seul Ky lui avait fait connaître cette sensation délicieuse de liberté et de plaisir total. Avec lui, cela semblait si naturel.

Ils avaient été séparés pendant quatre ans, mais elle pressentait que même si quarante années s'étaient écoulées, elle aurait pourtant reconnu le toucher de sa peau. Il suffisait d'un contact pour qu'elle le désire.

Elle se rappelait que l'urgence avait présidé à leurs ébats chaque fois. Cette envie dévastatrice qu'ils ressentaient l'un pour l'autre et qui guidait leurs gestes. Même si cette attirance folle qu'elle ressentait envers lui avait été à la racine de ses tourments, c'était cela qui lui avait manqué le plus au début. Maintenant pourtant, quelque chose avait changé. Il y avait de la patience dans ses gestes et une sorte de considération qu'elle n'aurait jamais imaginée de sa part.

Peut-être que si elle ne l'avait pas déjà aimé, elle serait tombée éperdument amoureuse à ce moment précis, alors que la lumière du soleil filtrait au travers des persiennes, et que ses mains étaient sur sa peau. Elle attendait que la passion les emporte, mais Ky semblait garder le contrôle. Elle était prête à accéder au moindre de ses désirs, mais il n'en exprimait aucun. Non, elle flottait sur un lit de nuages qu'il lui avait préparé.

Même si la chaleur montait en lui, elle l'aidait à garder la tête froide. Lorsque la passion était sur le point de prendre le pas sur tout le reste, elle arrivait à tempérer ses ardeurs, par la sérénité qui se dégageait d'elle. Il n'avait jamais cherché à être serein dans sa vie, et cela lui était offert. Tout comme Kate lui était offerte. Il n'avait jamais compris ce que signifiait le calme, mais il avait connu le chaos et le vide qui le remplacent lorsqu'il disparaît.

Tout doucement, il se glissa en elle. Lentement, avec toute la délicatesse dont il était capable, il s'offrit à elle. Kate se laissa emporter par la vague si puissante et si chaude qui surgissait, une vague faite de passion, de jouissance, d'émotions et d'un insatiable désir.

Et puis, elle s'endormit et Ky la laissa en compagnie de ses rêves.

Lorsqu'elle se réveilla, Kate eut un drôle de sentiment. Elle n'avait pas besoin d'une montre pour savoir que l'après-midi était déjà bien entamé, l'angle du rayon de lumière qui traversait sa chambre le lui disait. Encore une fois, les heures avaient défilé sans qu'elle s'en rende compte. Où pouvait bien être Ky ?

Kate tâtonna à la recherche de sa chemise et l'enfila. Elle s'attendait plus ou moins à voir Ky débarquer dans sa chambre avec un plateau-repas à l'odeur alléchante et des cachets contre la douleur. Mais cette fois-ci, elle ne se laisserait pas faire. Elle avait les idées très claires à ce sujet, maintenant. Elle se leva, bien décidée à ne plus laisser une pilule lui faire perdre autant de temps.

Lorsqu'elle se leva, elle sentit qu'elle devait encore avoir des traces de médicaments dans le sang car la tête lui tourna aussitôt. Son premier réflexe fut de s'asseoir,

mais elle interrompit son mouvement. Inspirant profondément, elle prit appui sur sa table de chevet et sur ses
deux pieds. La douleur lui éclaircit les idées aussitôt.

C'était au moins l'un des avantages de la douleur. Kate
se laissa le temps de récupérer, puis s'avança doucement
vers le miroir qui se trouvait sur l'armoire de Ky.

Elle avait mauvaise mine. Ses cheveux étaient ternes
et sans volume, son teint brouillé et son regard éteint.
Elle se frotta le visage dans l'espoir d'y faire revenir
un peu de couleur. Mais elle avait déjà décidé que ce
dont elle avait besoin était une bonne douche chaude,
un shampooing et un peu d'air frais. Ky pourrait bien
dire ce qu'il voulait, elle avait pris sa décision.

Une nouvelle fois, elle inspira profondément et se
dirigea vers la porte. Au moment où elle tendait la
main vers la poignée, elle vit celle-ci tourner et la
porte s'ouvrir.

— Qu'est-ce que tu fais debout ?

Kate s'était attendue à cette phrase, très précisément,
mais de la part de Ky, pas de Linda.

— Je voulais juste…

— Tu voulais juste que Ky m'étripe ! s'exclama
Linda qui força Kate à rebrousser chemin en s'avançant
au-devant d'elle, un plateau à la main. J'ai reçu des
consignes très claires, Kate, tu es censée te reposer,
manger, manger et te reposer. C'est un ordre.

Prenant conscience qu'elle était en train de battre
en retraite, Kate s'immobilisa et décida de tenir bon.

— De qui vient cet ordre ?

— De Ky et du Dr Bailey.

— Je ne vois pas pourquoi je devrais recevoir des
ordres de l'un ou de l'autre.

— Peut-être que tu ne vois pas, admit Linda, mais je refuse d'aller contre la volonté d'un homme qui veut protéger sa chère et tendre, tout comme contre celle de celui qui s'est occupé de moi depuis que j'ai trois ans. J'aurais trop peur des représailles. Maintenant, au lit !

— Linda…, soupira Kate, j'ai une entaille dans la cheville et je viens de passer près de quarante-huit heures d'affilée au lit. Si je ne prends pas une douche et une bouffée d'air frais, je vais devenir folle.

Linda réprima discrètement le sourire qui lui montait aux lèvres.

— Voilà quelqu'un qui est un peu grognon au réveil, dirait-on.

— Je peux l'être bien plus qu'un peu, rétorqua-t-elle avec un soupir exaspéré cette fois. Regarde-moi, enfin ! J'ai l'impression que je viens de sortir d'une grotte où j'aurais passé deux jours enfermée.

— Je sais ce que c'est. Cela me rappelle l'état dans lequel j'étais après la naissance de Hope. Après l'avoir serrée dans mes bras, j'avais tellement envie d'une douche que j'aurais pu en pleurer, raconta Linda en déposant le plateau sur la table. File prendre une douche, mais pas plus de dix minutes, et tu mangeras pendant que je referai ton pansement. En revanche, Ky m'a fait promettre de te faire avaler jusqu'à la dernière bouchée, et en échange j'espère que je pourrai compter sur ta coopération.

— Ky se fait bien trop de souci, je n'ai pas besoin d'autant d'attention, je ne suis pas une enfant !

— Pourtant, il me semble qu'il suffirait que je te souffle dessus pour que tu t'écrases au sol. Allez, je vais te donner un coup de main.

— Mais je n'ai absolument pas besoin de ton aide, enfin ! Je suis parfaitement capable de prendre ma douche toute seule ! s'exclama Kate en sortant de la chambre le plus dignement possible malgré la douleur lancinante de sa cheville.

Linda ne put s'empêcher de rire lorsque la porte claqua. Elle prit place sur le lit en attendant le retour de Kate.

Quinze minutes plus tard, Kate revint, se sentant enfin fraîche et dispose, bien que globalement honteuse de sa conduite. Elle avait enfilé un peignoir de Ky et se séchait les cheveux.

— Linda…

— Ne t'excuse pas. Je crois que si j'avais dû passer deux jours clouée au lit, j'aurais agressé la première personne venue, moi aussi. De plus, reprit Linda qui savait à quel moment abattre ses cartes, si tu es vraiment désolée, tu mangeras toute ta soupe et cela m'évitera de me faire réprimander par Ky.

— C'est bon, marmonna Kate, résignée en retournant s'asseoir dans son lit.

Linda lui plaça le plateau sur les genoux, et Kate ravala ses objections lorsque Linda commença à toucher à son pansement. Kate se concentra sur sa soupe.

— C'est délicieux, Linda.

— La soupe de palourdes est une de nos spécialités, répondit Linda en finissant d'ôter le pansement. Bon sang ma chérie, mais tu as dû souffrir le martyre ! Je comprends que Ky soit dans tous ses états.

Réunissant tout son courage, Kate se redressa pour regarder sa blessure. Contrairement à ce qu'elle avait craint, il n'y avait ni inflammation ni gonflement. Bien que la coupure soit longue de près de quinze centimètres, elle était nette et en voie de cicatrisation. Le nœud qui s'était formé dans son estomac se dénoua.

— C'est mieux que je ne l'imaginais.

— Ecoute, j'ai moi aussi été piquée par une raie pastenague. Elle était petite et ma blessure faisait moins de deux centimètres, mais j'ai pleuré comme un bébé, alors ne me dis pas que ce n'est rien.

— De toute façon, j'étais inconsciente ou endormie pendant les moments les plus pénibles, dit Kate en retenant une grimace de douleur avant de se reprendre et de relâcher ses muscles.

Linda fronça les sourcils en examinant Kate.

— Ky a dit que tu devrais prendre un cachet si tu avais mal en te réveillant.

— Si tu veux vraiment me rendre service, Linda, tu peux jeter cette boîte à la poubelle, dit Kate calmement en avalant une cuillerée de soupe. Je ne veux pas avoir à débattre avec lui ou toi, mais je refuse de prendre un seul comprimé de plus. J'apprécie beaucoup son inquiétude et le fait qu'il veuille prendre soin de moi, mais je ne pourrais pas continuer à perdre du temps ainsi.

— Il est inquiet à ton sujet. Il se sent responsable, c'est tout.

— Responsable de mon imprudence ? rétorqua Kate en hochant la tête. C'était un accident et si quelqu'un est à blâmer, c'est bien moi. J'étais tellement euphorique que j'en ai oublié les règles basiques de sécurité. J'ai foncé droit sur la raie. Ky a réagi bien plus vite que moi. Il avait essayé de m'attirer hors de portée de l'aiguillon. S'il n'avait pas eu ce réflexe, ma blessure aurait pu être bien plus grave que ce que tu vois.

— Il t'aime.

Kate sentit ses doigts se raidir sur sa cuillère. Avec soin, elle la déposa sur le plateau.

— Linda, il y a une sacrée différence entre le fait de s'inquiéter pour quelqu'un, d'être attiré par lui, ou de ressentir de l'affection ou même de l'amour à son égard.

Linda acquiesça d'un hochement de tête.

— Oui. C'est pour cela que je te dis que Ky t'aime.

Kate prit sur elle afin d'avoir un air détaché et sourit à Linda en saisissant la tasse de thé qu'elle lui avait apportée.

— Tu l'as dit, en effet, mais pas Ky.

— Marsh non plus ne m'avait rien dit jusqu'à ce que je le menace de l'étrangler, cela ne m'a pas empêchée de continuer d'y croire.

— Oui, mais je ne suis pas comme toi, répondit Kate en s'adossant contre les coussins. Et Ky n'est pas comme Marsh.

Impuissante, Linda se leva et commença à faire les cent pas dans la chambre.

— Les gens qui ont le don de compliquer les choses simples me rendent folle !

— Eh bien moi, j'en connais qui simplifient les choses compliquées, rétorqua Kate avec le sourire en prenant une gorgée de thé.

Linda lui tourna le dos en faisant la moue.

— Je connais Ky Silver depuis toujours, je l'ai vu passer d'une jolie fille à l'autre jusqu'à ce que je perde le compte. Et puis tu es arrivée…, dit-elle en s'arrêtant à hauteur de Kate. C'était comme si quelqu'un l'avait frappé de toutes ses forces sur la tête. Il est resté sonné. Ebloui, Kate, dès la première minute. Tu l'as fasciné.

— Ebloui, fasciné, répéta Kate en haussant les épaules

tout en tâchant d'ignorer le pincement au cœur qu'elle venait de ressentir. C'est très flatteur pour moi, mais malheureusement, rien de cela ne s'approche de l'amour.

Linda la détailla un moment, les sourcils froncés.

— Je ne crois pas que l'amour naisse en un instant. Pour moi, il grandit. Si tu avais pu voir Ky après ton départ, il y a quatre ans, tu aurais compris…

— Ne me parle pas de ce qui s'est passé il y a quatre ans. C'est révolu maintenant. Ky et moi ne sommes plus les mêmes qu'à l'époque. Nous avons des attentes différentes. Cette fois-ci… Cette fois-ci, lorsque tout se terminera, je ne souffrirai pas, pour la simple raison que je connais les règles du jeu depuis le départ.

— Vous venez tout juste de vous retrouver et tu parles déjà de rupture ! s'exclama Linda en prenant place à son côté sur le bord du lit. Que t'est-il arrivé pour que tu aies perdu ainsi tout espoir, toute envie de croire, de rêver ?

— Je n'ai jamais été très douée pour tout cela, Linda, commença-t-elle avant de s'arrêter pour choisir ses mots. Je ne veux pas attendre plus de Ky que ce qu'il me donnera. A la fin du mois d'août, je sais que nous retrouverons tous deux nos univers. Et je sais aussi qu'il n'y a pas de ponts entre eux. Peut-être étais-je destinée à revenir pour réparer le mal que nous avions pu nous faire autrefois. Cette fois-ci je veux repartir avec un ami. Il… Il a toujours été très important à mes yeux.

Linda resta un instant silencieuse.

— Je crois que c'est la chose la plus stupide que j'aie jamais entendue.

Malgré elle, Kate secoua la tête et se mit à rire.

— Linda…

— Non, je préfère que nous arrêtions parce qu'après je vais vraiment me mettre en colère, et je suis ici pour prendre soin de toi. J'ai simplement du mal à comprendre comment quelqu'un de tellement intelligent peut se révéler aussi stupide. Décidément, plus j'y pense et plus je me dis que vous êtes vraiment faits l'un pour l'autre.

— Cela m'apparaît plus comme une critique que comme un compliment…

— C'est bien comme ça que je l'entends.

— Je vois, répondit Kate, qui avait toujours du mal à se retenir de rire.

— Et ne prends pas ce petit air suffisant. Tu n'as aucune fierté à tirer du fait d'avoir réussi à me mettre à ce point en colère. D'ailleurs, j'ai deux mots à dire à Ky dès qu'il rentrera.

— C'est son problème, lança Kate amusée. Où est-il à propos ?

— Il est parti plonger.

— Seul ? demanda-t-elle d'un ton soudain grave.

— Il ne faut pas t'inquiéter, répondit Linda en se maudissant de n'avoir pas esquivé cette réponse par un petit mensonge. Il plonge en solo quatre-vingt-dix pour cent du temps.

— Je le sais, répondit Kate dont l'estomac s'était noué.

Elle savait qu'elle ne parviendrait pas à se détendre avant son retour.

9

— Je viens avec toi.

La lumière était vive, le parfum de la mer, pur. On entendait les cris des mouettes nettement, même si elles devaient se trouver à près de cinq cents mètres. Ky s'écarta de la cuisinière où il se servait une dernière tasse de café et fixa Kate sur le pas de la porte.

Elle avait relevé ses cheveux et enfilé un fin pantalon de coton et un T-shirt, tous deux d'allure décontractée. Ainsi, elle ressemblait presque plus à une étudiante qu'à une enseignante.

Il connaissait trop bien les femmes pour ne pas s'être rendu compte qu'elle avait mis de la poudre sur ses joues afin de se donner meilleure mine, probablement dans l'espoir de le convaincre. Hier soir, elle n'en avait pas eu besoin, lorsqu'il était rentré de son expédition à l'épave. Elle était en colère, elle était passionnée… Le sourire lui monta aux lèvres et il le dissimula avec sa tasse.

— Il était inutile de t'habiller, répondit-il d'un ton léger. Tu vas retourner au lit.

Kate n'aimait pas les gens bornés qui ordonnaient et imposaient leur volonté aux autres. Elle décida qu'ils seraient bornés tous les deux.

— Non, répliqua-t-elle aussi calmement que lui en avançant dans la cuisine. Je viens avec toi.

A la différence de Kate, Ky n'avait jamais craint les éclats d'une bonne grosse dispute. Comme s'il se préparait à l'affronter, il prit appui contre la cuisinière.

— Je n'ai pas l'habitude d'emmener quelqu'un en plongée contre avis médical.

Elle s'y était attendue. Haussant les épaules, elle ouvrit le réfrigérateur et en sortit une bouteille de jus de fruit. Elle savait qu'elle se comportait comme une gamine effrontée, et bien que cela ne lui ressemble guère, elle commençait à trouver ce rôle assez plaisant. Ce qui n'était pas de la comédie, en revanche, était qu'elle avait besoin de reprendre une activité au plus vite, sinon elle allait devenir folle.

Elle n'avait pas le souvenir d'avoir dans sa vie passé deux jours plus ennuyeux. Il fallait qu'elle bouge, qu'elle pense, qu'elle sente la chaleur du soleil sur sa peau. Même si elle avait trouvé divertissant de trépigner et de réclamer, cela restait vain. Et si elle devait tenter le tout pour le tout afin d'obtenir ce qu'elle voulait, elle était prête.

— Je pourrais louer un bateau et l'équipement nécessaire et plonger toute seule, lança-t-elle, sur un ton de défi. Tu ne peux pas m'en empêcher.

— Ne me provoque pas.

Ky avait répondu calmement, mais à la lueur dans ses yeux, Kate devina qu'il ne plaisantait pas. C'était mieux. Beaucoup mieux.

— J'ai le droit de faire ce que je veux, et tu le sais aussi bien que moi.

Certes, sa jambe était douloureuse, mais comme

chaque cellule de son corps, elle souffrait surtout d'inactivité. Elle avait les idées très claires et avait élaboré sa stratégie précisément. Après tout, elle avait eu suffisamment de temps pour tout mettre en place.

— Ce que nous savons tous les deux c'est que tu n'es pas en état de plonger, répondit-il, prêt à la porter lui-même jusqu'à son lit. Tu es loin d'être stupide, Kate, tu sais très bien que tu ne peux pas descendre et que je ne te laisserai pas le faire.

— Je me suis reposée pendant deux jours pleins, je me sens en pleine forme, rétorqua-t-elle en s'avançant vers lui, croyant distinguer une once d'hésitation dans son regard. Si tu veux, je te laisse plonger seul pendant les deux jours qui viennent, mais je t'accompagne sur le *Vortex*… Dès ce matin.

Il était vrai que ni l'un ni l'autre ne s'étaient attendus à ce qu'elle soit en si bonne forme si vite. Ky comprenait qu'il aurait du mal à la rallier à ses arguments.

Ky haussa un sourcil. Ainsi, elle n'avait jamais eu dans l'idée de plonger, mais avait utilisé cela pour faire pression sur lui. Il devait admettre que c'était bien joué de sa part. Il se rappela lorsqu'il s'était cassé une jambe à l'âge de quatorze ans. Il avait totalement oublié la douleur qu'il avait pu ressentir, mais l'ennui, lui, était toujours vivace dans sa mémoire.

— Tu iras te reposer dans la cabine chaque fois que je te le dirai ?

Kate eut un large sourire.

— J'irai me reposer dès que le besoin s'en fera sentir, promis.

Ky la prit par le menton.

— Bien, allons-y, alors, je veux partir tôt.

Une fois sa décision prise, rien ne pouvait arrêter Ky. Kate n'avait pas le choix, elle suivait ou elle restait derrière. Quelques minutes plus tard, il garait sa voiture près du quai et embarquait sur le *Vortex*. Radieuse, elle prit place à côté de lui à la proue. Elle sentait déjà l'énergie bouillonner en elle.

— J'ai fait une carte de l'épave après la plongée d'hier, expliqua-t-il en manœuvrant pour sortir du port.

— Une carte ? Tu ne me l'as pas montrée, dit-elle en relevant ses cheveux pour se tourner vers lui.

— C'est exact, répondit-il amusé, car tu dormais lorsque je l'ai terminée.

— Il faut dire que je suis restée endormie quatre-vingt-dix pour cent du temps, grommela-t-elle.

Après avoir contourné les derniers obstacles, Ky se dirigeait maintenant vers le large. Il posa la main sur l'épaule de Kate.

— Tu as meilleure mine, Kate. Plus de cernes, moins de tension, c'est ce qui compte.

L'espace d'un instant, Kate pressa sa main contre sa joue. Quelle femme aurait su résister à un homme qui s'inquiétait ainsi pour elle ? Pourtant, au fond, elle craignait aussi que cette inquiétude prenne le pas sur les vraies raisons qui, selon elle, les avaient réunis. Il n'y avait qu'un pas entre inquiétude et pitié, et elle voulait surtout que Ky continue à la considérer comme sa partenaire, son alter ego. Il était important qu'ils restent sur un pied d'égalité, d'autant plus qu'ils étaient amants. Et lorsqu'elle partirait... Lorsqu'elle partirait, il n'y aurait aucun regret.

— Je n'ai plus besoin que tu me dorlotes à ce point, Ky, dit-elle doucement.

Il haussa les épaules, le regard fixé sur le compas.

— J'aime ça.

Elle n'avait pas l'habitude que l'on s'occupe d'elle. Ky le comprenait et le déplorait à la fois. Il avait aimé prendre soin d'elle, cela lui donnait l'impression de lui être indispensable. Il ne savait comment lui faire comprendre qu'il voulait la voir en pleine forme, mais espérait aussi qu'elle ferait appel à lui en cas de besoin.

Il lui semblait qu'ils avaient passé trop peu de temps ensemble pour avoir le droit de formuler cela. Il avait beau savoir qu'il fallait agir avec prudence, il n'arrivait à mettre le concept en pratique qu'en ce qui concernait la plongée. Dans sa vie d'homme, il avait plutôt tendance à se fier à son instinct.

Il effleura sa nuque fugacement avant de se concentrer de nouveau sur son gouvernail. Depuis le début, il avait pris la décision de considérer sa relation avec Kate comme une plongée extrêmement risquée en eaux très profondes. Il devrait garder les yeux grands ouverts sur les courants, la pression et tous les autres facteurs imprévisibles.

— La carte est dans la cabine, si tu veux y jeter un œil pendant que je plonge, lui dit-il en coupant les gaz.

Elle acquiesça d'un signe de tête, mais l'envie de l'accompagner s'était déjà emparée d'elle et croissait tandis qu'il revêtait sa combinaison. Elle ne voulait pas s'appesantir sur le fait qu'il partait seul. De toute façon cela ne changerait rien, car il ne l'écouterait même pas, et tout ce qu'elle en tirerait serait une dispute. Elle l'observa en silence tandis qu'il vérifiait ses bouteilles. Il avait prévu de descendre une heure et Kate comptait déjà les minutes.

— Tu trouveras des boissons fraîches en bas, ajouta-t-il en réglant son masque et s'avançant jusqu'au bastingage. Ne reste pas trop au soleil !

— Fais attention ! lança-t-elle à son tour avant de s'en mordre les lèvres.

Ky lui adressa un large sourire avant de se laisser tomber à l'eau.

Kate s'avança pour le regarder descendre vers les profondeurs, mais il était déjà hors de vue. Pendant de longues minutes, elle resta sur le pont à scruter la surface de l'eau. Elle l'imaginait descendant de plus en plus profondément, jusqu'à ce qu'il atteigne l'épave.

La veille, il avait remonté la louche et le bol. Il les avait placés en évidence sur l'étagère de sa chambre, tandis que le gréement et les autres pièces étaient entreposés au rez-de-chaussée. Pour l'instant, il s'était contenté de remonter les pièces qu'ils avaient découvertes ensemble, mais, aujourd'hui, Kate savait qu'il avait décidé d'étendre son rayon d'action. Quoi qu'il découvre, ce serait sans elle.

Elle détourna le regard des flots. Elle avait du mal à accepter d'être exclue de cette phase des recherches. Elle avait soudain l'impression qu'une fois de plus elle était une simple spectatrice, de celles qui analysent et décortiquent l'action plutôt que d'en faire partie. Cette aventure était sa première occasion de changer l'ordre des choses, et voilà qu'elle se retrouvait sur la case départ.

Enfonçant les mains dans ses poches, Kate leva les yeux au ciel. Quelques nuages s'amoncelaient à l'ouest, mais ils étaient légers et blancs. Anodins. C'était ainsi qu'elle se sentait à ce moment précis : légère, sans poids ni importance. Poussant un long soupir, elle descendit dans la cabine. Il n'y avait décidément rien d'autre à faire qu'attendre.

Ky découvrit deux canons et marqua leur position à l'aide de balises. Il serait possible, s'il ne trouvait rien de plus précis, de remonter les canons pour les faire dater par un expert. Tout en quadrillant soigneusement la zone, il savait qu'il était peu probable qu'il tombe sur une inscription de date lisible, étant donné l'avancée de la corrosion.

Il avait décidé de consacrer cette plongée à l'établissement du périmètre précis des recherches. Avec un peu de chance, ils n'auraient à explorer qu'une surface de la taille d'un terrain de football. Mais il était aussi possible que l'épave soit éparpillée sur des kilomètres carrés. Avant de faire appel à un navire pour remonter tout cela à la surface, il ne voulait surtout pas négliger les étapes préliminaires.

Ils auraient besoin d'outils et surtout d'un détecteur de métaux. Pour l'instant, ils avaient simplement découvert une épave sans nom, même si Kate était convaincue qu'il s'agissait du *Liberty*. Pour le moment, Ky n'avait aucun moyen d'identifier l'origine des débris. Une fois qu'ils en sauraient un peu plus, ils auraient peut-être une chance de découvrir le trésor.

Et une fois qu'ils auraient mis la main sur le fameux trésor ? Repartirait-elle tout simplement avec sa part de butin ?

Pas s'il pouvait l'en empêcher. Ky prit cette décision en allumant sa lampe frontale pour mieux distinguer les détails. Lorsque leur expédition serait terminée et qu'ils auraient réussi à récupérer tout ce qui en valait la peine, ils devraient s'employer à sauver ce qu'ils avaient partagé. Ce qu'ils n'avaient peut-être jamais perdu, au fond. Car s'ils étaient capables de retrouver ce qui avait été englouti des siècles avant eux, il n'y avait aucune raison pour qu'ils ne parviennent pas à refaire surgir ce qu'ils avaient enterré à peine quatre ans auparavant.

Mais sans les outils appropriés, il ne pourrait pas avancer beaucoup. Le limon avait recouvert tout ce qu'il restait du bateau. Lors d'une prochaine plongée, il pourrait se servir du matériel qu'il avait à disposition et de ce qu'il avait fabriqué lui-même. Avec sa miniturbine, il pourrait soulever et disperser le limon sans risquer d'abîmer les pièces les plus fragiles. Mais il aurait besoin que quelqu'un la fasse fonctionner depuis la surface.

Il pensa à Kate mais l'élimina aussitôt. Il avait toute confiance en sa capacité à manipuler techniquement le système — il savait qu'il lui suffirait de lui expliquer son fonctionnement une seule fois — mais elle ne serait jamais d'accord. Peut-être était-il temps qu'ils fassent appel à Marsh.

Le temps commençait à lui être compté, il fallait qu'il remonte à la surface pour changer de bouteilles. Pourtant, il ne pouvait s'empêcher de flâner encore un peu, à la recherche d'un indice supplémentaire. Il aurait aimé découvrir quelque chose à offrir à Kate, quelque chose de concret qui aurait fait renaître l'enthousiasme en elle.

Il lui fallut plus de la moitié du temps qui lui était imparti pour le découvrir, mais lorsque Ky eut en main la bouteille intacte, il sut que la réaction de Kate allait justifier son effort. C'était une simple bouteille et pas un flacon de cristal, mais il semblait qu'elle ait été réalisée artisanalement par un souffleur de verre, car elle n'avait aucune trace de moule. Il y avait du dépôt sur le bas de la bouteille qui l'empêchait de lire une éventuelle inscription. Ky gratta légèrement en prenant soin de ne pas l'ôter totalement au cas où il aurait besoin de le faire dater. Il imaginait déjà cette bouteille exposée au Corning Glass Museum, le musée du verre de New York.

Et puis il vit apparaître une date. Un sourire extatique aux lèvres, il plaça la précieuse bouteille dans le sac-ceinture qu'il avait prévu à cet effet et entama sa remontée.

L'heure était écoulée, ou presque. Kate ne comprenait pas pourquoi Ky n'avait pas encore fait surface. Généralement, il prenait toujours soin de garder une marge de sécurité. Sans même s'en rendre compte, elle s'était mise à arpenter le pont de long en large, nerveusement. Ky ne deviendrait-il jamais raisonnable ? N'arrêterait-il donc jamais de repousser ses propres limites ?

Depuis un bon moment déjà, Kate avait abandonné la cabine et l'étude studieuse de ses cartes. Elle était tombée sur un ouvrage que Ky avait apparemment acheté récemment, traitant des naufrages et des épaves. Bien que ce livre ait fait partie de la bibliographie de son père, elle décida de le feuilleter.

On y trouvait des indications assez précises sur la manière de fouiller et remonter une épave, et la plupart des erreurs les plus courantes y étaient listées. Les principaux risques étaient aussi mentionnés, et elle eut du mal à ne pas associer ce qu'elle lisait à Ky. Pourtant, elle réussit à se laisser emporter par les descriptions de l'ouvrage et, pendant près d'une demi-heure, elle naviga à bord de galions espagnols, de navires marchands hollandais et de frégates anglaises.

Le nombre d'épaves répertoriées sur la seule côte de la Caroline du Nord était impressionnant. Mais, justement, ces dernières avaient été identifiées. Il n'y avait plus de mystère, ni d'aventure. Un jour, grâce aux recherches que son père avait entamées et qu'elle poursuivait, le *Liberty* en ferait partie.

Anxieuse, elle attendait que Ky refasse surface. Il avait dû regarder ce même livre de près, et avait certainement lui aussi fait des projets ou imaginé la suite de leurs recherches. Si c'était le cas, il avait passé le stade de la simple fouille. Pourquoi ne lui en avait-il pas parlé?

Kate était en mesure de prendre ses propres décisions. La première avait été de revenir à Ocracoke, en acceptant tout ce que cela impliquait. La deuxième avait été de se donner à Ky sans conditions. La dernière serait de le quitter encore une fois. Les yeux braqués sur la surface de l'océan, elle se dit qu'en fait elle n'avait peut-être pas vraiment eu le choix. Tout cela était une question de courants. On ne pouvait nager à contre-courant très longtemps.

Un immense soulagement l'envahit lorsqu'elle repéra les grappes de bulles d'air qui remontaient à la surface. Ky saisit le dernier échelon de l'échelle et surgit hors de l'eau en relevant son masque.

— Tu t'impatientais? demanda-t-il en faisant un clin d'œil.

— Tu as vraiment attendu la dernière minute! répondit Kate mi-irritée, mi-apaisée.

— Oui, je le sais, mais il fallait que je fasse un détour pour te rapporter un petit quelque chose, répondit-il en lui tendant ses bouteilles d'oxygène.

— Je ne plaisante pas, Ky, rétorqua Kate, les yeux

fixés sur sa silhouette fine et nerveuse tandis qu'il remontait à bord. Imagine seulement ta réaction si c'était moi qui étais remontée si tard !

Ky s'avança alors vers elle en ouvrant la fermeture Eclair de sa combinaison et la serra de toutes ses forces en plaquant sa bouche contre la sienne, comme pour lui communiquer un peu de son enthousiasme. Kate sentit le goût de sel de ses lèvres. Ses vêtements furent aussitôt trempés et restèrent collés contre lui, comme pour les lier le temps de cette étreinte. Au moment où Ky allait s'écarter, ce fut Kate qui prit le relais et le serra contre elle, changeant son baiser innocent en quelque chose de beaucoup plus torride.

— Je m'inquiète pour toi, Ky, admit Kate en le regardant droit dans les yeux. Est-ce que c'est cela que tu voulais entendre ?

— Non, répondit-il en prenant son visage entre ses mains et secouant lentement la tête. Non.

Kate se dégagea, craignant d'en avoir trop dit, craignant d'avoir dit des choses que ni l'un ni l'autre n'étaient prêts à entendre. Cette fois-ci, elle connaissait les règles du jeu, pourtant. Elle avait tellement envie que les choses soient simples.

— Je suppose que c'est le fait d'attendre ici, toute seule, qui m'a fait imaginer des choses. C'est tellement différent lorsqu'on est sous l'eau.

Ky hocha la tête. Comment se faisait-il donc que chaque fois qu'elle se laissait aller à exprimer des sentiments à son égard, elle se refermait systématiquement à la seconde suivante ?

— Je vais pouvoir compléter ma carte, tu sais.

— Oui, j'ai vu les balises, dit-elle en commençant à se détendre.

— J'ai trouvé deux nouveaux canons. D'après leur taille, je dirais que le navire était plutôt petit. Ce n'était certainement pas un navire de guerre.

— Bien sûr, c'était un navire marchand, affirma Kate avec certitude.

— Possible. Je vais redescendre avec le détecteur de métaux pour voir ce que je peux trouver de plus. Le bateau ne doit pas être loin.

Kate acquiesça. Il était plus simple de parler de leur mission, cela permettait d'oublier un peu les sujets plus personnels.

— J'aimerais envoyer un morceau de bois et un éclat de verre pour qu'ils soient analysés, expliqua-t-elle. Je pense que nous avons plus de chance de découvrir des choses avec le verre, mais nous ne risquons rien à explorer toutes les pistes.

— Tu as raison, dit-il avant de prendre un air malicieux. Alors, tu ne me réclames pas ton cadeau ?

— J'ai cru que tu plaisantais, répondit Kate, le sourire aux lèvres. Qu'as-tu trouvé, un coquillage ?

Ky sortit de son sac la bouteille.

— Dommage qu'elle ait perdu son bouchon, nous aurions eu droit à un verre de vin pour accompagner nos tartines de beurre de cacahuète !

— Ky ! Elle est intacte ! s'exclama Kate en tendant la main.

Ky leva le bras, maintenant la bouteille hors de sa portée avant de la retourner pour lui présenter le fond.

Kate resta un instant interloquée avant de comprendre qu'il voulait lui montrer quelque chose.

— Oh mon Dieu ! Elle est datée… 1749. C'est l'année qui a précédé le naufrage du *Liberty*.

Elle saisit précautionneusement la précieuse bouteille.

— Cela ne prouve rien, avertit Ky, mais cela réduit notre champ d'investigation.

— Plus de deux cents ans, murmura-t-elle, les yeux brillants d'excitation. Te rends-tu compte que cet objet de verre si fragile, si délicat, a résisté pendant deux siècles ? Je suis sûre qu'il y a un moyen de découvrir où elle a été faite.

— Probablement, mais la plupart des bouteilles provenant des naufrages de navires des XVIIᵉ et XVIIIᵉ siècles étaient fabriquées en Angleterre. Cela ne serait pas une preuve irréfutable.

Kate soupira, mais ne se laissa pas abattre pour autant.

— Je vois que tu t'es renseigné…

— Je ne me lance pas dans ce genre d'aventures sans en connaître les tenants et les aboutissants, répondit-il en s'agenouillant pour vérifier deux nouvelles bouteilles d'oxygène.

— Tu redescends tout de suite ?

— Oui, je voudrais répertorier un maximum de choses maintenant, avant que nous ne soyons encombrés par trop d'équipement.

Kate ne savait que trop bien que l'erreur la plus commune dans ce genre de recherches consistait à ne pas dresser une carte des lieux avant toute chose. Pourtant elle avait du mal à contenir son impatience et avait l'impression de perdre du temps qu'ils auraient pu passer à découvrir de nouveaux objets.

D'une certaine manière, elle avait l'impression qu'elle et Ky avaient inversé leurs rôles. Elle avait toujours été prudente et méthodique et Ky plus intrépide et incontrôlable. Elle devait maintenant faire face à la frustration d'être coincée sur le pont du bateau. Elle s'écarta de quelques pas tandis que Ky attrapait une tige de cuivre.

— Qu'est-ce que c'est ?

— C'est la base de cet instrument, expliqua-t-il en brandissant une sorte de compas de marin. On appelle cela un cercle d'azimut. C'est la façon la plus simple de cartographier les lieux. Je pars du centre approximatif de l'épave, qui devient le point de repère. Ensuite j'aligne le cercle sur le nord magnétique, et je me sers de la longueur de la chaîne pour mesurer la distance entre les canons, ou tout ce que j'ai besoin de répertorier. Une fois que ce sera fait, je remonterai chercher le détecteur de métaux.

Le sentiment d'impuissance de Kate s'accrut encore. Ky allait donc faire tout le travail, tandis qu'elle resterait plantée là.

— Ky, je me sens bien, je dois pouvoir t'aider en…

— Non.

Il ne prit pas la peine d'argumenter ni de définir les motifs de son refus et, sans un mot de plus, il enjamba le bastingage avant de sauter à l'eau.

L'après-midi était déjà bien avancé lorsqu'ils reprirent le chemin du port. Ky passa encore une heure à noter ses observations et compléter sa carte. Il avait remonté à la surface d'autres surprises — une chope, ainsi que des cuillères et fourchettes qui paraissaient en fer. Il semblait effectivement qu'ils étaient tombés sur la coquerie du navire, car ils ne trouvaient que des ustensiles de cuisine. Kate décida d'établir un inventaire de leurs trouvailles.

C'était tout ce qu'il lui était permis de faire, alors elle s'en chargea avec délectation.

Elle avait retrouvé le moral en réussissant à pêcher trois poissons de belle taille pendant la deuxième plongée de Ky. D'ailleurs, il pourrait bien dire ce qu'il voudrait, Kate avait la ferme intention de les préparer et de les déguster ce soir, assise à table et non allongée dans son lit.

— Tu as l'air plutôt contente de toi, n'est-ce pas ? demanda-t-il, un brin moqueur.

Kate lui adressa un sourire. Ils étaient en train de rentrer vers le port de Silver Lake et même si elle se sentait un peu fourbue, c'était une sensation agréable, qui n'avait rien à voir avec la fatigue accablante des derniers jours.

— Trois prises en si peu de temps, c'est plutôt impressionnant.

— Je suis d'accord avec toi, mais le plus impressionnant est que je compte bien manger la moitié de ma pêche.

— Je les ferai griller.

Kate hocha la tête en lui jetant un regard narquois.

— Je les ai attrapés, je les prépare.

Depuis la barre, Ky étudia avec attention ses traits. Elle semblait peu fatiguée, mais il lui paraissait envisageable de la convaincre de faire une petite sieste, quitte à lui dire qu'il avait lui-même besoin de récupérer. Elle se rétablissait rapidement. Et puis, elle avait raison. Il ne pouvait se comporter comme son médecin plus longtemps.

— Dans ce cas, peut-être me laisseras-tu allumer le barbecue pour toi ?

— Marché conclu, tu pourras même nettoyer les poissons !

Il éclata de rire et ébouriffa ses cheveux, parvenant même à faire tomber les barrettes qui retenaient soigneusement ses longues mèches.

— Ky !

Aussitôt, Kate s'accroupit pour les retrouver.

— Garde-les pour tes heures de cours, lança-t-il en se baissant pour attraper une barrette et la jeter par-dessus bord. Tu sais que j'ai beaucoup de mal à te résister lorsque tu as les cheveux détachés et légèrement décoiffés ?

— Vraiment ? demanda-t-elle en décidant qu'il y avait effectivement des choses beaucoup plus agréables à faire qu'à chercher des barrettes sur le pont.

Laissant le vent décider de sa coiffure, elle s'avança vers Ky jusqu'à plaquer son corps contre le sien. Elle s'amusa de la furtive expression de surprise qu'elle distingua dans son regard au moment où elle glissait les mains sous son T-shirt.

— Pourquoi est-ce que tu ne couperais pas les gaz pour me montrer ce dont tu es capable lorsque tu cesses de résister, par exemple ?

Bien qu'elle se soit toujours montrée une amante des plus généreuses, elle n'avait jamais fait le premier pas ainsi. Ky trouvait cela à la fois particulièrement excitant, mais aussi un peu déconcertant. Il baissa les yeux vers elle tandis qu'il sentait ses mains remonter jusqu'à son torse.

— Tu sais très bien ce qu'il arrive lorsque je cesse de résister, dit-il d'une voix que le désir rendait rauque.

Kate eut un petit rire, calme et grave.

— Prêt à me rafraîchir la mémoire ? demanda-t-elle avant de couper le moteur sans attendre sa réponse. Tu ne m'as pas fait l'amour la nuit dernière.

Ses mains parcouraient maintenant le dos de Ky de haut en bas.

— Tu dormais.

Elle lui faisait un parfait numéro de charme au beau milieu de l'océan, en plein après-midi. Ky n'avait qu'une envie : savourer l'expérience jusqu'au bout.

— Eh bien, maintenant, je ne dors plus, susurra-t-elle en se hissant sur la pointe des pieds pour effleurer sa bouche, les lèvres entrouvertes. A moins que tu ne sois particulièrement décidé à rentrer pour… nettoyer les poissons ?

Une véritable ensorceleuse ! Il n'avait jamais entrevu cet aspect de sa personnalité jusqu'à ce jour. Ky sentit son estomac se nouer, tant il avait envie d'elle. Il la serra contre lui, mais elle résista, légèrement, juste assez pour le tourmenter un peu plus.

— Si je fais l'amour avec toi maintenant, je ne suis pas sûr de savoir me montrer patient et doux, dit-il à voix basse.

Kate resta à quelques centimètres de lui.

— Est-ce un avertissement, murmura-t-elle, ou une promesse ?

Ky sentit un frisson le parcourir de haut en bas. Il n'avait jamais ressenti cela, même pour elle. Le désir qui montait en lui semblait démesuré et débridé.

— Je ne suis pas sûr que tu saches exactement ce que tu es en train de faire, Kate.

Elle non plus, mais elle lui sourit car cela n'avait plus la moindre importance.

— Descends avec moi dans la cabine et nous le découvrirons ensemble, lança-t-elle en se glissant hors de ses bras et disparaissant sans un mot de plus.

La main qu'il tendit vers les clés du moteur était fébrile. Il aurait besoin d'un moment pour regagner le contrôle qu'il avait difficilement réussi à garder depuis qu'ils étaient redevenus amants. Maintenant qu'il l'avait tenue inconsciente entre ses bras, il avait une peur farouche de la blesser, de lui faire mal. En même temps, depuis qu'il avait le goût de sa peau de nouveau sur les lèvres, il ressentait au fond de lui la peur tout aussi violente de la faire fuir, de la perdre. C'était pour cela qu'il refusait de se laisser emporter totalement par la passion. Comme il descendait les marches, il se répéta qu'il garderait la même ligne de conduite.

Elle avait déboutonné son chemisier, mais ne l'avait pas enlevé. Lorsqu'il pénétra dans l'étroite cabine, Kate lui sourit. Curieusement, sans savoir exactement pourquoi, elle ressentait une certaine appréhension. Pourtant, par-delà cette peur, il y avait aussi un sentiment de puissance qui cherchait à s'exprimer. Elle voulait le pousser jusqu'à ses limites, celles de la passion. A ce moment précis, elle sentait qu'elle en avait le pouvoir.

Lorsqu'il s'agenouilla sur le lit, elle se pencha vers lui et lui enleva son T-shirt.

— Ta peau paraît dorée, murmura-t-elle en effleurant ses flancs du bout des ongles très lentement, comme pour savourer les frissons qui naissaient sur leur passage. J'ai toujours eu envie de ta peau. J'ai toujours eu envie de toi. Toujours.

Si sa voix était posée, son cœur dans sa poitrine battait la chamade lorsqu'elle commença à déboutonner son bermuda. Les yeux plantés droit dans les siens, elle le déshabilla lentement, très lentement.

— Personne ne m'a jamais fait cet effet. Personne n'a jamais su faire naître autant de désir en moi.

Il fallait qu'il l'arrête s'il voulait garder un soupçon de maîtrise sur ses sens bouleversés. Elle n'avait pas idée de l'effet qu'avaient sur lui ses longs doigts fins qui effleuraient ses flancs, pas plus qu'elle ne devait soupçonner la portée de son regard de braise.

— Kate…

Ky prit ses mains dans les siennes et se pencha pour l'embrasser, mais elle se détourna, avant de déposer un baiser brûlant dans le creux de son cou. La brûlure sembla se propager le long de sa nuque et descendre lentement le long de sa colonne vertébrale. Cette fois-ci, Ky sentit le désir le submerger avec une force fulgurante. Il sursauta presque comme s'il venait de recevoir un coup de fouet cinglant.

Il oublia alors ses résolutions de contrôle, de tendresse, de retenue. C'était elle, finalement, qui l'y avait incité. Elle en avait décidé ainsi.

Sur l'étroite couche de la cabine, leurs corps étaient étroitement enlacés. Le chemisier de Kate laissait découvrir ses seins que Ky sentait contre son torse. Leurs courbes rondes et fermes le rendaient éperdu de désir. Elle dévorait ses lèvres, exigeante, comme si elle en voulait plus, encore plus. Des vagues de passion les emportaient tous deux très loin de tout.

Ky était fou de désir. Entre ses bras elle était comme une flamme, brûlante, insaisissable, dangereuse, à tel point qu'il prit feu à son tour.

Ses mains poursuivaient leurs caresses délicieuses

et lui faisaient perdre la tête à leur tour. Il était totalement hors de question de lui demander maintenant de s'arrêter. Sans parler d'envisager qu'il puisse se contenir.

Il l'enlaça avec une sorte d'urgence qui la fit gémir d'anticipation, tant elle était porteuse de promesses. Maintenant, elle voulait sentir sa force et sa fougue conjuguées pour qu'elles les emportent vers des cieux inconnus. Et c'était elle qui ouvrirait la voie. Cette pensée la fit rire sans cesser de savourer sa peau au goût de sel, ses lèvres, sa langue.

Elle glissa le long de son corps, goûtant avec bonheur chacun des frissons de plaisir qui le parcouraient. Il leur était impossible de s'aimer tendrement et doucement, maintenant. Ils s'étaient entraînés l'un l'autre par-delà les limites de la raison. L'air y était sombre et tourbillonnant, saturé de sons. Kate se laissa emporter.

10

Elle s'était trompée.

Kate s'était convaincue qu'elle était prête à replonger. Elle trépignait même d'impatience, jour après jour, tandis qu'elle récupérait des suites de sa blessure. Chaque fois que Ky avait remonté un objet à la surface, elle avait été partagée entre l'excitation de la découverte et la frustration de n'y avoir pas participé. Elle avait presque eu l'impression d'être redevenue une écolière qui compte les jours la séparant des grandes vacances.

Une semaine après son accident, Kate se tenait sur le pont du *Vortex*, la bouche sèche et les mains tremblantes, en train d'enfiler sa combinaison. Son seul réconfort était que Ky soit déjà dans l'eau, occupé à fixer le filin qui lui permettrait de descendre le système de soufflerie pour dégager les objets restants du limon qui les recouvrait. Nouveau membre d'équipage, Marsh était à la proue et aidait son frère. En accord avec Linda, Marsh avait accepté de collaborer avec eux quelques heures par jour, tant qu'ils auraient besoin de lui.

Kate profita de ce moment de calme pour faire le point un instant.

Il était tout à fait naturel de se sentir un peu nerveux au moment de plonger pour la première fois depuis

l'accident qui aurait pu lui coûter la vie, mais à ce point…
Elle n'arrivait pas même à contrôler les tremblements
qui secouaient ses mains, tandis qu'elle remontait la
fermeture Eclair de sa combinaison. C'était un peu
comme de devoir remonter à cheval après avoir fait une
mauvaise chute. C'était totalement psychologique, mais
le fait de le savoir ne la libérait en rien de la tension qui
lui nouait l'estomac.

— Ky est prêt, tu peux y aller ! s'exclama Marsh
lorsque Ky lui fit signe.

— J'arrive, répondit Kate en attrapant le sac de toile
qu'elle avait prévu pour remonter les objets à la surface.

— Kate.

— Oui ? répondit-elle sans lever les yeux, concentrée
sur le mousqueton de son sac.

— Tu sais qu'il est normal que tu te sentes nerveuse,
dit Marsh en lui posant la main sur l'épaule. Si tu veux
un peu plus de temps, je peux accompagner Ky et tu
t'occuperas de la soufflerie.

Kate s'efforça de paraître totalement absorbée dans
ce qu'elle faisait pour ne pas avoir à croiser le regard
de Marsh.

— Non, c'est maintenant, Marsh, j'ai pris ma décision,
répondit-elle. S'il te plaît, ne dis rien à Ky.

Marsh acquiesça d'un hochement de tête. De toute
façon, il avait l'intime conviction que Ky savait interpréter chacune des expressions, intonations ou mimiques
de Kate.

— Il faut le faire fonctionner à pleine puissance
pendant quelques minutes, dit Ky comme il remontait
sur le pont, ruisselant. Etant donné la profondeur et la

capacité du moteur, il est possible que le système ne puisse pas nous être d'un grand secours.

Marsh s'avança jusqu'à lui.

— Est-ce que tu envisages d'emporter une bombonne d'air compressé ?

Ky avait effectivement envisagé d'utiliser une de ces bombonnes sous pression. Cela lui permettrait de dégager rapidement le limon qui recouvrait tous les débris du naufrage. Mais peut-être que la soufflerie fonctionnerait, après tout… Ce à quoi il était en train de penser, au fond, était qu'ils auraient peut-être besoin d'un plus gros bateau, avec des équipements plus sophistiqués et plus de puissance. Tout dépendrait de ce qu'ils trouveraient aujourd'hui.

Il saisit un dernier outil : un puissant fusil à harpon. Il ne voulait plus faire courir le moindre risque à Kate.

— C'est bon, mets-le maintenant au minimum, demanda-t-il à Marsh, et surtout ne change plus rien, maintenant. Une fois que Kate et moi serons en bas, cela pourrait être dangereux, il ne faudrait pas que l'on se retrouve dans une tempête !

Kate avait réussi à réguler son stress par des exercices de respiration. Lorsqu'elle s'adressa à Ky, sa voix était calme et posée.

— Tu crois que ce serait possible ? demanda-t-elle, dégagée.

— Non, pas s'il la maintient au minimum, répondit-il en ajustant son masque et lui tendant la main. Prête ?

— Oui.

Il l'embrassa tendrement en la regardant droit dans les yeux.

— Tu m'impressionnes, madame le professeur,

murmura-t-il. Et c'est une des choses qui me plaît par-dessus tout chez toi.

A peine sa phrase terminée, il s'immergea.

Il l'avait senti. Kate souffla longuement pour recouvrer son calme tandis qu'elle descendait l'échelle de corde à reculons. Il avait senti qu'elle était pétrifiée et cela avait été sa façon de l'encourager. Elle leva les yeux une dernière fois et vit Marsh, qui la salua d'un geste de la main. La gorge nouée, les nerfs à fleur de peau, Kate laissa pourtant la mer l'entourer.

A peine sous l'eau, elle sentit la panique l'envahir. Elle se sentait totalement désorientée et vulnérable, et plus elle descendait, plus cette sensation s'accentuait. Sur le point d'étouffer, incapable de respirer, elle battit des pieds pour remonter vers la surface et la lumière.

A ce moment, elle sentit la main de Ky serrer la sienne. Son étreinte était ferme, destinée à apaiser le premier sentiment de panique. Lorsqu'il sentit la vitesse des battements de son pouls, il décida de tenir bon quelques instants, le temps qu'elle cesse de lui résister.

Puis, il toucha sa joue et attendit qu'elle ait recouvré le calme nécessaire pour pouvoir le regarder. Dans ses yeux, elle lut la force et le défi. Si elle décida de lutter, ce fut uniquement par fierté, afin de ne pas céder à la peur devant lui.

Une fois qu'elle eut réussi à placer sa respiration, Ky l'embrassa sur le dos de la main. Elle se sentait enfin prête, et bien décidée à ne pas commettre d'erreur.

Le tourbillon provoqué par la soufflerie avait réussi à balayer une partie des sédiments qui recouvraient le fond. Au premier regard, Ky se rendit compte que si l'épave était enterrée à plus de quelques pieds, ils auraient besoin de quelque chose de plus puissant que la soufflerie artisanale qu'il avait bricolée. Cependant, pour le moment, cela devrait pouvoir faire l'affaire. La patience, qui n'était pourtant pas vraiment son fort, serait essentielle à ce stade des opérations. D'ailleurs, cela s'appliquait aussi bien à l'épave qu'à la jeune femme qui nageait à son côté. Il devrait prendre soin de ne rien précipiter.

Ky resta à observer le fonctionnement de la soufflerie tandis que Kate allait photographier les canons pour les répertorier. Lorsqu'elle se rapprocha de lui, il lui adressa un large sourire, tandis qu'elle faisait mine de le cadrer. La peur des premiers instants s'était évanouie, il pouvait le voir à la façon qu'elle avait de se déplacer. Il la rejoignit pour poursuivre les recherches.

Kate remarqua que quelque chose de solide était propulsé des couches de limon. Elle alla l'attraper et découvrit qu'il s'agissait d'un chandelier. Elle le retourna dans tous les sens pour l'examiner.

Etait-il en argent ? Une poussée d'adrénaline accéléra son rythme cardiaque. Avaient-ils trouvé leur premier objet précieux ? Bien sûr, il était totalement oxydé, ce qui rendait difficile l'identification du métal, mais Kate avait une sorte de pressentiment. Après des jours passés à attendre, elle pouvait de nouveau se prendre à rêver.

Lorsqu'elle chercha Ky du regard, elle le trouva déjà occupé à réunir dans un filet des objets que la soufflerie avait permis de découvrir. Il y avait d'autres chandeliers, encore des couverts, mais pas de céramique. Kate se mit à photographier méticuleusement chaque objet. Ils finiraient bien par trouver un poinçon ou une indication quelconque qui les mettrait sur la voie. Il leur faudrait alors définir l'origine du navire. Les simples matelots n'utilisaient certainement pas des services en argent ou même en étain. Ils avaient donc trouvé bien plus que la cuisine. Et ce n'était que le début.

Ky fit de grands gestes à l'attention de Kate lorsqu'il découvrit leur première pièce de porcelaine. Le vase — ou en tout cas un objet ressemblant à un vase — avait bien entendu souffert de la pression de l'eau et du passage des années. Il avait été cassé et il n'en restait plus qu'une moitié, mais c'était suffisant pour laisser apparaître une inscription : la marque du fabricant.

Lorsque Kate la lut, elle serra de toutes ses forces le bras de Ky. « Whieldon ». C'était une marque anglaise. Il s'agissait du potier qui avait formé l'école de Wedgwood, entre autres. Kate entoura le fragment de porcelaine de ses mains, comme s'il s'était agi d'un petit animal. Le regard qu'elle leva alors sur Ky était triomphant.

Incapable de parler, Kate indiquait l'inscription du doigt à Ky, qui se contenta de hocher la tête en direction du filet. Bien que l'idée de se séparer de ce trésor lui déchirait le cœur, Kate finit par acquiescer d'un signe de tête. La tentation de découvrir encore de nouveaux objets était plus forte. Elle déposa le vase et revint vers Ky pour se rendre compte qu'il avait de nouveau les mains chargées d'objets. Il y avait des éclats de poteries difficilement identifiables, mais aussi des couvercles et des morceaux de bols.

Kate essayait de se raisonner en ramassant elle aussi tout ce qu'elle pouvait. Cela ne prouvait pas qu'il se soit agi d'un navire marchand. Peut-être que cela indiquait simplement que les officiers ou les passagers avaient été élégamment servis pendant leur voyage vers le Nouveau

Monde. Des officiers anglais, en tout cas, car elle en avait décidé ainsi.

La soufflerie envoya un objet rouler à quelque distance. Ky s'en empara et découvrit un pot, totalement recouvert de limon. Il avait dû servir pour le thé ou le café. Peut-être était-il fêlé, mais en tout cas il était en un seul morceau. Ky frappa sur ses bouteilles d'oxygène pour attirer l'attention de Kate.

A la seconde où ses yeux s'arrêtèrent dessus, elle sut qu'il avait mis la main sur quelque chose d'inestimable. Impatiente, elle fit signe à Ky de le lui tenir afin qu'elle en fasse un cliché. Amusé, Ky croisa les jambes et posa tel un génie.

Kate se mit à rire. Ils venaient peut-être de trouver un objet qui valait des milliers de dollars et Ky plaisantait. Il ne prenait décidément rien au sérieux. Kate s'était imaginé que la chasse au trésor serait palpitante, mais elle n'avait jamais pensé qu'elle s'y amuserait. Elle nagea jusqu'à Ky et prit le pot.

Elle sentit sous ses doigts des reliefs qui devaient être des motifs, cachés par la couche de limon incrustée. Il ne s'agissait pas d'une simple poterie, elle en était convaincue. Ce n'était pas non plus un objet utilitaire, à son avis. Elle avait en main un objet élégant et finement travaillé.

Ky avait saisi la valeur de l'objet aussitôt. Le lui reprenant des mains, il lui indiqua qu'ils le remonteraient avec le reste de leurs découvertes de la matinée. Puis, il pointa du doigt sa montre : leurs bouteilles arrivaient au bout de leur réserve.

Kate ne dit rien. Ils reviendraient. Le *Liberty* les

attendrait. Ils saisirent chacun une extrémité du filet et
se mirent à nager tranquillement vers la surface.

— Tu sais ce que je ressens ? demanda Kate à la
seconde où elle put enfin parler.

— Oui, dit Ky en se tenant d'une main à l'échelle
en attendant qu'elle enlève ses bouteilles d'oxygène. Je
le sais exactement.

— Le pot, Ky ! s'exclama-t-elle, haletante, en se
hissant en haut de l'échelle. Il doit valoir une fortune.
C'est comme si nous venions de trouver une rose au
milieu d'un roncier. C'est fabuleux, vraiment !

Marsh coupa le moteur et vint à leur rencontre pour
les aider.

— Vous avez été rapides, tous les deux, dit-il en se
penchant au-dessus du filet et touchant du doigt le pot.
Bon sang, mais il est intact !

— Nous allons pouvoir le dater dès qu'il sera nettoyé,
répondit Kate, enthousiaste, avant d'attraper le vase brisé.
Mais regarde plutôt cela, c'est la marque d'un potier
anglais. Anglais, tu vois ce que je veux dire ? C'est lui
qui a formé Wedgwood, et Wedgwood a commencé
dans les années 1760, ce qui veut dire que…

— Que cette pièce vient de la période qui nous
intéresse, termina Ky. Qu'il s'agisse du *Liberty* ou non,
il semblerait que nous ayons découvert une épave du
XVIIIᵉ siècle, probablement anglaise, et qui n'a certainement jamais été répertoriée auparavant. Je suis sûr
que ton père serait fier de toi.

En prononçant ces mots, Ky prit la main de Kate
dans les siennes et la serra.

Surprise, Kate le fixa. L'émotion qui l'envahissait
était trop forte pour qu'elle espère la contrôler ou la

canaliser. La main qui tenait le vase se mit à trembler et Kate le posa rapidement.

— Je veux redescendre, parvint-elle à dire avant de s'échapper en direction de la cabine.

Fier d'elle… Kate plaça la main devant sa bouche en entrant d'un pas hésitant dans la cabine. Sa fierté, son amour. N'était-ce pas tout ce qu'elle avait espéré recevoir de son père. Pouvait-elle y accéder après sa mort ?

Elle luttait pour recouvrer une respiration normale, tant l'émotion la saisissait. Elle voulait trouver le *Liberty*, elle voulait faire du rêve de son père une réalité et voir son nom sur la plaque d'un musée qui abriterait toutes les découvertes qu'ils avaient faites. Elle le lui devait. Cependant, elle s'était promis de retrouver le *Liberty* pour elle, aussi. Juste pour elle.

C'était son choix, sa décision, depuis le début. Pour elle, une fois de plus. Elle commençait à recouvrer son calme.

— Kate ?

Elle se retourna et, même si elle avait l'impression d'être parfaitement calme, Ky vit le tourment dans ses yeux. Ne sachant comment réagir, il choisit de parler de détails pratiques.

— Tu devrais enlever ta combinaison.

— Ce n'est pas la peine, nous allons redescendre tout à l'heure.

— Pas aujourd'hui, répondit-il en commençant lui-même à se déshabiller tandis que Marsh rallumait les gaz.

— Ky, nous avons encore deux jeux de bouteilles. Je ne vois pas pourquoi nous remettrions cette plongée à demain alors qu'on vient juste de faire tant de découvertes.

— Ta première plongée t'a épuisée. Si tu veux plonger

demain, il faut vraiment que tu y ailles doucement aujourd'hui.

La réaction de Kate fut tellement brutale qu'elle les prit tous deux de court.

— Assez ! s'exclama-t-elle. J'en ai plus qu'assez d'être traitée comme si je n'avais pas la moindre idée de mes limites ou de celles de mon organisme.

Ky fit quelques pas jusqu'à la cuisine et attrapa une canette de bière.

— Je ne sais pas de quoi tu parles, dit-il en décapsulant sa bière d'un geste rapide.

— J'ai passé la majeure partie de la semaine alitée. C'est fini, maintenant, je ne peux plus le supporter, poursuivit-elle.

D'une main, Ky releva une mèche de cheveux de son front en levant sa bière.

— Tu le supporteras jusqu'à ce que j'en aie décidé autrement.

— Pardon ? répondit-elle, le feu aux joues. Je n'ai pas à obéir à tes ordres, pas plus qu'à ceux de n'importe qui d'autre. C'est fini. Il serait temps que tu te souviennes que je dirige les opérations.

— Tu diriges ? demanda-t-il en fronçant les sourcils.

— Je t'ai embauché. Soixante-quinze dollars par jour et vingt-cinq pour cent. Ce sont les conditions, elles ne font absolument pas état de ton droit à régir ma vie.

Ky se raidit. Pendant un moment, il n'entendit rien d'autre que les moteurs et la respiration furieuse de Kate. Des dollars et un pourcentage, rien de plus.

— Ainsi, tout se limite à cela ?

Kate était bien trop furieuse pour voir au-delà de sa colère. Elle poursuivit donc sur le même ton.

— Nous avons un accord. Je ferai particulièrement attention à ce que tu ne sois pas lésé, mais je refuse que tu décides quand je peux plonger ou pas. Tu n'as pas le droit de juger si je suis en forme ou pas. J'en ai assez que l'on me dicte ma conduite, et je refuse que toi ou quiconque le fasse. C'est fini.

Le métal de la canette se plia sous ses doigts.

— Parfait. Tu peux bien faire tout ce que tu veux, madame le professeur, mais tant que tu y es, tu vas te trouver un autre plongeur. Je t'enverrai ma facture !

Ky remonta les marches de la cabine comme il les avait descendues, rapidement et sans un bruit. Les mains serrées, Kate resta assise sur la couchette en silence jusqu'à ce que les moteurs s'éteignent. Lorsqu'elle se sentit suffisamment forte, elle se leva et remonta sur le pont.

Tout était resté dans l'état où elle l'avait laissé. Les pièces remontées étaient toujours dans le filet, ses bouteilles étaient par terre. Ky était parti. Marsh s'avança vers elle en la voyant apparaître. Il avait dû l'attendre.

— Tu vas avoir besoin d'un coup de main.

Kate fit oui de la tête et enfila un T-shirt.

— Je voudrais rapporter tout cela à ma chambre, à l'hôtel, dit-elle, d'une voix lasse.

— D'accord, répondit-il en tendant la main non pas vers le filet, mais vers son bras. Kate, je n'aime pas donner des conseils…

— Eh bien c'est parfait ! s'exclama-t-elle avant de se rendre compte de son emportement. Oh, Marsh, pardon, je suis un peu sur les nerfs, en ce moment.

— Je le vois bien et je sais que les choses ne sont

pas très simples pour Ky et toi. Il a l'habitude de se renfermer sur lui-même…

— Il est tout à fait libre de se comporter ainsi. Je suis venue ici exclusivement dans le but de retrouver et de remonter le *Liberty*. Si Ky et moi sommes incapables de nous entendre pour travailler ensemble, je devrai donc me passer de ses services, c'est aussi simple que cela.

— Ky est quelqu'un de très entier, il ne se rend pas toujours compte de ce qu'il dit.

— Marsh, tu es son frère, il est normal que tu le défendes, mais…

— Je tiens à vous deux, Kate.

Elle inspira profondément, comme pour lutter contre l'émotion qui lui nouait la gorge.

— Je t'en remercie. La meilleure chose que tu puisses faire pour le moment c'est m'indiquer où je peux louer un bateau et l'équipement nécessaire. Je veux redescendre cet après-midi.

— Kate…

— Je redescendrai, insista-t-elle sans fléchir. Avec ou sans ton aide.

— C'est bon, tu pourras utiliser mon bateau, répondit Marsh, résigné, en attrapant le filet.

Kate eut besoin du reste de la matinée pour s'occuper de tout et affronter une longue et houleuse discussion avec Marsh. Mais elle se retrouva finalement à la barre de son bateau, voguant vers le large.

Elle savourait ce moment de solitude de toutes ses forces. En un geste de défi, elle poussa les moteurs.

Elle ne savait pas qui elle défiait exactement et elle s'en moquait bien. Elle avait l'impression qu'elle répondait à un besoin vital de faire cela pour elle, et pour elle seule.

Elle s'interdit de penser à Ky. Si elle lui avait parlé de façon blessante, cela avait aussi été une mise au point nécessaire. En tout cas, elle essayait de se rassurer ainsi. Pendant trop longtemps, elle s'était laissé influencer par les opinions de quelqu'un d'autre, par ses attentes.

Absorbée dans ses pensées, elle s'arrêta et enfila son équipement, vérifiant chaque point plusieurs fois. C'était la première fois qu'elle plongeait seule, et il lui semblait que cela faisait partie des expériences qu'elle devait avoir vécues un jour.

Après avoir jeté un dernier coup d'œil à son compas, elle se mit à l'eau, emportant le filet avec elle.

Au fur et à mesure qu'elle descendait, l'excitation s'emparait d'elle. Elle était seule. Au milieu de l'immensité de l'océan, elle était seule. L'eau semblait s'ouvrir devant elle comme un rideau de soie. C'était elle qui décidait et son destin était entre ses mains.

Elle prit son temps. Elle se rendait compte qu'elle avait envie de profiter de l'euphorie et de la solitude totale qu'elle trouvait ici. Seuls quelques poissons lui jetaient un regard furtif. Finalement, elle n'était responsable que d'elle-même, sous l'eau. Pendant quelques secondes, elle ferma les yeux et se laissa flotter. Libre, enfin.

Lorsqu'elle se trouva sur le site, elle se sentit soudain extrêmement fière. Elle était arrivée jusqu'ici sans son père. Elle ne voulait pas penser à autre chose qu'à sa réussite, pour l'instant. Pendant deux siècles, cette épave avait attendu, et elle l'avait trouvée. Elle retourna à l'endroit qui avait été partiellement déblayé par la soufflerie et continua à fureter patiemment.

Sa première trouvaille fut une assiette, recouverte d'un motif floral flamboyant. Après la première, elle en découvrit six autres, dont deux étaient intactes. En les retournant, elle trouva une fois encore la marque d'un potier anglais. Elle découvrit aussi de ravissantes tasses, faites d'une délicate porcelaine anglaise, qui avaient dû orner la table d'un riche colon et auraient pu devenir un héritage familial si le cours des choses n'en avait pas décidé autrement. Bien sûr, maintenant elles étaient couvertes de coquillages et de limon, mais, aux yeux de Kate, elles étaient magnifiques.

Poursuivant ses explorations, Kate faillit passer à côté de ce qui ressemblait à première vue à un petit coquillage sans intérêt, mais qui après plus ample examen se révéla être une pièce en argent. Elle ne parvenait pas à définir la monnaie, mais peu lui importait pour le moment. D'ailleurs, il y avait des chances qu'il s'agisse d'une pièce espagnole, car elle avait lu qu'à cette époque la monnaie espagnole était en circulation dans tous les pays européens qui avaient des possessions dans le Nouveau Monde.

Ce qui comptait avant tout était qu'elle venait de trouver une pièce. Sa première pièce. Même s'il s'agissait d'argent et non d'or, même si elle restait difficilement identifiable pour le moment, elle l'avait trouvée toute seule.

Kate s'apprêtait à la glisser dans son petit sac-ceinture, lorsque son bras fut tiré en arrière.

Une peur panique la saisit des pieds à la pointe des cheveux. Le fusil à harpon était resté dans le *Vortex*. Elle n'avait aucune arme. Au moment où elle se retournait, Ky la saisit aux épaules.

La terreur s'évanouit aussitôt, mais à lire la colère dans ses yeux, elle fut elle aussi prise d'une rage folle. Bon sang, il lui avait fait tellement peur ! De quoi se mêlait-il à la fin ? Kate le repoussa et lui fit signe de remonter. L'entourant d'un bras, Ky s'exécuta.

Elle ne parvint à se libérer qu'une seule fois, le temps de la remontée, mais aussitôt Ky la rattrapa et l'enlaça plus fermement encore. Elle n'avait plus le choix et finit par se résigner.

A peine arrivés à la surface, Kate essaya de retrouver son souffle pour crier, mais il la domina encore une fois.

— Espèce de folle inconsciente ! s'exclama-t-il, l'entraînant derrière lui vers l'échelle. Il suffit que je tourne le dos cinq minutes et tu plonges par quinze mètres de fond toute seule. Je me demande comment j'ai pu imaginer que tu avais une cervelle !

Le souffle court, elle lui tendit ses bouteilles. Une fois au sec, elle aurait son mot à dire, mais pour l'instant elle le laissait parler.

— Tu descends n'importe comment, tu n'es absolument pas préparée. J'aurais pu tuer Marsh de mes propres mains lorsqu'il m'a dit qu'il t'avait laissé son bateau.

Kate se rendit soudain compte qu'elle était à bord du *Vortex*. Le bateau de Marsh n'était nulle part.

— Où est le *Gull* ? demanda-t-elle.

— Marsh a eu le bon sens de me dire ce que tu étais en train de faire, dit-il d'une voix tremblante de colère. Je ne l'ai pas tué parce que j'avais besoin de lui pour m'accompagner jusqu'au *Gull* et le ramener au port. Tu as donc si peu de jugeote que ça pour plonger toute seule ?

Ky lui faisait face, ruisselant et plus furieux que jamais. Kate ne baissa pas le regard et rétorqua :

— Parce que tu ne le fais jamais, peut-être ?

Machinalement, Ky se mit à défaire la combinaison de Kate lui-même, en de grands gestes énervés.

— Qui te parle de moi, bon sang ! Je plonge depuis que j'ai six ans, je connais les courants.

— Je les connais aussi.

— … Et je ne viens pas de passer une semaine au fond de mon lit.

— C'est toi qui as décidé que je devais rester alitée toute la semaine, et c'était excessif ! lança-t-elle en s'écartant pour finir d'ôter sa combinaison elle-même. Tu n'as aucun droit de décider où et quand je peux plonger, Ky. Le fait que tu sois plus fort que moi ne t'autorise pas à me traîner jusqu'à la surface alors que je suis en pleine exploration.

— Assez avec ce que j'ai le droit de faire ou pas ! reprit-il en lui prenant le bras et la secouant avec force. Je décide de mes propres droits. Tu ne descendras pas seule, même si j'en suis réduit à t'enchaîner.

Tant de choses auraient pu lui arriver pendant la demi-heure qu'elle avait passée sous l'eau.

— Tu m'as dit de me trouver un autre plongeur, eh bien, en attendant que ce soit chose faite, je plongerai seule, répliqua-t-elle.

— J'ai dit cela après que tu m'as jeté à la figure ce maudit contrat avec ses chiffres et ses pourcentages. Tu sais ce que j'ai ressenti à ce moment-là ?

— Non ! cria-t-elle en le repoussant. Non, je ne

sais pas ce que tu as ressenti. Je ne sais jamais ce que tu ressens, tu ne me dis jamais rien. Nous avions un accord, je m'en suis tenue à cela.

— C'était avant.

— Avant quoi ? demanda-t-elle, en luttant pour refouler les larmes qui lui montaient aux yeux. Avant que je ne couche avec toi ?

— Bon sang, Kate ! s'exclama-t-il en traversant les quelques mètres qui les séparaient pour la prendre dans ses bras et la plaquer contre le bastingage. Je ne sais pas ce que tu attends de moi et je n'en peux plus d'essayer de le deviner !

— Je ne veux pas me retrouver dans une impasse ! répliqua-t-elle avec virulence. Je ne veux pas que l'on attende de moi que je suive passivement ce que d'autres ont décidé à ma place, pas plus que je ne peux supporter que l'on s'imagine que je n'ai aucune ambition personnelle ou aucune compétence. Voilà, ce que je refuse !

— Très bien ! lança Ky en enlevant sa combinaison mouillée et la jetant sur le pont. Rappelle-toi juste une chose, il n'y a toujours eu qu'une seule personne pour t'acculer dans une impasse, et ce n'était pas moi. Moi, je t'ai laissée partir, justement.

Ky envoya son masque de l'autre côté du pont où il rebondit violemment.

Kate se raidit. Malgré la distance qui les séparait, Ky put voir son regard se durcir.

— Je ne veux pas parler de mon père avec toi.

— Il semble pourtant que tu aies saisi mon allusion plutôt rapidement…

— Tu lui en voulais, tu…

— Moi ? interrompit Ky. Pourquoi est-ce que tu commences par moi ? Tu n'as pas d'opinion ?

— Je l'aimais, répondit-elle, un sanglot dans la voix. C'est ce que j'ai essayé de lui montrer, toute ma vie durant. Tu ne comprends rien.

— Qu'est-ce qui te fait dire que je ne comprends rien ? s'exclama-t-il. Tu penses peut-être que je n'ai pas idée de ce que tu ressens chaque fois que l'on découvre quelque chose ? Crois-tu que je suis aveugle au point de ne pas comprendre que tu souffres de découvrir ces choses à sa place ? Sais-tu seulement que j'ai le cœur fendu de te voir te punir de n'être pas ce que tu penses qu'il aurait voulu ? Et puis, je suis fatigué d'être sans cesse comparé à cet homme que tu as aimé mais dont tu n'as jamais été proche, finalement.

Kate respirait à grand-peine, mais elle s'efforça de répondre.

— Ce n'est pas vrai, je ne te compare pas, commença-t-elle avant d'enfouir son visage entre ses mains pour cacher sa détresse. Je voulais juste…

— Oui ? insista Ky. Que voulais-tu ?

— Je n'ai pas pleuré quand il est mort. Pas même aux funérailles. Je lui devais des larmes, Ky. Je lui devais quelque chose.

— Tu ne lui dois rien. Tu oublies que tu lui as tout donné de son vivant, lança-t-il en s'approchant d'elle.

Les mots lui semblaient trop faibles pour la réconforter, aussi la serra-t-il fort contre lui.

— Je n'ai pas pleuré.

— Pleure maintenant, murmura-t-il en pressant ses lèvres sur son front. Pleure maintenant.

Et c'est ce qu'elle fit, désespérément. Elle pleura

ce qu'elle n'avait jamais réussi à exprimer, ce qu'elle n'avait jamais réussi à comprendre. Elle avait tellement eu besoin d'amour et de compréhension et elle pleurait parce qu'il était trop tard pour obtenir cela de la part de son père. Elle pleurait aussi parce qu'elle ne savait pas si elle pourrait espérer de l'amour de qui que ce soit d'autre, dorénavant.

Ky la maintint contre lui en s'asseyant sur le banc. Il ne pouvait trouver les mots pour la réconforter. Pour lui, ces mots étaient le plus difficile à trouver. Tout ce qu'il pouvait lui offrir était une épaule où pleurer et du silence.

Lorsque ses larmes se calmèrent, elle resta pourtant blottie au creux de son épaule. Ici, les choses lui semblaient simples, même si Ky était loin d'être un homme simple.

— Je ne pouvais le pleurer jusqu'à maintenant. Je ne sais pas pourquoi, je n'arrivais pas à être en deuil.

— Il n'est pas nécessaire de pleurer pour être en deuil, tu sais.

— Tu as peut-être raison, répondit-elle. Je ne sais pas. En revanche je sais que tu as raison quand tu dis que je voulais faire tout cela pour lui parce qu'il n'aura jamais l'occasion de terminer ce qu'il a entrepris. Je ne sais pas si tu peux le comprendre, mais j'ai la sensation que si je réalise cela, j'aurais fait tout ce qui était en mon pouvoir, pour lui et pour moi.

— Kate, dit Ky en se reculant pour voir son visage. Je n'ai pas besoin de comprendre, j'ai seulement à t'aimer.

Il la sentit se crisper dans ses bras et regretta ses mots.

Kate resta immobile et pendant un long, un très long moment, ils restèrent ainsi enlacés.

— Est-ce que c'est vrai ? finit-elle par articuler.

— De quoi parles-tu ?

Avait-il donc décidé de la laisser faire tout le travail toute seule ?

— Est-ce que tu m'aimes ? parvint-elle finalement à demander au prix d'un immense effort.

— Kate, dit-il en s'écartant de nouveau, je ne sais plus comment te le faire comprendre. As-tu besoin de bouquets de fleurs, de bouteilles de champagne, de poèmes ? Bon sang, je ne suis pas ce genre d'homme !

— J'ai simplement besoin d'une réponse, demanda-t-elle en le fixant droit dans les yeux.

Ky laissa échapper un soupir.

— Je t'ai toujours aimée. Cela n'a jamais changé.

Sa réponse la traversa. C'était précis et chaud, un mélange de plaisir et de douleur qu'elle ne savait trop comment appréhender. Lentement, elle se leva avant de traverser le pont pour regarder l'horizon. Pourquoi n'y avait-il pas de balise dans la vie pour vous indiquer la direction à suivre ?

— Tu ne me l'as jamais dit.

— Ecoute, je ne sais pas combien de fois je l'ai dit dans ma vie, dit-il en se levant lorsqu'il croisa son regard perplexe. C'était facile de le dire lorsque cela ne signifiait rien. C'est bien plus dur de prononcer ces mots lorsqu'ils viennent de ton cœur. J'avais tellement peur de te faire fuir.

— Pourquoi aurais-je fui ?

— C'est ce que tu as fait, il y a quatre ans, lorsque je t'ai demandé de rester.

— Tu m'as effectivement demandé de rester, de ne pas repartir pour le Connecticut et de m'installer avec toi. Comme ça. Sans engagement, ni promesses, ni même l'expression d'un désir de construire ta vie avec moi. J'avais des responsabilités.

— Tu t'étais investie des responsabilités que ton père avait choisies.

Kate encaissa le coup. C'était d'une certaine façon la vérité.

— Peut-être. Mais tu ne m'as jamais dit que tu m'aimais.

Ky s'avança vers elle.

— Je te le dis maintenant.

Kate acquiesça, la gorge nouée.

— Oui, et je ne prends pas la fuite. Simplement, je ne suis pas sûre d'être capable de gravir la marche suivante. Et je ne sais pas non plus si tu en es capable.

— Tu attends un engagement de ma part, n'est-ce pas ? demanda-t-il.

Kate fit non de la tête, incapable de savoir ce qu'elle ferait s'il finissait par se déclarer sérieusement.

— J'ai besoin de temps. Et je crois qu'il est temps que nous réfléchissions sérieusement, l'un comme l'autre.

— Kate, reprit-il, impatient, en lui saisissant les mains. Il y a des choses qui n'ont pas à être pensées.

Ses mains tremblaient.

— Tu as vécu ta vie d'une certaine façon pendant longtemps, et moi aussi, de mon côté, répondit-elle. Ky, je viens juste de commencer à changer. Je ne veux pas faire une erreur, pas avec toi, c'est trop important. Avec le temps…

— Nous avons perdu quatre ans, coupa-t-il. Je ne peux pas attendre plus longtemps pour savoir ce que tu ressens.

Ky éprouvait soudain le besoin d'obtenir une réponse immédiate. Kate retint son souffle un instant. S'il avait eu le courage de lui poser la question, elle était capable de lui donner sa réponse en retour. C'était tout ce qui comptait.

— Je t'aime, Ky. Moi non plus, je n'ai jamais cessé de t'aimer, même si je ne te l'ai pas dit au moment où il le fallait.

Ky sentit un poids énorme s'envoler de sa poitrine au moment où il prit son visage entre ses mains.

— Mais tu me le dis maintenant.

C'était tout ce qui comptait.

11

L'amour. Kate avait lu des centaines de poèmes inspirés par ce sentiment. Elle avait étudié, analysé et enseigné un nombre incalculable de romans où l'amour était le moteur principal de l'action, de l'émotion. Avec ses étudiants, elle avait travaillé sur bien des vers ou des extraits de pièces qui tous avaient trait à ce thème-là.

Maintenant, peut-être pour la première fois de sa vie, ce mot devenait réalité. Elle en découvrait la force, et cela dépassait tout ce qu'elle avait pu imaginer. Elle découvrait aussi que c'était un sentiment incompréhensible.

Elle était pourtant capable de cerner ses propres sentiments. Elle avait aimé Ky pendant des années depuis cette première révélation. Il y a quatre ans, elle avait compris ce que c'était de vouloir se partager entièrement avec quelqu'un.

Mais que pouvait bien lui trouver Ky pour l'aimer ? Ce n'était pas par modestie qu'elle se posait cette question, mais plutôt un résultat du sens commun avec lequel elle avait été élevée. On lui avait appris que toute chose avait une cause et que toute réaction était induite par une action. Le monde était régi pour elle par ces grands principes. Elle avait gagné l'amour de Ky, mais comment ?

NORA ROBERTS

Kate ne remettait pas en cause sa façon de penser. Elle avait toujours eu plutôt confiance en son intellect, et c'était d'ailleurs probablement ce qui l'avait amenée à sous-estimer tout le reste.

Il était un homme d'action, d'une nature active et vive. De son côté, Kate se considérait à peine à la hauteur. Elle s'épanouissait dans la routine, tandis que Ky avait besoin d'inattendu et d'exceptionnel. Pour quelle raison pouvait-il bien l'aimer ? Et pourtant, c'était le cas.

Si elle acceptait cela, il était vital pour elle de prendre une décision. L'amour impliquait l'engagement. C'était là qu'elle se retrouvait au pied d'un mur haut et sans prises.

Solitaire dans l'âme, il préférait avancer à sa façon et surtout à son propre rythme. Elle était enseignante et vivait selon un emploi du temps quotidien bien établi. Sans la satisfaction qu'elle tirait du fait de transmettre son savoir, elle avait l'impression qu'elle stagnerait. Dans la routine organisée d'une université, Ky deviendrait fou.

Ne trouvant aucun compromis, Kate décida finalement de s'en tenir à sa première décision. Elle se laisserait porter par la vague pendant le temps qu'il lui restait à passer ici. Peut-être d'ici là une réponse s'imposerait-elle à elle, mais si ce n'était pas le cas…

Ils n'évoquèrent plus les pourcentages. Rapidement, Kate déserta sa chambre d'hôtel. Ce n'était rien comparé à tout ce qui était en jeu cet été-là. Son deuxième été avec Ky.

Les jours défilaient rapidement. Ils travaillaient ensemble, découvraient petit à petit, péniblement parfois, un peu plus de l'épave ensevelie par les algues, le sable et le limon. Après examen, les chandeliers s'étaient avérés être en étain, et la pièce en argent, espagnole. Elle était datée de 1748.

Durant les deux semaines qui suivirent, ils découvrirent bien plus, en particulier un lourd plat d'argent gravé, de la porcelaine, ainsi que des dizaines de clous et d'outils.

Kate répertoria chacune de leurs trouvailles. Elle avait besoin de garder une trace précise de l'évolution de leurs recherches à la fois pour des raisons pratiques et personnelles. Elle avait envie de pouvoir consulter ces photos et se remémorer ce qu'elle avait ressenti lorsque Ky avait brandi sous ses yeux une tasse ébréchée et couverte de coquillages. Il lui suffirait d'un coup d'œil pour se rappeler comment il avait joué avec un poisson peu farouche.

A plusieurs reprises, Ky avait suggéré d'utiliser un bateau plus grand et mieux équipé. Ils en avaient débattu longuement, mais n'avaient pas pris de décision. D'une certaine façon, aucun des deux n'avait vraiment envie d'accélérer le processus et ils préféraient travailler à mains nues jusqu'à ce que vienne le moment où la décision serait inéluctable.

Les canons et les lourdes planches de bois ne pourraient être remontés sans assistance. Pour l'instant, ils les laissaient en place. Ils continuaient à se servir de bouteilles plutôt que d'avoir recours à un système d'alimentation en air en continu depuis la surface, ce qui les obligeait à limiter chaque plongée à une heure environ. Bien sûr, un autre système leur aurait fait gagner du temps, mais ce n'était plus leur but.

D'un point de vue professionnel, leurs méthodes n'étaient donc pas vraiment orthodoxes et certainement loin d'être efficaces, mais ils avaient en quelque sorte passé un agrément tacite… Etirer le temps. Le faire durer.

Ils partageaient leurs nuits dans le grand lit à baldaquin, se rappelant leurs découvertes du jour, ou anticipant celles du lendemain. Jamais ils n'évoquèrent la fin de l'été. Ils ne parlèrent pas non plus de ce qui se passerait une fois le trésor mis au jour.

Sous un soleil éclatant, ils se préparèrent à plonger. La chaleur était torride en ce mois de juillet. Cela faisait un mois qu'elle était à Ocracoke. Aussi réaliste soit-elle, Kate ne pouvait s'empêcher de penser que c'était un signe. C'était le milieu de l'été.

Elle n'avait enfilé sa combinaison que jusqu'à la taille, mais des perles de sueur couvraient déjà son dos. Elle mourait d'envie de retrouver la douce fraîcheur de l'eau. Le soleil aveuglait Kate et avait rendu les bouteilles d'oxygène brûlantes.

— Voilà, dit Ky en les attrapant pour les lui attacher sur le dos. L'eau devrait nous rafraîchir. C'est un vrai bonheur de plonger par ce temps.

— Oui, répondit Marsh. Vous penserez à moi en train de griller sur le pont pendant que vous prendrez le frais en dessous !

— Maintiens les gaz au minimum, rappela Ky en enjambant le bastingage. Nous te ramènerons une surprise !

— Si seulement cela pouvait être un objet rond et brillant avec une date dessus…, soupira Marsh avant d'adresser un clin d'œil à Kate. Bonne chance !

Kate sentait déjà le clapotis de l'eau autour de ses chevilles. Elle adressa à Marsh un large sourire.

— Aujourd'hui, je crois que ce ne sera pas nécessaire.

Le bruit de la soufflerie venait perturber le silence sous-marin, mais n'ôtait rien au mystère. Malgré leurs équipements et la technologie à laquelle ils faisaient appel, l'eau restait une énigme, mélange de beauté et de danger. Ils se laissèrent descendre jusqu'à leur site d'exploration.

Ils avaient identifié ce qui devait être les quartiers des officiers et les cabines des passagers grâce à divers objets, tels qu'une boîte à priser, un bougeoir en argent et l'objet préféré de Ky, une épée entièrement gravée et décorée. Les quelques bijoux qu'ils avaient mis au jour provenaient probablement d'un coffre particulier.

Même s'ils comptaient poursuivre leurs recherches dans ce secteur, ce qu'ils recherchaient avant tout était le navire lui-même. Utilisant les cabines et la cuisine comme point de repère, ils concentrèrent leurs recherches sur ce qui avait dû être la proue du navire.

Pour cela, ils devaient commencer par déplacer des pierres qui s'étaient amoncelées à cet endroit. Le processus était long et laborieux, car il consistait pour eux à transporter une par une les roches vers un secteur déjà exploré. C'était une tâche peu gratifiante et épuisante, mais néanmoins nécessaire. Kate finit cependant par trouver cette tâche répétitive relativement apaisante pour l'esprit. Elle était fascinée par la facilité qu'elle avait à déplacer ces blocs de pierre sous l'eau.

Alors qu'il s'apprêtait à empoigner un rocher, Ky sentit sous ses doigts quelque chose de différent. Il s'employa à dégager le petit objet qui ressemblait à première vue à une capsule de bouteille de bière. En le rapprochant de ses yeux, cependant, il vit que c'était bien plus raffiné que cela, une bague peut-être. Une fois la couche de dépôt grattée, son cœur se mit à battre à tout rompre.

Il n'avait jamais imaginé découvrir un diamant en soulevant un rocher. Il était loin d'être spécialiste en la matière, mais celui-ci devait faire au moins deux carats. Il tapota sur l'épaule de Kate pour attirer son attention.

Le plaisir de la découverte fut aussitôt remplacé par le bonheur qu'il ressentit face à la réaction de Kate. Ses yeux s'arrondirent sous le coup de la surprise et il distingua un petit cri de surprise étouffé par l'eau. Ensemble ils examinèrent la pierre sous toutes ses coutures : il n'y avait pas de doute possible.

Ils découvraient des morceaux de civilisation. Peut-être une femme avait-elle porté cette bague pour dîner à la table du capitaine en route pour les Amériques ? Peut-être qu'un officier britannique l'avait mise dans sa poche afin de demander en mariage sa chère et tendre ? Ce solitaire pouvait avoir appartenu à une veuve âgée comme à une jeune fiancée. Le mystère qui l'entourait était finalement plus précieux que la pierre elle-même.

Ky lui tendit la bague comme un présent. Jusqu'à présent, ils avaient pris l'habitude de garder chacun ce qu'ils avaient trouvé pour le remonter à la surface. Kate observa un instant ce petit morceau du passé, terni par un long séjour dans l'eau.

Lui offrait-il l'anneau car c'était un objet féminin, tout simplement, ou voulait-il dire autre chose ? Incertaine, Kate finit par hocher la tête et pointer du doigt le sac qu'il portait à la ceinture. S'il essayait de lui dire quelque chose, elle avait besoin qu'il le formule clairement.

Ky plaça le diamant dans sa pochette avant de se remettre au travail.

Parfois, il avait l'impression qu'il comprenait parfaitement Kate, et à d'autres moments elle devenait pour lui un mystère. Plus secrète encore que l'océan. Qu'attendait-elle de lui ? De l'amour ? Il lui en avait offert. Du temps ? Ils allaient l'un comme l'autre commencer à en manquer. Il avait envie de lui poser la question mais d'un seul regard, elle le censurait.

Elle prétendait avoir changé. Lui aussi avait changé. Il avait besoin d'elle pour l'aider à fixer les limites qui accompagnent la dépendance à l'autre.

Est-ce qu'une fois encore leur heure n'était pas venue ? Ne viendrait-elle jamais ?

Tandis qu'il continuait à entasser les blocs de pierre, la certitude de vouloir être avec elle s'imposa à lui. Pas simplement maintenant, ou cet été. Il voulait être lié à elle. Ne pouvait-elle le comprendre ?

Elle l'aimait. C'était quelque chose qu'il lui arrivait de murmurer au cœur de la nuit, dans un demi-sommeil, lorsqu'elle se blottissait contre lui. Elle n'était pas du genre à utiliser des mots dont elle n'ait pas soupesé le sens. Pourtant, elle ne se livrait pas totalement. Elle continuait à garder certains sentiments pour elle. Bon sang, cela ne pouvait pas durer, il la voulait tout entière et il comptait bien arriver à ses fins.

De son côté, Kate était dans tous ses états. Ky venait-il de faire allusion au mariage ? Elle n'avait jamais imaginé qu'il puisse envisager ce genre d'engagement. Elle ne le croyait pas capable de s'investir à long terme. Pour toujours… Avait-elle mal compris ? Après tout, il était difficile de se forger des certitudes quant aux intentions de quelqu'un d'autre. Pourtant, ils avaient toujours été capables de communiquer sous l'eau, jusqu'à présent.

Il y avait tant de choses à prendre en compte, tant de paramètres à définir. Ky ne semblait pas vouloir entendre cela. Il était du genre à prendre une décision en un instant, quitte à devoir ensuite en subir les conséquences. Il n'essayait pas au préalable d'évaluer le pour et le contre, les « peut-être » et les « et si... ».

Kate, en revanche, n'avait pas le choix. On ne lui avait pas appris à réfléchir autrement...

Le regard dans le vague, elle fixait le limon et le sable qui étaient balayés et qui provoquaient un tourbillon trouble au ras du sol. L'influence extérieure... Ils auraient pu utiliser du matériel plus puissant et tout nettoyer en un seul passage. Peut-être parviendraient-ils ainsi directement aux restes de l'épave elle-même. Mais il était aussi probable que les couches intermédiaires ne résistent pas à la pression.

Etait-ce ce qui risquait de leur arriver à tous les deux ? Comment leur relation résisterait-elle à la pression de deux mondes si différents, l'un exigeant et rigoureux et l'autre en roue libre ? Leurs sentiments resteraient-ils intacts, ou est-ce que petit à petit, couche par couche, ils s'éroderaient ? Qu'allait-il lui demander ? Que risquait-elle de perdre d'elle-même par amour ?

C'était quelque chose qu'elle ne pouvait ignorer, une menace contre laquelle elle devait se prémunir. Le temps. Le temps était peut-être la seule réponse. Mais la fin de l'été se profilait déjà à l'horizon.

L'attention de Kate fut soudain attirée par un petit objet métallique propulsé par la soufflerie. Lorsqu'elle parvint à le saisir, un angle lui érafla la paume de la main. Intriguée, elle examina précautionneusement ce petit bout de métal. On aurait dit une boucle, cela en avait la forme. Au moment où elle le brandissait à l'attention de Ky, il en apparut un autre, tourbillonnant dans les dépôts de limon, suivi par un troisième quelques secondes plus tard.

Des boucles de chaussures. Kate était stupéfaite de sa trouvaille. Il y en avait des dizaines. Orientant un peu plus précisément la soufflerie, elle se rendit compte qu'il y en avait des centaines enfouies sous quelques centimètres de sable. Elle se mit hâtivement à ramasser tout ce qu'elle pouvait. Plus elle en attrapait, pourtant, plus elle en voyait.

Une de ces boucles à la main, elle adressa à Ky un sourire triomphant. Ils avaient trouvé le chargement du bateau. Les documents de bord du *Liberty* qu'avait retrouvés son père mentionnaient ces boucles à souliers. Au nombre de cinq mille, précisément. Il s'agissait donc d'un navire marchand, le doute était levé.

Elle tenait sa preuve. Elle agita doucement la main, autour d'elle des centaines de petites boucles tourbillonnaient. Elle avait sa preuve et elle mourait d'envie de le crier. La cargaison du navire se trouvait à cet endroit précis. Le trésor devait lui aussi être tout près.

Ky lui prit la main et hocha la tête en guise d'acquiescement. Il devinait ce qu'elle voulait lui dire. Sous ses doigts, il sentit ses pulsations effrénées. Il était heureux qu'elle puisse ressentir cela, cette excitation devant la découverte. Ce rêve devenu réalité. Kate attira sa main contre sa joue, ses yeux brillaient de bonheur. Elle aurait pu rire jusqu'à l'épuisement. Ces cinq mille boucles les mèneraient jusqu'au coffre rempli d'or.

Kate vit aussi les étoiles qui illuminaient le regard de Ky. Elle savait que ses pensées suivaient le même cheminement que les siennes. D'un geste, Ky lui indiqua qu'il allait remonter. Kate comprit qu'il était temps de couper les machines pour travailler à mains nues.

Elle fit oui de la tête, pressée de commencer, et suivit Ky du regard tandis qu'il remontait, jusqu'à ce qu'elle le perde de vue. D'une certaine façon, elle était contente d'avoir ce moment de solitude. Elle avait partagé le moment de la découverte avec Ky, mais souhaitait en profiter seule, tranquillement.

Le *Liberty* était là, sous ses pieds. Le bateau que son père avait recherché pendant des années. Le rêve qu'il avait poursuivi de ses calculs et de ses notes sans jamais mettre la main dessus.

La joie et la peine se mêlèrent en elle tandis qu'elle commençait à ramasser les boucles pour les mettre dans son sac. Ce moment était pour lui. Soudain, elle eut l'impression qu'elle venait enfin de lui donner tout ce qu'elle n'avait pas pu lui offrir sa vie durant.

Avec soin, elle prit plusieurs photographies. Cette fois-ci, elle n'avait pas même son catalogue en tête. Non, elle avait l'impression de photographier quelque chose qui deviendrait un souvenir personnel. Dans quelques années, oui, elle pourrait regarder un cliché de ces boucles métalliques tourbillonnant près du fond et elle se souviendrait. Rien ne lui enlèverait jamais ce moment de satisfaction personnelle silencieuse.

Le silence soudain lui fit lever les yeux. La soufflerie s'était arrêtée. Ky avait dû atteindre la surface. Le limon, le sable et les petits fermoirs oscillaient toujours dans l'eau, de plus en plus lentement. La mer était un monde sans son, sans mouvement.

Kate examina l'espace dégagé par la soufflerie. Ils étaient si près du but. Elle fut tentée, l'espace d'un instant, de commencer les recherches elle-même, mais décida finalement d'attendre le retour de Ky. Ils avaient commencé cette aventure ensemble, il n'y avait donc pas de raison qu'elle se termine autrement.

Lorsqu'elle distingua un mouvement derrière elle, Kate fit un signe de la main. Son geste s'arrêta soudain, et tout son corps se figea.

Il glissait dans l'eau avec aisance et souplesse. Implacable.

La soufflerie avait maintenu toute vie sous-marine à distance. Le silence soudain attirait les curieux. Parmi les bancs de poissons inoffensifs se profilait la silhouette fuselée d'un requin.

Kate resta immobile, osant à peine respirer, de peur que les chapelets de bulles n'attirent le prédateur. Il avançait sans hâte, semblant se désintéresser totalement d'elle. Après tout, peut-être avait-il déjà fait bonne chasse… Pourtant, au fond d'elle, Kate savait que, même l'estomac plein, les squales avaient tendance à attaquer tout ce qu'ils croisaient sur leur chemin, au gré de leurs envies.

A vue d'œil, il devait faire trois mètres de long. Malgré la panique qui la tétanisait, Kate parvint à reconnaître un requin-tigre. Il était plutôt petit pour un spécimen de cette espèce, mais elle savait que ses énormes mâchoires étaient redoutables.

Si elle restait immobile, elle avait peut-être une chance qu'il passe son chemin, à la recherche d'eaux plus intéressantes. C'était en tout cas ce qu'elle avait lu dans un manuel, confortablement installée dans son fauteuil à son bureau. N'était-ce pas aussi ce que Ky lui avait expliqué un jour, tandis qu'ils déjeunaient tranquillement sur son bateau ? Tout cela lui semblait si lointain, si irréel, alors que la silhouette du plus dangereux des prédateurs marins se découpait à quelques mètres au-dessus d'elle.

C'était le mouvement qui les attirait, s'efforçait-elle de se rappeler à chaque instant pour ne pas laisser la panique prendre possession de son esprit. Les mouvements des nageurs avec leurs palmes en premier lieu.

Ne pas paniquer, respirer calmement, pas de mouvements brusques. Elle serra ses mains tremblantes.

Il n'était plus qu'à trois mètres d'elle. Kate distinguait ses petits yeux noirs et le mouvement paisible de ses branchies. Le souffle court, Kate ne le quittait pas des yeux. Il suffisait qu'elle reste parfaitement immobile et qu'elle attende qu'il passe son chemin.

Mais Ky... La gorge de Kate se noua et son regard se dirigea vers le dernier endroit où elle l'avait vu un peu plus tôt. Il pouvait arriver à tout moment, ignorant ce qui l'attendait.

Le requin sentirait les vibrations de l'eau grâce à une sorte de sixième sens qui lui permettait de repérer ses proies avant qu'elles n'aient eu une chance de le voir. Les battements de pieds de Ky, les ondulations de ses bras allaient attirer le prédateur avant même que Kate n'ait eu la moindre chance de prévenir Ky du danger.

Le sang de Kate se glaça dans ses veines. Elle se mordit la lèvre inférieure jusqu'à ce que la douleur lui fasse recouvrer ses esprits. Il était impossible qu'elle reste là, sans rien faire, alors que Ky risquait de se jeter dans un piège mortel.

Elle jeta un regard circulaire et repéra le fusil à harpon qui se trouvait à un mètre cinquante d'elle, à peu près. Pour des raisons de sécurité, il n'était pas chargé. Et elle n'avait jamais eu l'occasion de tirer avec. Mais, avant toute chose, il fallait qu'elle s'en saisisse, et elle n'aurait pas de deuxième chance. Sachant que le moment opportun ne risquait pas de se présenter, Kate amorça son déplacement.

Elle maintint ses yeux rivés sur le requin tout en se penchant doucement. Pour l'instant, il paraissait simplement se promener. A aucun moment il n'avait regardé dans sa direction. Peut-être finirait-il par partir avant l'arrivée de Ky… Mais, quoi qu'il en soit, elle devait attraper l'arme. Finalement, elle parvint à en toucher la crosse du bout de ses doigts tremblants. Le temps lui donnait l'impression de s'étirer à l'infini. Ses mouvements étaient si lents et si mesurés que l'on aurait à peine pu se rendre compte qu'elle bougeait. Son esprit, lui, battait la campagne.

Tout en saisissant le harpon, elle continuait à observer le requin. L'animal fit demi-tour et repartit vers la gauche.

En direction de Ky.

Non !, pensa-t-elle de toutes ses forces en glissant le harpon dans le fusil, avec pour seule conscience, la nécessité de protéger celui qu'elle aimait. Le harpon s'enclencha, et Kate se mit à nager aussi vite que possible en direction du squale.

Elle avait les pensées claires, maintenant, à cause de la peur, mais aussi parce qu'elle avait pris une décision. Pour la deuxième fois, elle vit les petits yeux noirs impitoyables, mais cette fois-ci ils étaient braqués sur elle. Pour la première fois, elle voyait la mort en face. Elle découvrait la férocité à l'état brut.

D'un coup de nageoire, le requin lui fit face et se dirigea vers elle à toute vitesse. Kate eut l'impression que son cœur s'arrêtait de battre. Au même moment, le monstre ouvrit ses mâchoires, découvrant un immense trou noir.

Ky descendait rapidement pour retrouver Kate au plus vite. Il était impatient d'entamer la chasse au trésor qui les avait réunis. Peut-être, une fois sa quête accomplie, Kate serait-elle en mesure de prendre une décision. C'était pourquoi il voulait plus que tout découvrir ce que cachait le *Liberty*. L'euphorie le gagnait tandis qu'il nageait vers le fond.

Lorsque ses yeux tombèrent sur le requin, il s'arrêta net. Il avait déjà ressenti ce genre de peur par le passé, mais jamais avec autant d'acuité. Bien que cela ne serve à rien face à un prédateur de cette taille, Ky eut le réflexe de porter la main à son couteau. Il avait laissé Kate toute seule. Il se préparait au combat.

Sortie de nulle part, Kate apparut soudain entre le requin et lui. C'est une véritable terreur qui prit alors possession de lui. Etait-elle devenue folle ? N'avait-elle conscience de rien ? Ky se mit à nager précipitamment dans sa direction.

Il était trop loin, il le savait, même si la panique l'empêchait de raisonner. Le requin serait sur elle avant même qu'il ait eu le temps de s'en approcher.

Lorsqu'il distingua ce qu'elle avait à la main et comprit ce qu'elle essayait de faire, il accéléra encore ses mouvements. Tout semblait se dérouler au ralenti.

Il vit la gueule béante qui allait se refermer sur Kate. Pour la première fois de sa vie, il se mit à prier, de toute son âme.

Le harpon partit et s'enfonça profondément dans la chair du requin. Instinctivement, Kate se laissa descendre tandis que le requin chargeait, fou de rage et de douleur. Ky savait qu'il la suivrait, maintenant. Si le harpon ne le tuait pas, il serait sur elle en quelques secondes.

Il vit des flots de sang s'échapper de la blessure. Cela ne suffirait pas. Le requin eut un mouvement brusque, comme s'il cherchait à se débarrasser du harpon et ralentit soudain. Juste assez. Ky nagea de toutes ses forces et tomba littéralement sur le dos de l'animal qu'il se mit à poignarder aussi fort que l'eau le lui permettait. Le requin se tourna, furieux. Ky s'agrippa de son mieux aux flancs de l'animal et finit par atteindre son ventre où il enfonça sa lame, tirant vers lui pour agrandir la plaie. L'espace d'une seconde, il se dit qu'il tenait la mort entre ses mains. C'était aussi froid que le disaient les poètes.

A quelques mètres de là, Kate observait la lutte acharnée qui était en train de se dérouler. Elle se sentait totalement paralysée, incapable de la moindre réaction. Lorsque les flots de sang se mirent à colorer l'eau autour d'elle, elle porta à son tour la main à son couteau et nagea dans leur direction.

Tout était terminé. Quelques secondes auparavant, Ky et le requin ne formaient plus qu'un seul être. Maintenant, le corps sans vie du prédateur coulait vers le fond. Kate vit ses yeux une dernière fois.

Son bras était tellement crispé qu'il la faisait souffrir. Kate se laissa guider vers la surface. Sains et saufs.

C'était la seule chose qu'elle parvenait à se répéter. Ils étaient sains et saufs.

Le souffle trop court pour pouvoir prononcer le moindre mot, Ky la poussa vers l'échelle, ses bouteilles encore sur le dos. Une fois à hauteur du pont, Kate glissa et Ky commença à grimper à son tour. Il lui suffit d'un seul regard vers le fond pour distinguer deux ailerons qui fendaient l'eau avant de disparaître vers les profondeurs, attirés par le sang.

— Bon sang ! s'écria Marsh en sautant de son siège pour accourir vers Kate qui essayait difficilement de recouvrer son souffle.

— Des requins, lança Ky qui venait de poser le pied sur le pont. J'ai dû nous faire remonter très vite. Kate ? Comment te sens-tu ? As-tu des nausées ? Des douleurs ?

Ky s'était agenouillé près de Kate et, la main glissée sous sa nuque, l'avait redressée pour pouvoir détacher ses bouteilles d'oxygène. Bien qu'elle soit encore haletante, elle parvint à faire non de la tête.

— Non, je vais bien, murmura-t-elle en tâchant de se calmer pour rassurer Ky. Nous n'étions pas si profond que cela lorsque tu m'as remontée.

Ky lui sourit, rassuré de voir que, bien que hors d'haleine, elle n'était pas incohérente. C'était le premier signe des troubles liés aux accidents de décompression. Se redressant, il ôta son masque, ses mains tremblaient toujours de façon incontrôlable. Kate s'assit et releva ses genoux contre elle avant d'y appuyer son front.

— Est-ce que quelqu'un peut m'expliquer ce qui s'est passé ? demanda Marsh dont le regard ahuri passait de l'un à l'autre. J'en suis resté aux boucles de chaussures…

— La cargaison. Nous l'avons découverte, murmura Kate en redressant la tête.

— Oui, c'est ce que m'a dit Ky, reprit Marsh en se tournant vers son frère, appuyé sur le bastingage. Comme ça vous avez rencontré du monde, là-dessous ?

— Il y avait un requin. Un requin-tigre.

— Elle a failli y passer, expliqua Ky, chez qui la colère prenait déjà le relais de la peur. Elle a nagé face à lui. As-tu oublié tout ce que je t'avais dit ? Tes diplômes ne valent rien si tu n'es même pas capable de te souvenir que face à un requin on doit rester immobile ! Je t'ai répété des dizaines de fois que le mouvement les attire et toi tu décides de nager à sa rencontre ! Tu pensais faire connaissance ? Laisse-moi te dire que ton fusil était pour lui l'équivalent d'une piqûre de moustique. Si je n'étais pas arrivé il t'aurait réduite en bouillie !

Kate releva la tête pour lui faire face. Toutes ses émotions étaient remplacées par une colère tellement profonde qu'elle envahissait tout son être. Posément, elle enleva ses palmes, puis son masque et sa ceinture lestée avant de se lever.

— Si tu n'avais pas été en train de redescendre à ce moment précis, répondit-elle aussi calmement qu'elle put, rien ne m'aurait obligée à nager à sa rencontre.

Puis, elle tourna les talons et descendit dans la cabine.

Pendant une longue minute, le silence le plus total s'abattit sur le pont. Une mouette le brisa de son cri strident avant de se laisser emporter par un courant d'air en direction de l'ouest. Marsh alla prendre la barre. Devant le bateau, la mer était teintée de sang.

— Il me semble, commença-t-il en tournant le dos à

son frère, que la coutume veut plutôt que l'on remercie les gens qui viennent de vous sauver la vie.

Aussitôt, il alluma le moteur. Ebranlé par les paroles de son frère, Ky se passa nerveusement la main dans les cheveux. Ses mains gardaient encore des traces du sang du requin. Il resta un moment immobile, les yeux braqués sur ses doigts.

Ça n'était pas une imprudence, se dit-il. C'était délibéré. Kate s'était mise en travers du chemin du requin. Pour lui. Elle avait risqué sa vie pour le sauver. Ky se prit le visage dans les mains avant de prendre la direction de la cabine.

Il trouva Kate assise sur la couchette, un verre à la main et, à ses pieds, une bouteille de brandy. Lorsqu'elle porta le verre à ses lèvres, il nota que ses doigts tremblaient légèrement. Malgré le hâle qu'elle avait acquis durant ces dernières semaines, il était incontestable qu'elle était d'une pâleur à faire peur. Personne n'avait jamais fait quelque chose de la sorte pour lui. Personne n'avait jamais considéré que sa vie comptait plus que tout. Cela le laissait sans voix.

— Kate…

— Je ne suis pas d'humeur à me faire crier dessus une fois de plus, prévint-elle en portant de nouveau le verre à ses lèvres. Si tu veux passer tes nerfs, il faudra choisir une autre victime.

— Je ne veux pas crier, dit-il en attrapant la bouteille et en s'asseyant auprès d'elle. J'ai juste eu la peur de ma vie.

Il but plusieurs gorgées directement au goulot et sentit le liquide chaud descendre le long de sa gorge.

— Je ne compte pas m'excuser pour ce que j'ai fait, répondit Kate.

— Je devrais te remercier, dit-il en avalant une nouvelle gorgée qui lui sembla dénouer quelque peu son estomac. Ce qui est sûr c'est que tu n'avais pas à faire ce que tu as fait. C'est une chance que tu sois toujours en vie, en tout cas, ce n'est pas grâce à moi…

Kate le fixa un instant.

— J'aurais dû rester au fond et te laisser attaquer le requin, avec ton couteau pour seule arme ?

— Oui.

— C'est ce que tu aurais fait à ma place ?

— C'est différent.

Kate leva son verre encore une fois, le regard braqué sur son visage sombre, ses yeux qui reflétaient la mer et ses cheveux en bataille, trempés.

— J'ai besoin que tu m'expliques la logique de ton raisonnement, dans ce cas-là.

— Je n'ai rien à expliquer, c'est comme ça, c'est tout, trancha-t-il.

Ky continuait à boire au goulot. Petit à petit, l'alcool embrumait sa conscience et faisait taire la petite voix qui s'évertuait à lui raconter ce qui aurait pu se passer.

— Non, ce n'est pas possible. D'ailleurs c'est un de tes problèmes majeurs !

— Kate as-tu la moindre idée de ce qui aurait pu arriver si tu n'avais pas atteint un point vital avec ce harpon ?

— Oui, répondit Kate, prête à affronter sa colère. Je comprends parfaitement ton point de vue, mais pour le moment je crois que je vais plutôt monter rejoindre Marsh et te laisser réfléchir.

Ky pouvait bien dire ou faire ce qu'il voulait, elle savait qu'elle referait ce qu'elle venait de faire de toute façon, si une situation similaire se présentait.

— Attends un peu, dit-il en se levant pour lui bloquer le passage. Ne comprends-tu donc pas que je ne pourrais pas supporter qu'il t'arrive quelque chose ? Je veux prendre soin de toi, je veux te protéger !

— Pendant que tu cours tous les risques ? répliquat-elle. Est-ce ainsi que tu considères que les choses s'équilibrent au sein d'une relation, Ky ? Nous ne sommes plus au Moyen Age, et je ne compte pas rester à la maison pendant que tu pars à la chasse !

— Bon sang, Kate, mais c'est loin d'être aussi simple que cela !

— Ce n'est pas vrai, répondit-elle, soudain beaucoup plus assurée. Tu attends de moi que je t'obéisse au doigt et à l'œil, que je me plie à tes exigences et à ton style de vie. Je n'arrive pas à comprendre que tu puisses te comporter ainsi à mon égard quand je sais ce que tu penses de l'attitude de mon père !

Kate se sentait maintenant totalement d'aplomb sur ses jambes. Elle avait même repris quelques couleurs, mais surtout elle avait décidé d'être entendue, même si elle était fatiguée et lasse de se cogner sans arrêt au même mur.

— J'ai passé ma vie à faire ce qu'il attendait de moi, reprit-elle plus calmement. Pas de rébellion, pas de crise, pas de vagues. Et tout ce à quoi j'ai eu droit, c'était un hochement d'approbation. Jamais de véritable respect, et encore moins d'affection véritable. Et maintenant, tu es en train de me demander de répéter ce même schéma avec toi. Pourquoi les deux seuls hommes que j'aie jamais aimés attendent-ils de moi que je me plie à leur volonté ? Et pourquoi est-ce que je vais les perdre tous les deux alors que j'aurai justement essayé de faire ce qu'ils attendaient ?

— Non, dit Ky en la prenant par les épaules. Non, c'est faux. Ce n'est pas ce que je veux. Je veux simplement prendre soin de toi.

Kate secoua la tête.

— Quelle est la différence, Ky ? murmura-t-elle. Quelle est la fichue différence ?

Forçant le passage, Kate remonta vers le pont.

12

A contrecœur, Ky respecta la demande tacite de solitude de Kate. Peut-être était-ce mieux ainsi, de toute façon, car cela lui donnerait à lui aussi le temps de penser à ce qu'il voulait réellement.

Il était en train de prendre conscience que la peur qu'il avait ressentie, conjuguée au besoin de prendre soin d'elle, l'avait amené à la blesser et à mettre en péril leur relation déjà fragile.

D'une certaine manière, elle avait visé dans le mille avec ses accusations, car il devait reconnaître qu'il se sentirait rassuré de la savoir à l'abri, tandis que lui travaillerait dur et prendrait des risques. C'était dans sa nature de protéger ceux qu'il aimait. Peut-être dans le cas de Kate, ce sentiment était-il un peu trop exacerbé. C'était aussi son caractère que de vouloir que l'on se plie à son jugement. Il avait décidé qu'il voulait vivre avec Kate, et devait reconnaître qu'il avait déjà plus ou moins déterminé comment s'établirait leur cohabitation.

Lui qui avait été horrifié devant ce qu'il considérait être des actes de manipulation de la part du père de Kate se retrouvait en train d'user des mêmes ressorts. Peut-être pas aussi subtilement, ni aussi efficacement, certes, mais le concept, au fond, était le même. Il se rassurait cependant en se disant que ce n'était pas pour les mêmes raisons. Il voulait que Kate soit avec lui, qu'elle lui fasse confiance, c'était aussi simple que cela. Car il était certain que si elle le laissait faire, il saurait la rendre heureuse.

Il n'avait jamais envisagé qu'elle puisse avoir des désirs et des exigences propres. Jusqu'à ce jour, Ky n'avait pas prévu de devoir faire des concessions ou des ajustements.

Les lueurs silencieuses de l'aube entouraient Ky tandis qu'il mettait la touche finale au nom de son bateau. Il avait travaillé la majeure partie de la nuit dans son appentis, laissant à Kate du temps pour elle et s'octroyant aussi quelques heures de réflexion. Maintenant que le jour se levait, il gardait une seule chose clairement présente à l'esprit. Il l'aimait. Même si l'impatience courait toujours dans ses veines, il avait réussi à la contrôler. Peut-être fallait-il qu'il accepte de laisser à Kate le temps de lui montrer la voie.

Durant les jours à venir, ils se concentreraient sur la mise au jour de la cargaison qui était ensevelie depuis deux siècles. Plus cette quête serait longue, plus elle deviendrait symbolique à ses yeux. S'il pouvait lui offrir le trésor, ce serait la fin de la quête pour l'un et l'autre. Une fois terminée, ils seraient tous deux en possession de ce qu'ils recherchaient. Pour elle ce serait l'accomplissement du rêve de son père, et pour lui ce serait la satisfaction de voir Kate libérée de ce poids.

Ky ferma les portes en sortant et se dirigea vers la

maison. D'ici quelques jours, il aurait quelque chose de plus à lui offrir. Quelque chose de plus à lui demander.

Il était encore à plusieurs mètres de la porte, lorsqu'il reconnut le fumet du bacon grillé et du café en provenance des fenêtres de la cuisine. Lorsqu'il entra, il découvrit Kate vêtue de sa combinaison et d'un long T-shirt, pieds nus et les cheveux détachés, debout devant la gazinière. Le regard de Ky s'attarda un instant sur les fines taches de rousseur qui parsemaient son nez, ainsi que sur l'harmonieux dessin de ses lèvres.

L'envie de la serrer dans ses bras s'empara de lui aussitôt et Ky dut prendre sur lui pour s'arrêter et reprendre son souffle.

— Kate…

— Je me suis dit qu'avec la longue journée qui nous attendait je ferais mieux de nous préparer de quoi déjeuner. Je voudrais partir tôt.

Elle avait pressenti qu'il allait arriver, elle l'avait deviné. Même si ses jambes menaçaient de se dérober sous elle, elle s'était efforcée de parler vite et d'un air dégagé.

Il la regarda ajouter des œufs dans la poêle brûlante où aussitôt le blanc se mit à frémir.

— Kate, j'ai besoin de te parler.

— J'ai réfléchi et j'en suis venue à la conclusion que nous devrions peut-être louer un remorqueur, coupa-t-elle. Et peut-être même faire appel à deux plongeurs supplémentaires. Dégager la cargaison nous demandera un temps fou si nous ne sommes que tous les deux. Il est temps que nous commencions à remonter les choses à la surface.

Les longues journées passées au soleil avaient

légèrement éclairci ses cheveux. Il y avait désormais tellement de nuances dans sa chevelure qu'une fois détachée, on ne pouvait en déterminer la couleur exacte.

— Je ne veux pas parler des recherches, pour l'instant, trancha Ky en éteignant le brûleur de la cuisinière et en lui prenant les assiettes des mains. Ecoute, j'ai besoin de faire quelque chose et je ne suis pas certain de bien m'y prendre.

Lui tournant le dos, Kate alla attraper les couverts dans un placard avant de revenir à table.

— De quoi s'agit-il ?

— Il s'agit d'excuses, dit-il en essayant d'affronter le regard impassible de Kate, avant de détourner les yeux. Non, c'est certain, je ne vais pas bien m'y prendre !

— Ce n'est pas nécessaire.

— Si, ça l'est. Assieds-toi, s'il te plaît, dit-il en inspirant profondément avant d'imiter Kate et de prendre un siège. Hier, tu m'as sauvé la vie. Je n'aurais jamais fait le poids face à ce requin avec mon seul couteau. Si j'y suis parvenu, c'est parce que tu as réussi à l'affaiblir et à détourner son attention.

Ky avait du mal à prononcer de tels mots, même après les avoir répétés une partie de la nuit. Kate prit sa tasse de café et en but quelques gorgées, l'air absent, comme s'il était en train de lui parler de la pluie et du beau temps. C'était la seule façon qu'elle avait de lutter contre les images cauchemardesques qui lui venaient à l'esprit lorsqu'elle essayait d'imaginer ce qui aurait pu se passer.

— Je sais cela.

Ky eut un rire gêné devant sa réaction, puis il reprit :

— Je suppose que tu as décidé de ne pas me faciliter la tâche ?

— En effet, oui.

— Je n'ai jamais eu aussi peur de ma vie, ajouta-t-il. Jamais pour moi et certainement pas pour qui que ce soit d'autre. J'ai cru que tu allais mourir. J'étais trop loin pour pouvoir intervenir. Si…

— Parfois, il vaut mieux éviter de réfléchir.

— Tu as raison, dit-il en hochant la tête et tendant la main vers la sienne. Kate, d'une certaine façon, le fait que tu te mettes en danger pour moi a rendu les choses pires encore. L'idée que quelque chose puisse t'arriver était déjà assez terrible, mais si en plus c'est à cause de moi, cela devient tout bonnement insupportable.

— Toi, tu aurais essayé de me protéger, tu le sais.

— Oui, mais…

— Il ne devrait pas y avoir de « mais », Ky. Tu as tendance à essayer de m'imposer tes volontés, même si c'est probablement en partie ma faute.

Kate s'adressait à lui d'une voix calme, mesurée, comme lorsqu'elle parlait à ses élèves en classe. Elle n'avait pas réussi à dormir cette nuit non plus. Tandis que Ky s'était isolé dans l'appentis, elle avait passé la nuit à réfléchir et à se poser des questions.

— Il y a quatre ans, reprit-elle, j'ai dû choisir entre mon père et toi. Je savais que je devais oublier l'un de vous deux. Cela m'a brisé le cœur. Maintenant, je sais que c'est à moi que je dois prêter attention en premier lieu. Je t'aime Ky, mais je veux penser à moi avant tout.

Elle avait à peine touché à son petit déjeuner et se levait déjà. L'imitant, Ky se plaça derrière elle, les mains sur ses épaules. Curieusement, cette force nouvelle qui se dégageait d'elle avait un effet mitigé sur lui. Cela l'attirait et le désarmait en même temps.

— Bien, dit-il alors qu'elle se retournait pour lui faire face. Donne-moi juste ta réponse.

— Aussitôt que je l'aurai trouvée, répondit-elle à voix basse en le serrant fort contre elle. Aussitôt.

Pendant trois longues journées, ils plongèrent et poursuivirent leurs recherches en dégageant chaque fois un peu plus de l'épave. Leurs recherches à mains nues leur permettaient de toucher du doigt la beauté ordinaire. Ils avaient mis au jour plus de huit mille des dix mille pipes sculptées répertoriées sur la liste des marchandises du *Liberty*. Au moins la moitié d'entre elles étaient intactes. Ces pipes en terre à long tuyau présentaient des fourneaux décorés de motifs en forme de feuille de chêne ou de grappe de raisin et de fleurs. Hilare, Kate prit une photographie de Ky, une pipe au coin des lèvres.

Elle savait d'ores et déjà que, aux enchères, leur vente permettrait largement de rembourser les fonds qu'elle avait investis. D'ailleurs, elles lui permettraient d'augmenter considérablement la donation qu'elle serait en mesure de faire à un musée au nom de son père. Au-delà de ces considérations, la découverte d'une cargaison de pipes aussi importante était un élément de plus qui semblait indiquer que le navire était britannique.

Ils avaient aussi trouvé des boîtes de tabac à priser, là encore par milliers, ce qui ne leur laissait plus aucun doute sur le nom du bateau. Ils tenaient là le *Liberty*. La liste de ce qu'ils avaient découvert croissait au-delà de leurs attentes les plus folles, même s'ils n'avaient pas encore trouvé l'or auquel il était fait allusion.

A tour de rôle, ils remontèrent les objets qu'ils venaient de découvrir à la surface, à l'aide d'un bidon de plastique rempli d'air. Ils durent cependant se résoudre à laisser une bonne partie de la cargaison au fond de l'eau. Ils opéraient de nouveau ensemble. N'ayant plus besoin de Marsh pour faire fonctionner la soufflerie depuis la surface, ils avaient retrouvé le rythme des premiers jours et la chasse au trésor redevenait leur affaire à tous les deux. Chacune de leurs trouvailles se changeait en une véritable victoire personnelle.

Kate décida de s'occuper des boîtes de tabac à priser, et de les transporter jusqu'au filet qu'ils utilisaient pour remonter les petits objets. Elle avait déjà en tête de nettoyer quelques-unes de ces boîtes elle-même dès qu'elle aurait un moment. Sous les couches successives déposées par le temps se trouvaient peut-être des motifs — de bon ou mauvais goût — ou autres décorations intéressantes à analyser. Pour le moment, cependant, Kate se moquait bien de ce qu'elle trouvait… Tant qu'elle le trouvait !

Kate tendit la main au milieu de l'amoncellement de boîtes de tabac, mais quelque chose d'inhabituel attira son attention et lui fit retirer prestement son bras. Les souvenirs de sa rencontre avec la raie étaient encore très frais dans sa mémoire. Elle observa avec soin le petit objet rond qui roula jusqu'à l'une des boîtes avant de s'immobiliser. Son cœur se mit à battre la chamade. Impressionnée, Kate l'attrapa délicatement. Elle tenait entre ses doigts une pièce d'or d'un autre temps.

Elle fut surprise de constater que la pièce était restée brillante et dorée, comme si son séjour prolongé dans des eaux salées ne l'avait absolument pas altérée. Les pièces d'argent qu'ils avaient découvertes avaient noirci, tandis que les autres métaux étaient totalement oxydés, parfois au point de n'être quasiment plus identifiables. Pourtant, celle qu'elle tenait entre ses doigts était éclatante.

Elle la rapprocha de son masque pour en observer les détails. C'était une pièce anglaise : le roi d'Angleterre la regardait ! Elle était datée de 1750.

Oubliant qu'elle était sous l'eau, elle appela Ky. Il en résulta un bruit sourd et étouffé, mais ce dernier se retourna. Incapable de patienter un instant de plus, Kate nagea à sa rencontre, la pièce serrée au creux de son poing. Lorsqu'elle l'eut rejoint, elle saisit sa main et déposa dans sa paume le précieux métal.

Avant même de regarder, il avait deviné. Il lui avait suffi d'un regard échangé avec Kate. Il prit sa main et la porta à ses lèvres. Elle avait découvert ce qu'elle cherchait. Sans bien savoir pourquoi, il se sentit soudain vide. Il remit la pièce dans la main de Kate et referma ses doigts autour. L'or lui appartenait.

En quelques brasses, Ky rejoignit l'endroit où elle avait trouvé la pièce. Ensemble ils explorèrent patiemment le secteur. Au cours des vingt minutes qu'il leur restait à passer au fond, ils ne mirent la main que sur cinq autres pièces. Les manipulant comme des objets en cristal, Kate les plaça tour à tour dans son sac. Ensuite ils se chargèrent chacun d'un filet et commencèrent à remonter.

— Nous y sommes, Ky ! s'exclama Kate tandis qu'il

déposait le premier filet sur le pont du bateau. C'est le *Liberty*, c'est sûr, maintenant !

— En effet, c'est le *Liberty*, admit-il en la déchargeant du deuxième filet. Tu as mis la touche finale au projet de ton père.

— Oui, dit-elle en détachant ses bouteilles d'oxygène. J'ai terminé ce qu'il avait commencé.

Au moment où elle les fit glisser, elle eut l'impression de se libérer d'un poids immense, qui n'avait certainement rien à voir avec ses réserves d'oxygène. A son tour elle monta à bord. Sortant une des pièces de son sac, elle leva la tête vers Ky.

— Ces pièces étaient dispersées, reprit-elle. Cela signifie que le coffre est peut-être quelque part en train de nous attendre.

Ky avait déjà réfléchi à cette possibilité.

— Peut-être ont-ils emporté le coffre dans une autre partie du navire lorsque la tempête a commencé à les menacer, suggéra-t-il.

— Ils ont peut-être emporté l'or avec eux dans un des canots de sauvetage. Il y a toujours eu une rumeur à propos d'éventuels survivants, même si elle n'a jamais été prouvée, dit-elle en baissant les yeux vers ses pièces.

— Il y a tellement d'hypothèses, répondit Ky en lui caressant légèrement la joue avant d'enlever sa combinaison. Mais avec un peu de chance et un peu plus de temps, nous devrions certainement trouver le fin mot de cette histoire.

Kate lui sourit en remettant les pièces dans son sac.

— Si nous mettons la main dessus, tu pourras acheter ton bateau.

— Et toi, tu pourras partir en voyage en Grèce,

répondit-il en allant prendre sa place derrière la barre. De toute façon, il est important que nous attendions douze bonnes heures avant de plonger de nouveau. Nous avons assez tiré sur la corde, Kate.

— Pas de problème.

Tandis qu'elle enlevait à son tour sa combinaison, elle se dit qu'elle aurait de toute façon besoin de ce temps-là, et pas uniquement à cause des risques liés à l'azote résiduel.

Ils n'échangèrent que peu de mots durant le trajet du retour. Ils auraient pourtant dû être totalement euphoriques. Kate le savait, mais elle avait beau essayer de retrouver cet état qu'elle avait ressenti à la seconde où elle avait tenu la pièce entre ses doigts, elle n'y arrivait pas.

Elle en arrivait même à se dire que si elle en avait eu le pouvoir, elle aurait choisi de revenir des semaines en arrière, lorsque l'or n'était qu'un but imprécis et que ce qui comptait avant tout était la quête en elle-même.

Il leur fallut toute la fin de journée pour transporter ce qu'ils avaient découvert depuis le *Vortex* jusqu'à la maison de Ky et encore plusieurs heures pour tout trier et répertorier. Elle avait d'ores et déjà décidé de faire appel aux services des Parcs nationaux, l'agence fédérale en charge de la gestion du patrimoine américain. Ils pourraient la conseiller sur les démarches à suivre. Ensuite, une fois qu'elle aurait payé les impôts, elle pourrait faire construire un mémorial au nom de son père. Et rien ne l'empêcherait non plus d'offrir à Ky ce qu'il voudrait.

Elle avait déjà oublié leur contrat de départ. S'il voulait la moitié de ce qu'ils mettraient au jour, elle la lui laisserait. La seule chose qui lui tenait vraiment à cœur était le premier bol qu'elle avait trouvé, ainsi que la pièce d'argent noirci et sa première pièce d'or.

— Il nous suffirait simplement d'acheter un bain à électrolyse, suggéra Ky qui était plongé dans l'observation de l'une des boîtes de tabac. Nous pourrions ainsi nettoyer une bonne partie de ce que nous avons. Et puis nous allons avoir besoin d'un bateau plus puissant et d'équipements nouveaux. Peut-être pourrions-nous rester sur la terre ferme durant les quelques jours à venir, le temps de s'occuper de tout cela. Cela fait déjà six semaines que nous remontons des objets que nous n'avons pas vraiment pris le temps d'observer.

Kate acquiesça, bien que, sans vraiment savoir pourquoi, cette idée lui fasse monter les larmes aux yeux. Il était temps de passer à l'étape suivante. Comment lui expliquer, alors qu'elle-même ne savait pas exactement ce qu'elle ressentait, qu'elle avait l'impression d'avoir rempli sa mission ? Tandis que le soleil se couchait, elle laissa Ky terminer l'archivage de tous les objets.

— Ky…, commença-t-elle.

— Qu'est-ce qu'il y a ?

— Rien, répondit-elle en prenant sa main. Monte avec moi, s'il te plaît. Fais-moi l'amour avant que la nuit tombe.

Ky était submergé de questions, mais il se dit qu'elles pourraient bien attendre. Le désir de Kate était contagieux et s'empara de lui aussitôt. Ce qu'il pouvait lui donner et recevoir en retour n'avait pas d'égal.

Lorsqu'ils pénétrèrent dans la chambre, elle était baignée par la douce lueur orangée du soleil couchant. Le ciel commençait à rougeoyer. Ky s'allongea à côté de Kate. Elle tendit le bras pour le serrer contre elle. Ses lèvres s'entrouvrirent. Lentement, ils prirent le temps de se dévêtir l'un l'autre. Peau contre peau, ils restèrent enlacés un long moment en silence.

Petit à petit, leurs baisers les emportèrent vers un univers de sensations décuplées, où il n'y avait plus de place pour les questions. Là, il n'y avait plus de passé ni de futur, juste le moment présent à savourer. Kate se sentait assoiffée de baisers et avait l'impression que rien ne pourrait apaiser cette sensation.

Personne d'autre ne lui avait donné l'impression de sortir d'elle-même aussi facilement. Personne ne lui avait fait prendre si totalement conscience de son propre corps auparavant. Un frôlement suffisait à l'emplir de délicieux frissons.

L'odeur de la mer collait encore à leur peau. Le plaisir les emportait. Ils auraient pu se trouver sous plusieurs mètres d'eau, tant leurs corps semblaient libérés de toute contrainte. Ils flottaient.

Les caresses de Ky ramenèrent Kate à la surface, et à son tour elle commença à explorer son corps. Elle glissa le long de sa colonne vertébrale, puis remonta jusqu'à ses épaules. Elle aimait sentir, sous sa peau douce, la force de ses muscles. Les caresses de ses mains étaient douces, mais ses paumes étaient celles d'un travailleur. Son corps était fin, mais vigoureux et ferme.

Jusqu'à plus soif, elle arpenta sa peau et la goûta. Elle avait besoin de l'avoir tout entier pour elle, elle avait besoin de revivre tout ce qu'ils avaient partagé jusqu'à maintenant. Ils avaient fait l'amour ici, elle se le rappelait. La première fois. La première et la dernière. Chaque fois qu'elle pensait à lui, elle se remémorait la douce lueur du crépuscule et le son lointain des vagues.

Ky ne comprenait pas exactement ce qu'elle attendait de lui. Il la sentait fiévreuse et frémissante de désir, mais aussi soucieuse et inquiète. Il l'aima, peut-être pas aussi tendrement que les autres fois, mais avec fougue, totalement.

Du bout des doigts, il la caressa pour la faire atteindre le plaisir, l'observant tandis qu'elle se cambrait et soupirait langoureusement.

— Tu es si douce, si chaude…

Du bout des lèvres, il goûta sa peau et la mena vers des pics de jouissance suprême. Il sentit sa main se crisper autour de son poignet et gémit lui aussi. Leurs plaisirs semblaient s'ajouter l'un à l'autre.

— Tu as le goût délicieux de la tentation, tu es douce et interdite. Dis-moi ce que tu attends de moi.

— Continue, murmura-t-elle, haletante. Continue.

Et Ky s'exécuta.

Il pouvait lire sur son visage l'expression de la satis-faction qu'il lui procurait. Chaque nouvelle vague de plaisir qui l'emportait soulevait tout son corps et lui coupait le souffle. Elle était sienne, totalement, sans plus de scrupules ni d'arrière-pensées. Petit à petit, ses baisers se firent plus intimes, plus profonds.

Lorsqu'elle frémit de tous ses membres, Ky s'allongea sur elle, serrant ses mains, l'embrassant passionnément, brûlant de désir contenu. Mais Kate ne l'entendait pas ainsi et elle le repoussa avant de s'allonger sur lui à son tour. En l'espace de quelques secondes, elle avait pris le contrôle avec fougue et féminité.

Inconscients de tout ce qui pouvait se passer autour d'eux, ils s'abandonnèrent totalement et frénétiquement à leur quête du plaisir, ce plaisir doux et interdit. C'était leur seul horizon.

Haletants, enlacés, ils atteignirent ensemble leur horizon.

Le jour se levait à peine, clair et calme, et Kate observait Ky dans son sommeil. Elle savait ce qu'elle devait faire pour l'un comme pour l'autre. Le destin les avait réunis une seconde fois. Ce serait la dernière.

Elle avait fait un marché avec Ky, échangeant une partie de l'or qu'ils trouveraient contre ses aptitudes en tant que plongeur et sa connaissance du terrain. Elle avait commencé par se convaincre qu'elle voulait ce trésor, qu'elle en avait besoin pour acquérir la liberté de choisir qu'elle n'avait jamais eue. Le choix. Maintenant, elle se rendait compte qu'elle n'en voulait pas et qu'elle n'en avait jamais vraiment eu envie. Cent fois plus d'or ne changerait jamais la donne entre Ky et elle. Cela ne changerait pas ce qui les attirait l'un vers l'autre et ce qui les séparait.

Elle l'aimait et elle savait aussi qu'à sa façon, il l'aimait. Cela effaçait-il les différences entre eux ? Cela lui donnait-il la force et l'envie de tirer un trait sur sa propre vie afin de s'adapter à la sienne ? Se sentait-elle capable de lui demander le même sacrifice ?

Leurs mondes n'étaient pas plus proches aujourd'hui que quatre ans auparavant. Leurs désirs n'étaient pas plus en accord. Avec l'or qu'elle lui laisserait, il pourrait choisir la vie qui lui convenait, et c'était le plus précieux des trésors.

Si elle restait… Ne pouvant résister à la tentation, Kate effleura sa joue du dos de la main. Si elle restait, elle s'enterrerait pour lui. Elle finirait même probablement par se le reprocher à elle-même et lui en vouloir, aussi. Il était plus sage d'emporter ce qu'ils avaient partagé pendant quelques semaines avant que des années de déception ou d'amertume ne viennent le recouvrir.

Le trésor était important pour Ky. Il avait pris des risques et travaillé dur pour le découvrir. Elle offrirait le mémorial à son père, et Ky pourrait garder le reste.

Tranquillement, sans jamais vraiment le quitter du regard, elle se rhabilla.

Il ne lui fallut pas longtemps pour réunir ses effets. Elle descendit doucement les quelques marches de la chambre, sa valise à la main. Précautionneusement, elle emballa ce qu'elle avait rapporté du *Liberty*. Dans une boîte, elle plaça son bol de céramique, enveloppé de plusieurs feuilles de papier journal. Elle plaça ses pièces d'or étincelantes avec celle d'argent noirci dans une petite bourse, puis, toujours avec le plus grand soin, elle rangea les pellicules photographiques de son inventaire.

Elle déposa sur la table de la cuisine la liste qu'elle avait dressée de ce qu'elle souhaitait voir donner à un musée, puis elle sortit de la maison.

Elle avait décidé qu'il valait mieux ne pas laisser de lettre, mais elle hésitait maintenant. Comment pourrait-elle lui faire comprendre ? Une fois sa valise déposée dans sa voiture, elle rebroussa chemin et retourna à la maison. Silencieusement, elle remonta jusqu'à la chambre et déposa les cinq pièces d'or sur la commode de Ky.

Après lui avoir jeté un dernier regard, elle redescendit et quitta la maison, le laissant entre les bras de Morphée.

Elle voulait s'accorder un dernier moment en compagnie de la mer. Dans la quiétude de l'aurore, elle parcourut les dunes.

C'est ainsi qu'elle s'en rappellerait. Déserte, infinie et pleine de sons. Les rouleaux s'écrasaient sur le sable dans un nuage d'écume. Blanc sur blanc. Elle serait toujours attirée par ce qui se trouvait sous la surface : des souvenirs de paix absolue et d'euphorie. Elle avait partagé l'une comme l'autre avec Ky. Juste un été. La vie était pourtant faite de quatre saisons…

Le soleil devenait plus vif. Le temps qui lui était imparti venait de s'écouler. Elle tourna le dos à l'océan pour embrasser l'île du regard une dernière fois. Ses yeux s'arrêtèrent sur la pointe du phare. Il y avait donc des choses immuables. Un léger sourire parut sur ses lèvres. Elle avait tant appris en quelques semaines. Elle était enfin devenue elle-même. Elle pouvait enfin décider de son destin et tracer sa propre voie. Elle savait au fond d'elle que c'était précieux, même si ce qu'elle ressentait avant tout était l'âpreté de la solitude. Elle laissa la mer derrière elle.

Malgré l'envie qu'elle avait de lancer un dernier regard en direction de la maison, Kate se l'interdit et reprit directement le chemin de sa voiture. Elle n'avait pas besoin de la regarder encore pour se la rappeler. Si les choses avaient été différentes… Kate tendit la main vers la portière de sa voiture. Ses doigts étaient à quelques centimètres de la poignée lorsqu'elle sentit qu'on la prenait par les épaules. Elle fit volte-face.

— Mais qu'est-ce que tu es en train de faire ?

Face à Ky, elle sentit toutes ses résolutions s'ébranler, mais décida de tenir bon. Il venait juste de se réveiller et ses yeux étaient encore lourds de sommeil, ses cheveux en bataille. Il ne portait qu'un short en jean déchiré. Kate croisa les bras devant sa poitrine et pria pour que sa voix ne la trahisse pas.

— J'espérais être partie avant que tu ne te réveilles, lança-t-elle d'un ton calme et assuré.

— Partie ? répéta-t-il. Mais où ?

— Je rentre dans le Connecticut.

— Ah, vraiment ? Et pourquoi ?

Il fallait qu'il parvienne à garder son calme cette fois, sinon ce serait probablement la dernière fois qu'il lui adresserait la parole.

Kate tremblait. Ky s'était adressé à elle de façon relativement posée, mais elle reconnaissait son expression froide et distante. Un seul faux pas de sa part et il exploserait.

— Tu l'as dit toi-même hier, Ky, lorsque nous sommes remontés de notre dernière plongée. J'ai accompli ce pour quoi j'étais revenue.

Ky ouvrit la main. Les cinq pièces d'or brillaient de tous leurs feux sous la lumière du soleil.

— Et ça, qu'est-ce que cela peut bien vouloir dire ?

— Je les ai laissées pour toi, murmura-t-elle. Le trésor ne compte pas pour moi. Il est à toi.

Kate n'était pas sûre de pouvoir continuer cette discussion sans s'effondrer. Il lui semblait que son cœur se déchirait en deux.

— Qu'est-ce que c'est généreux de ta part, railla-t-il en laissant tomber les pièces dans le sable. Voilà ce que représente cet or à mes yeux, madame le professeur.

Kate baissa les yeux vers les quelques pièces, tombées à ses pieds.

— Je ne te comprends pas.

— C'est toi qui voulais ce trésor, lança-t-il. Je n'en ai jamais voulu !

— Mais pourtant, balbutia-t-elle en secouant la tête. Lorsque je me suis adressée à toi la première fois, tu m'as dit que tu acceptais cette mission pour le trésor.

— J'ai accepté cette mission pour toi, Kate. Et c'était toi qui courais après le trésor.

— Ce n'était pas pour l'argent, répondit-elle à grand-peine en se tournant. Cela n'a jamais été pour l'argent.

— Pas pour toi, peut-être, pour ton père…

Kate acquiesça en silence. C'était la vérité, mais cela ne lui faisait plus mal.

— J'ai mis un point final à ce qu'il avait commencé, et j'ai pris ce que je voulais. Je n'ai pas besoin de plus d'or, Ky, conclut-elle gravement.

— Pourquoi est-ce que tu me fuis encore une fois ? demanda-t-il.

Lentement, Kate se retourna.

— Nous avons peut-être quatre ans de plus que la dernière fois, mais nous sommes restés les mêmes.

— Et alors ?

— Ky, il y a quatre ans, je suis partie d'Ocracoke à cause de mon père, parce que je pensais que je lui devais une certaine obéissance ou tout du moins une certaine loyauté. Mais si j'avais pensé à l'époque que ce que tu voulais par-dessus tout, c'était moi, dit-elle en plaçant la main sur son cœur, moi et pas ce que tu voulais que je sois… Si j'avais pensé cela à l'époque, et si j'avais

249

eu l'espoir d'un futur pour nous deux, je ne serais pas
partie. Et je ne partirais pas non plus, aujourd'hui.

— Mais qui te donne le droit de décider pour moi
de ce que je veux, de ce que je ressens ? s'exclama-
t-il en reculant de quelques pas. J'ai peut-être fait des
erreurs, il y a quatre ans, mais je crois en avoir payé le
prix, Kat. J'ai fait tout mon possible cette fois-ci, pour
ne pas te brusquer, pour ne pas aller trop vite… Tout
cela pour me réveiller et découvrir que tu t'en vas sans
même un mot d'explication !

— Il n'y a aucune explication, Ky. J'ai toujours trop
parlé et tu ne m'as jamais répondu.

— Tu as toujours été plus douée que moi pour parler,
lança-t-il en tournant les talons.

— Bien, dans ce cas, je vais parler : je t'aime, dit-
elle en attendant que Ky se retourne. Je t'ai toujours
aimé, mais malheureusement, je pense connaître mes
limites… Et peut-être aussi les tiennes.

— Je t'ai déjà laissée partir sans rien dire une fois.
Ce ne sera pas aussi simple cette fois-ci.

— Je me dois d'être moi-même, Ky, je ne peux pas
continuer à vivre ma vie de la même manière que ces
dernières années.

— Mais qui te le demande ? explosa-t-il. Qui te
demande d'être quelqu'un d'autre que celle que tu es,
bon sang ? Il est temps que tu commences à arrêter de
mettre en parallèle amour et responsabilité. L'amour
c'est aussi le partage, le don, le rire. Si je te demande
de me faire don de ton cœur, c'est pour t'offrir le mien
en retour.

Emporté par son élan, Ky la prit par les bras, comme
si son contact pouvait lui faire mieux entendre ses mots.

— Je ne veux pas que tu me sois dévouée corps et âme, reprit-il. Je ne veux pas avoir l'impression que tous tes faits et gestes sont calculés, pour me plaire ou me séduire. Non, crois-moi, je ne veux certainement pas de ce genre de responsabilité !

Muette, Kate le fixait. Il ne lui avait jamais rien dit d'aussi clair. Jamais il ne lui avait ainsi ouvert son cœur. Pouvait-elle laisser l'espoir l'envahir ? Pourtant, d'une certaine manière, il ne lui exposait que ce qu'il ne voulait pas. Elle risquait encore d'être déçue.

— Dis-moi ce que tu veux.

Il n'y avait qu'une réponse.

— Viens avec moi, une minute, dit-il en lui prenant la main pour l'emmener vers l'appentis. Lorsque j'ai commencé cela, c'était pour accomplir une promesse que je m'étais faite mais, très vite, mes raisons ont changé.

Il souleva le loquet et ouvrit grand la porte. Kate ne distingua rien, dans un premier temps. Petit à petit, cependant, ses yeux s'accoutumèrent à l'obscurité et elle put avancer à l'intérieur. Son bateau était presque fini. La coque avait été poncée et peinte, et il ne restait plus qu'à fixer le mât. Il était tellement beau et pourtant si simple.

D'un seul regard, Kate eut l'impression qu'elle pouvait deviner comment il voguerait. Libre et léger comme l'air... Comme Ky l'avait souhaité.

— Il est magnifique, Ky. Tu sais, je me suis toujours demandé...

Kate s'interrompit en découvrant le nom peint sur l'avant de la coque en gros caractères.

Deuxième Chance.

— C'est la seule chose que je désire, dit Ky en pointant du doigt les deux mots. Ce bateau est pour toi. Lorsque je l'ai commencé, je pensais que c'était pour moi que je le fabriquais. Mais je sais que ce n'est pas le cas. J'étais sûr que ce serait un rêve que tu partagerais avec moi. Tout ce que je demande, c'est cela, Kate, une deuxième chance pour tous les deux.

Interdite, Kate le laissa ouvrir un tiroir de son établi et en sortir une petite boîte.

— Je l'ai fait nettoyer, même si tu l'as déjà refusé une première fois, déclara-t-il en soulevant le couvercle et en révélant le solitaire en diamant qu'il avait trouvé près de l'épave. Je ne peux pas dire que cela m'a coûté une fortune, ni que je l'ai fait faire spécialement pour toi. Tu sais que je l'ai trouvé parmi les rochers.

Comme Kate s'apprêtait à prendre la parole, Ky leva la main.

— Attends. Tu voulais que je m'exprime, c'est ce que je suis en train de faire. Je sais que tu as un métier et je ne te demande pas de tirer un trait sur ta carrière. Je te demande une année, ici, sur l'île. Nous avons une école et même si ce n'est pas Yale, il y a des élèves qui ont besoin d'apprendre. Une année, Kate, et si cela ne te convient pas, je partirai avec toi.

Elle fronça les sourcils.

— Partir ? Dans le Connecticut ? Tu vivrais dans le Connecticut ?

— S'il le faut, oui.

Il venait de s'engager… Il était en train de lui proposer de trouver un compromis pour qu'ils puissent vivre ensemble.

— Et si cela ne te convient pas non plus ? demanda-t-elle, anxieuse.

— Eh bien, nous essaierons un autre endroit, peu importe ! Nous trouverons une ville à mi-distance entre les deux. Nous déménagerons autant de fois qu'il le faudra, non ?

Ky n'était-il pas en train de lui offrir ce qu'elle avait toujours attendu ? L'amour véritable, l'engagement libéré de ses chaînes ?

— Je veux me marier avec toi, lança-t-il alors en se demandant si elle serait aussi bouleversée en entendant cette phrase qu'il l'était en la prononçant. Demain me paraît déjà trop loin, mais si tu acceptes de me donner un an, alors j'attendrai.

Kate faillit se mettre à rire. Ky n'avait jamais été capable d'attendre. S'il obtenait son accord, il parviendrait à ses fins au plus tôt, d'une façon ou d'une autre. Mais Kate trouvait assez tentant de l'observer en train de se débattre face à ses résolutions.

Limites… Pourquoi avait-elle parlé de limites ? L'amour n'en avait aucune.

— Non, répondit-elle euphorique, je t'accorderai cette année en échange de la bague et de ce qui va avec.

— Marché conclu ! lança Ky en lui prenant précipitamment la main, comme s'il craignait qu'elle change d'avis. Une fois que tu auras la bague au doigt, tu ne pourras plus faire marche arrière, madame le professeur.

Ky sortit l'anneau de son écrin et, en le glissant à son doigt, constata qu'il était trop grand. De dépit, il secoua la tête.

— Ne t'inquiète pas, je garderai la main fermée

pendant les cinquante prochaines années ! s'exclama-t-elle en se jetant dans ses bras.

Kate se mit à rire, et ses derniers doutes s'évanouirent. Ils allaient y arriver, ici ou là. Ou encore ailleurs…

— Nous la ferons mettre à ta taille, murmura Ky en la serrant contre lui.

— Seulement s'ils sont capables de travailler alors que la bague est à mon doigt, répondit-elle avant de fermer les yeux, envahie d'un sentiment de totale plénitude. Ky, pour le *Liberty*, le reste du trésor…

— Je crois que nous venons de le trouver, murmura-t-il avant de poser ses lèvres sur les siennes.

AU FEU DE LA PASSION

1

Il était sûr que l'encens et les bougies feraient partie du décor, aussi incontournables que la boule de cristal, le jeu de tarots et le marc de café. Cette incursion dans le monde de l'irrationnel constituait pour lui une expérience inédite qu'il n'aurait manquée à aucun prix. Producteur de documentaires pour la télévision, David Brady mettait un point d'honneur à s'impliquer personnellement dans la plupart de ses reportages. Mais plus que la conscience professionnelle, c'est la curiosité qui l'avait poussé à aller lui-même interviewer cette voyante.

Contre toute attente, elle ne portait pas de turban. La femme qui lui ouvrit la porte du coquet pavillon de Newport Beach avait l'allure de quelqu'un qui fréquente les tables de bridge plutôt que les tables de spiritisme. Elle sentait la poudre de riz, et non le musc, comme il l'avait secrètement espéré. Un court instant, il crut avoir affaire à l'employée de maison ou à la dame de compagnie de la célèbre sibylle.

— Bonjour. Je suis Clarissa DeBasse, dit la femme, tout sourires. Entrez, monsieur Brady. Vous arrivez pile à l'heure.

— Madame DeBasse.

Masquant sa déconvenue, David serra la main qu'elle

lui tendait. Certes, elle n'avait pas la tête de l'emploi, mais la grande majorité des spirites étaient en définitive des gens comme les autres. Sans aucun signe particulier.

— C'est très aimable à vous de me recevoir, dit-il. Mais comment avez-vous deviné qui j'étais ?

A sa poignée de main, Clarissa sentit d'instinct qu'elle avait affaire à un homme intègre et digne de confiance. C'était tout ce qu'elle lui demandait pour l'instant.

— Il ne s'agit pas de clairvoyance, expliqua-t-elle, mais de logique. Nous avions rendez-vous à 13 h 30.

Si son agent ne l'avait pas appelée pour le lui rappeler, David Brady l'aurait trouvée dans son potager, en train de biner ses salades.

— J'en déduis, poursuivit-elle d'un ton badin, que votre attaché-case contient non pas des échantillons de lessive, mais le contrat que je suis censée signer. Je parie également que le trajet depuis Los Angeles a été long et éprouvant, et que vous prendriez volontiers une tasse de café.

— Exact.

Il entra dans la salle de séjour, une pièce accueillante, avec de jolis rideaux bleus aux fenêtres et un canapé trois places qui s'affaissait dans le milieu.

— Asseyez-vous, monsieur Brady. Le café est encore chaud. Il n'attendait plus que vous.

Se méfiant du canapé, David s'installa dans un fauteuil tandis que Clarissa prenait place en face de lui et servait le café dans deux tasses et sous-tasses dépareillées. Habitué à se fier à sa première impression, David sut d'emblée à quoi s'en tenir. Avec sa silhouette tout en courbes gracieuses et sa robe de coton à fleurs, Clarissa ne correspondait décidément pas à l'image qu'il s'en était faite. Elle avait un joli visage, assez peu marqué. Elle avait aussi un très bon coiffeur : sa coupe de cheveux était irréprochable, et son blond cendré très naturel. Lorsqu'elle lui tendit sa tasse, il remarqua qu'elle portait des bagues à presque tous les doigts. Voilà qui le rassurait un peu, d'une certaine manière.

— Merci, vous êtes très aimable, dit-il. Mais pour être tout à fait franc, pas du tout telle que je vous imaginais.

Nullement décontenancée, elle se carra dans son fauteuil.

— Vous vous attendiez peut-être à ce que je vous ouvre la porte avec une boule de cristal dans les mains et un corbeau sur l'épaule ?

Son regard ironique en aurait mis plus d'un à la torture. Mais David, lui, haussa les sourcils.

— Quelque chose dans ce goût-là.

Il but une gorgée de café, qu'il se retint de recracher. Amer, le breuvage avait au moins le mérite d'être chaud.

— J'ai lu pas mal de choses à votre sujet, continua-t-il. Et je vous ai vue dans *The Barrow Show*. A l'écran, vous êtes… très différente.

— Le show-biz, que voulez-vous ! Vous avez de la chance de me voir chez moi : en règle générale, je laisse à mon agent le soin de négocier mes contrats. Mais comme vous teniez beaucoup à me rencontrer, j'ai pensé que nous serions plus à l'aise ici pour faire connaissance.

David acquiesça, charmé par les fossettes qui se dessinaient dans ses joues quand elle souriait.

— Je vous ai déçu, si je comprends bien, déclara-t-elle tout à trac en le fixant droit dans les yeux.

— Non, pas du tout.

N'allant pas pousser la politesse jusqu'à finir son café, David reposa sa tasse.

— Madame DeBasse…

— Clarissa, rectifia-t-elle avec un sourire si chaleureux qu'il n'eut pas à se forcer pour sourire à son tour.

— Clarissa, je préfère jouer cartes sur table.

— Cela tombe bien, moi aussi !

Il y avait une telle candeur dans son regard qu'il en fut un instant déconcerté. Si cette femme était un vulgaire escroc, une arnaqueuse professionnelle, elle cachait bien son jeu.

— J'ai un esprit très cartésien, dit-il. Les phénomènes psychiques, la divination, la télépathie ne font pas partie de mon univers quotidien.

Les mains croisées sur les genoux, elle l'écoutait avec bienveillance sans trahir aucune émotion particulière. Cette impassibilité acheva de le déstabiliser.

— La série d'émissions que j'entends consacrer à la parapsychologie n'a pour moi d'autre vocation que de distraire les téléspectateurs.

— Je comprends, et je ne vous en tiens pas rigueur.

Un gros matou noir, surgi de nulle part, bondit soudain sur ses genoux. Machinalement, Clarissa se mit à le caresser.

— A mon âge et avec mon expérience, je commence à avoir l'habitude. Je sais que ces choses-là fascinent beaucoup de gens, et les interpellent. Je ne suis pas une fanatique, rassurez-vous, dit-elle en dorlotant le chat pelotonné sur ses genoux. Il se trouve que j'ai reçu un don à ma naissance, et que j'ai le devoir de le mettre à profit.

— Le devoir ?

Il fouilla dans ses poches à la recherche de ses cigarettes. Il n'y avait pas de cendrier.

— Absolument. Tenez, prenez ça, dit Clarissa en sortant du tiroir de la table basse une coupelle de faïence bleue. Lorsqu'un enfant se voit offrir une caisse à outils pour son anniversaire, il a deux options : soit il apprend à s'en servir, auquel cas il va pouvoir réparer toutes sortes de choses, et éventuellement scier les pieds de la table, soit il fourre la boîte dans un placard et n'y pense plus. C'est cette dernière option que choisissent la plupart des médiums. Ils trouvent les outils trop difficiles à manipuler, ou n'ont tout simplement pas envie de se compliquer la vie. Avez-vous déjà eu une expérience psychique, David ?

Il alluma une cigarette.

— Non, jamais.

— Vous semblez bien sûr de vous. Ne me dites pas que vous n'avez jamais éprouvé une impression de déjà-vu ?

Il réfléchit un instant.

— On a tous eu, à un moment ou à un autre, la sensation d'avoir déjà fait telle chose, ou déjà visité tel endroit.

— Peut-être. Et l'intuition, vous en faites quoi ?

— Vous considérez l'intuition comme un don surnaturel ?

— Oui, bien sûr. Tout dépend de sa force et de la manière dont elle est canalisée et utilisée. Les gens n'exploitent pour la plupart qu'une infime partie de leurs facultés.

— C'est l'intuition qui vous a permis de retrouver Matthew Van Camp ?

Une ombre passa dans le regard de la voyante.

— Non.

Cette femme était décidément déconcertante. L'affaire Van Camp l'avait propulsée sur le devant de la scène. Il pensait qu'elle ne demanderait pas mieux que d'en parler, de s'étendre sur le sujet. De toute évidence, il se trompait.

Perplexe, David expira lentement la fumée de sa cigarette sous l'œil circonspect du chat.

— Clarissa, cette histoire remonte à dix ans en arrière, mais elle reste l'une de vos plus belles réussites, même si elle est également la plus controversée.

— C'est exact. Matthew a vingt ans, maintenant.

— On dit qu'il serait mort si Mme Van Camp n'avait pas insisté, contre l'avis de son mari et celui de la police, pour que vous participiez à l'enquête.

— On dit aussi que cette affaire a été un coup monté de A à Z, rétorqua-t-elle d'un ton égal. La carrière d'Alice Van Camp a redémarré en flèche, après cette histoire. Vous avez vu le film ? Il est magnifique et elle joue divinement bien.

Si elle croyait noyer le poisson, elle se trompait. Il n'était pas venu pour parler avec elle de cinéma.

— Ecoutez, Clarissa, pour les besoins de l'émission, il faudrait que vous m'en disiez un peu plus sur cette affaire.

Elle se rembrunit et fit la moue, sans cesser toutefois de caresser son chat.

— Ce que vous me demandez là est un peu délicat, David. Les Van Camp ont été gravement traumatisés par cette histoire. La remettre sur le tapis risquerait de réveiller en eux de très mauvais souvenirs.

En vrai professionnel, David savait quand et comment négocier.

— Et si les Van Camp donnaient leur accord ?

— Il faudrait voir, dit-elle en considérant pensivement le chat qui s'était mis à ronronner avec un bruit de tondeuse à gazon. Vous savez, David, j'aime beaucoup vos émissions. S'il était passionnant, votre reportage sur l'enfance maltraitée était aussi très dérangeant.

— C'était le but recherché.

— Oui, je l'avais deviné.

Elle faillit lui confier que bien d'autres choses étaient dérangeantes, mais il était trop tôt pour lui parler plus avant de ses facultés et de sa manière de les gérer.

— Et là, avec ce sujet, vous espérez quoi ? demanda-t-elle.

— J'aimerais réaliser un bon reportage, qui donne à réfléchir et invite à se poser des questions.

En la voyant sourire, il comprit qu'il avait bien fait de ne pas chercher à la berner.

— Et vous, vous vous en posez ?

Il écrasa son mégot de cigarette dans la coupelle.

— Je réalise l'émission. Le reste va dépendre de vous.

Sa réponse parut la satisfaire au-delà de toute espérance.

— Vous êtes quelqu'un de bien, David. J'accepte de vous aider.

— Voilà qui fait plaisir à entendre. Je suppose que vous souhaitez jeter un coup d'œil au contrat et…

— Non, coupa-t-elle au moment où il s'apprêtait à ouvrir son attaché-case. Vous verrez cela avec mon agent.

— Parfait, dit-il, soulagé de ne pas avoir à traiter directement avec elle. Si vous me communiquez ses coordonnées, je lui ferai parvenir le contrat sans délai.

— Il s'agit de l'agence Fields, à Los Angeles.

Cette information le laissa bouche bée. Mine de rien, elle s'offrait les services de l'une des plus prestigieuses agences artistiques de la côte Ouest.

— Je prends contact avec elle cet après-midi même. Je suis ravi de travailler avec vous, Clarissa.

— Vous permettez que je regarde les lignes de votre main ?

S'il n'avait pas été assis, il serait tombé à la renverse. Docile, il lui tendit sa paume.

— Vais-je partir en croisière ?

Elle ne sourit pas, mais ne s'offusqua pas non plus de sa plaisanterie. Elle n'accorda qu'un bref regard à sa main, se concentrant plutôt sur son visage, qu'elle scruta avec une froideur d'entomologiste. Agé d'une trentaine d'années, le spécimen observé était un beau brun à l'air ténébreux. Il avait des traits virils, et sous ses sourcils épais et noirs de jais, ses yeux vert pâle apportaient une douceur inattendue. La bouche était charnue, sensuelle à souhait. Carrée mais élégante, la main qu'elle tenait dans la sienne avait de longs doigts fins. Cette main d'artiste paraissait incongrue sur une silhouette athlétique comme la sienne. Mais Clarissa voyait bien au-delà des apparences.

— Vous êtes un homme solide, David, tant sur le plan physique qu'intellectuel et émotionnel.

— Je vous remercie.

— Ne croyez pas que je cherche à vous flatter. Dans vos relations avec les femmes, cette force peut vous jouer des tours si vous ne la tempérez pas par un peu de tendresse. C'est pour cela, je suppose, que vous n'êtes pas marié.

Il dressa l'oreille, brusquement intéressé par ses révélations. Mais l'absence d'alliance à son annulaire avait probablement suffi à la renseigner sur son statut marital.

— Aussi banal que cela puisse paraître, je n'ai pas rencontré la femme de ma vie.

— Pour banal que ce soit, c'est parfaitement vrai dans votre cas. Il vous faut une femme dotée d'une force égale à la vôtre. Vous allez la rencontrer très prochainement. Cela n'ira pas de soi, bien entendu. Si vous voulez que ça marche, vous avez intérêt, l'un et l'autre, à ne pas négliger la tendresse dont je vous parlais il y a un instant.

— Je vais donc rencontrer la femme de ma vie, l'épouser et avoir avec elle beaucoup d'enfants ?

— Je ne prédis pas l'avenir, déclara Clarissa. Jamais. Et je ne lis les lignes de la main qu'à quelques rares privilégiés. Mais quelque chose me dit que vous et moi allons nous voir souvent et que nous serons très vite étroitement liés. Cette perspective n'est pas pour me déplaire, dit-elle en guise de conclusion avant de lâcher la main de David.

— A moi non plus, dit David en se levant. J'espère vous revoir bientôt, Clarissa.

— Je l'espère aussi.

Elle se leva à son tour et posa délicatement le chat par terre.

— File, à présent, Mordred.

David suivit des yeux l'animal qui sauta d'un bond sur le canapé à moitié défoncé.

— Mordred ? Le traître des chevaliers de la Table ronde ?

— La légende ne l'a pas gâté, dit Clarissa. Il est vrai qu'il n'a pas eu de chance. Difficile d'échapper à son destin, n'est-ce pas ?

Elle le scruta de nouveau bizarrement, comme si elle cherchait à percer ses secrets les mieux gardés.

— Oui, sans doute, murmura David tandis que son hôtesse le raccompagnait à la porte.

— J'ai beaucoup apprécié notre conversation, David. Revenez quand vous voulez.

Il reviendrait, songea-t-il, une fois dehors. Il ne savait pas d'où lui venait cette certitude, mais une chose était sûre : il reviendrait.

— Je n'ai jamais dit le contraire, Abe. Ce type est un excellent réalisateur, mais Clarissa et lui, ça ne collera pas, si tu veux mon avis.

A.J. Fields arpentait la pièce de cette démarche fluide et décidée qui dénotait chez elle un trop-plein d'énergie. Elle s'immobilisa un instant pour rectifier la position d'un tableau sur le mur. Puis elle se tourna vers son associé, Abe Ebbitt, assis à son bureau, les mains comme d'habitude croisées sur le ventre. Ses lunettes lui tombaient sur le nez, mais il n'en avait cure. Placide, il regardait A.J. s'agiter.

— Tu as vu ce qu'il est prêt à payer ? demanda-t-il en grattant sur son crâne d'œuf une maigre touffe de cheveux.

— Clarissa n'a pas besoin d'argent.

Abe faillit sortir de ses gonds. Comment A.J. pouvait-elle proférer une telle énormité ?

— Et la notoriété ? risqua-t-il d'une voix calme.

— Je ne suis pas sûre que cette notoriété-là l'intéresse.

— Tu la couves trop, A.J.

— Je suis là pour ça, répliqua-t-elle en s'asseyant sur le coin de son bureau.

Quand elle fronçait les sourcils, c'était mauvais signe. Abe savait qu'il ne pourrait rien en tirer, aussi préféra-t-il ne pas insister. Il avait pour elle beaucoup de respect et d'admiration et c'est pourquoi, lui, l'agent fétiche des grandes stars d'Hollywood, travaillait avec elle plutôt qu'à son compte. Il aurait pu être son père. Ou son patron. Dix ans plus tôt, c'est elle qui aurait été sous ses ordres et non l'inverse. Mais cette hiérarchie ne le dérangeait pas. Comme il se plaisait à le dire, seul un homme de génie pouvait tenir tête à une femme de génie. Et il fallait bien reconnaître qu'à eux deux, ils formaient une sacrée équipe.

— Elle a accepté de faire cette émission, marmonna A.J. au bout de trois minutes. J'ai l'impression…

Elle se mordit la lèvre. Cette expression, elle l'avait bannie de son vocabulaire.

— J'ai bien peur, corrigea-t-elle, que ce ne soit une erreur. Elle risque d'être tournée en ridicule et ça, je ne le veux à aucun prix.

— Tu devrais lui faire un peu plus confiance. Et veiller à ne jamais faire entrer les sentiments dans les affaires.

— J'essaie, Abe, tu le sais bien.

C'était la clé de sa réussite, le premier commandement de son décalogue personnel. Par la force des choses, elle avait appris très jeune à se distancier de ses émotions. Grandir avec une mère distraite au point d'oublier de payer les traites de la maison ne vous donne pas vraiment le choix. Ou vous tenez les cordons de la bourse et gérez les comptes, ou vous coulez corps et biens. A.J. y avait tellement pris goût qu'elle avait décidé d'en faire son métier. Elle n'avait pas sa pareille pour veiller sur les intérêts d'une célébrité, promouvoir sa carrière et lui éviter les faux pas. Son agence artistique, en plein centre-ville, témoignait de sa réussite. Mais elle n'avait pas fait carrière en acceptant n'importe quoi.

— Je vois Brady cet après-midi. Ma décision dépendra de ce qu'il ressortira de cette entrevue.

Abe lui décocha un sourire complice.

— Tu vas lui demander combien ?

— Je me contenterai de dix pour cent. Mais avant d'aborder l'aspect financier, je tiens à savoir exactement ce qu'il compte mettre dans ce reportage et quelle position il entend défendre.

— Il paraît que c'est un dur à cuire.

— On dit la même chose de moi, rétorqua A.J. du tac au tac.

— Tu ne vas en faire qu'une bouchée, prédit Abe en s'extirpant péniblement de son fauteuil. Il faut que j'y aille, ma grande ; j'ai un rendez-vous. Tiens-moi au courant.

— Bien sûr.

A.J. ne vit même pas son associé sortir. Le regard fixe, elle se préparait mentalement à rencontrer David Brady. Elle aimait ce qu'il faisait, et cela ne pouvait que la disposer favorablement à son égard car elle était plutôt exigeante, même s'il lui arrivait, dans certaines circonstances et moyennant un cachet confortable, de laisser ses clients jouer les potiches dans des spots publicitaires minables. Mais Clarissa DeBasse n'était pas une cliente comme les autres. Elle était sa première cliente. La seule à lui avoir fait confiance dans les premiers temps de son activité. Alors cette cliente-là, c'était assez normal qu'elle la chouchoute, qu'elle la *couve*, comme disait Abe. David Brady avait beau réaliser de remarquables documentaires pour la télévision, il allait devoir se montrer convaincant s'il voulait obtenir l'aval d'A.J. Fields, et donc la participation de Clarissa à son émission.

A une époque, A.J. elle-même avait dû faire ses preuves. Les quinze personnes qui travaillaient sous ses ordres aujourd'hui dans un luxueux complexe de bureaux n'avaient pas toujours été là. Dix ans plus tôt, elle courait après les clients et négociait les contrats depuis une cabine téléphonique en se vieillissant pour être plus crédible. Il fallait avoir du cran pour confier sa carrière à une gamine de dix-huit ans. Clarissa n'avait pas hésité.

La jeune femme roula les épaules pour se débarrasser d'un début d'ankylose. Le problème avec Clarissa, c'était qu'elle était tête en l'air à un point inimaginable. A.J. devait tout gérer à sa place, aussi bien ses rendez-vous que sa carrière.

Elle avait l'habitude. Sa mère était une femme adorable, mais définitivement fâchée avec les contingences du quotidien. A dix ans, A.J. tenait les comptes de la maison, dressait la liste des courses et congédiait les représentants de commerce qui sonnaient à la porte. Non qu'elle soit affligée d'une mère indigne ou déclarée irresponsable. Elle avait grandi dans un climat favorable à son épanouissement intellectuel et affectif. Mais les rôles avaient été inversés.

C'est la vie, songea A.J. en se levant. *On n'échappe pas à son destin.* Et ce n'était pas Clarissa qui la contredirait.

Contournant son bureau, elle alla s'asseoir dans son fauteuil, une monstruosité qui jurait avec le reste du mobilier, sobre et épuré, mais était prétendument parfaitement assorti à la couleur de ses yeux. Il n'y avait que sa mère pour lui offrir un fauteuil en cuir bleu saphir !

A.J. saisit en soupirant le contrat DeBasse. Elle avait le temps de l'éplucher une dernière fois avant l'arrivée de David Brady. Il ne lui fallut que quelques secondes pour recentrer ses pensées sur le contrat qu'elle avait sous les yeux, mais pas loin d'une heure pour le relire attentivement. Elle finissait de prendre des notes quand sa secrétaire l'avertit de l'arrivée de M. Brady.

Lorsque la porte s'ouvrit, elle se leva, le salua et lui tendit la main, mais veilla à rester derrière son bureau. Il était capital de montrer d'emblée qu'elle était en position de force. De plus, en le laissant venir à elle, elle se donnait le temps de le jauger et de se forger une première idée du personnage. Avec un physique aussi avantageux, il aurait pu être un de ses clients. Lui décrocher des contrats aurait été pour elle un jeu d'enfant. Comme inspecteur de police taciturne, ou cow-boy solitaire, il aurait fait merveille au cinéma. Dommage…

David put lui aussi mettre à profit les quelques mètres qui le séparaient du bureau pour observer son interlocutrice tout à loisir. Il ne l'imaginait pas aussi jeune. Ni aussi mignonne — dans le genre strict, limite coincé. Pas assez de formes à son goût, songea-t-il distraitement. La coupe ample de son tailleur ne la mettait guère en valeur, et seul son chemisier vermillon apportait une touche de fantaisie à sa tenue. Mais elle avait une très jolie bouche et des yeux d'un bleu hallucinant, en partie masqués par des lunettes qui lui mangeaient le visage. Ils échangèrent une poignée de main tout ce qu'il y a de plus formelle.

— Asseyez-vous, je vous en prie. Dois-je vous faire servir un peu de café ?

— Non, merci.

David attendit pour s'asseoir qu'elle ait elle-même pris place dans son fauteuil. Lorsqu'elle croisa les mains sur le contrat, il constata qu'elle ne portait ni bagues ni bracelets. Juste une montre.

— Je crois savoir que nous avons des relations communes, mademoiselle Fields. C'est curieux que nous ne nous soyons jamais rencontrés...

— Oui, en effet, admit-elle avec un sourire bref. Mais en tant qu'agent, je préfère rester dans l'ombre. Vous avez fait la connaissance de Clarissa DeBasse, je crois ?

— Oui, absolument.

Ils étaient partis pour tourner autour du pot un bon moment, conclut David en se carrant dans son siège.

— Elle est charmante. Je ne vous cacherai pas que je l'imaginais autrement, disons plus... excentrique.

Cette fois, A.J. sourit pour de bon et David révisa son jugement : elle était carrément jolie et, en d'autres circonstances, il n'aurait pas hésité à lui faire la cour.

— Oui, Clarissa est assez déconcertante. En ce qui concerne votre projet, je ne le trouve pas assez détaillé. J'aimerais savoir *exactement* en quoi consiste ce reportage.

— Il s'agit d'un documentaire sur les phénomènes

psychiques, englobant la voyance, la télépathie, la chiromancie, ainsi que tout ce qui a trait au spiritisme.

— Vous voulez dire les tables tournantes et les maisons hantées ?

David haussa les sourcils, surpris par la pointe de sarcasme qu'il perçut dans la voix de la jeune femme.

— Vous semblez très critique pour quelqu'un qui compte un médium parmi ses clients ?

— Ma cliente ne communique pas avec les morts et ne lit pas dans le marc de café, précisa A.J. en se renversant dans son fauteuil pour mieux asseoir son autorité. Si Mme DeBasse a prouvé à maintes reprises qu'elle avait le don de seconde vue, elle n'a jamais prétendu avoir des pouvoirs surnaturels.

— Supranormaux.

— Je vois que vous vous êtes documenté. Les spécialistes parlent effectivement de phénomènes « supranormaux ». Mais Clarissa n'est pas du genre à se faire mousser.

— C'est précisément l'une des raisons pour lesquelles j'aimerais l'avoir dans mon émission.

L'emploi du possessif n'échappa pas à A.J. Si David Brady s'investissait personnellement dans son travail, c'était plutôt bon signe. Il n'allait pas s'amuser à se ridiculiser.

— J'ai discuté avec des voyantes, des scientifiques, des parapsychologues et des bohémiennes, continua-t-il. Vous n'imaginez pas tout ce que j'ai pu entendre.

— Oh si, je l'imagine très bien !

— Certains témoignages étaient complètement farfelus, d'autres parfaitement véridiques. Je me suis entretenu avec les directeurs de plusieurs instituts de parapsychologie réputés. Tous m'ont parlé de Clarissa.

— Clarissa s'est toujours mise à leur disposition. Elle a accepté tous les tests et contrôles possibles et imaginables.

David s'étonna, là encore, de l'aigreur de ses propos. Quand sa cliente jouait les cobayes, A.J. ne percevait bien sûr aucune commission. C'était peut-être ce qui lui était resté en travers de la gorge…

— Je veux explorer le champ d'application des sciences dites occultes, et en fixer les limites. Le public sera invité à poser des questions. En cinq fois une heure, je peux aborder un grand nombre de phénomènes.

D'un geste étudié, qu'elle pratiquait depuis des années, A.J. se mit à pianoter du bout des doigts sur son bureau.

— Et en quoi, au juste, consiste la prestation de ma cliente ?

Clarissa DeBasse était sa carte maîtresse, mais David jugea préférable de ne pas la jouer tout de suite.

— Mme DeBasse est une célébrité. Elle a prouvé qu'elle avait réellement un don de seconde vue. Notamment à l'occasion de l'affaire Van Camp.

— Cela remonte à dix ans, fit remarquer A.J. en tripotant un crayon.

— Mais tout le monde a encore les faits présents à l'esprit. Le fils d'une star de cinéma est kidnappé sous les yeux de sa nourrice. Les ravisseurs exigent un demi-million de dollars en échange de l'enfant. La mère, complètement paniquée, s'emploie aussitôt à rassembler la somme. La police patauge. Au bout de quarante-huit heures, l'enquête n'ayant pas avancé d'un pouce, la mère contacte une amie : une voyante qui lui a fait son thème astral et qui lit parfois les lignes de la main. La voyante accourt et touche des objets appartenant à l'enfant — son gant de base-ball, sa peluche préférée, le haut de pyjama qu'il a porté la nuit précédant l'enlèvement. Elle peut alors décrire les ravisseurs et localiser l'endroit où l'enfant est retenu prisonnier. Elle va jusqu'à dépeindre la pièce dans laquelle il se trouve, précisant que le plafond est écaillé. Le soir même, l'enfant est rendu à ses parents.

David prit une cigarette, l'alluma et souffla la fumée.

— Un tel exploit ne s'oublie pas comme ça, mademoiselle Fields. L'intérêt du public sera aussi vif aujourd'hui qu'il y a dix ans.

Elle se taisait, luttant pour garder son calme et se maudissant intérieurement de ne pas y parvenir.

— Beaucoup de gens pensent que l'affaire Van Camp est un coup monté. Cela risque de relancer la polémique. Ma cliente devra de nouveau prêter le flanc à la critique.

— Elle a l'habitude, je suppose.

Si le regard d'A.J. avait été une mitraillette, il aurait été tué sur le coup.

— Il n'empêche que je ne vais pas la laisser aller au casse-pipe. Si c'est pour la mettre à l'épreuve que vous l'invitez dans votre émission, il est hors de question qu'elle signe ce contrat.

— Ecoutez, mademoiselle Fields, je sais bien que vous êtes payée pour protéger les intérêts de vos clients, mais là, je ne vous comprends pas. Chaque fois qu'elle fait l'actualité, Clarissa est mise à l'épreuve. Si les caméras et les questions lui sont à ce point préjudiciables, elle devrait peut-être changer de métier. Vous êtes son agent : je pensais que vous croiriez un peu plus en ses facultés.

— Peu importe ce que je crois !

Elle s'apprêtait à se lever pour les renvoyer, lui et son contrat, lorsque son téléphone sonna. Etouffant un juron, elle décrocha le combiné.

— Je ne veux pas être dérangée, Diane. Qui ? Ah, très bien. Passez-la-moi.

— Je suis désolée de te déranger au bureau, A.J.

— Ce n'est pas grave, mais je suis en rendez-vous, alors…

— Oui, je sais, répondit Clarissa d'un ton contrit. Avec cet homme exquis qu'est David Brady.

— Cette opinion n'engage que toi.

— Je me doutais que la confrontation serait houleuse. Mais, tu sais, j'ai bien réfléchi : ce contrat, je vais le signer. Je n'oublie pas que tu es mon agent, rassure-toi. Je te laisse régler tous les détails et négocier ce qui peut l'être, mais je veux faire cette émission. Je sens qu'il faut que je la fasse.

A.J. comprit à son ton que sa décision était irrévocable. Contre les intuitions de Clarissa, elle n'avait aucune chance.

— Il faudrait peut-être que nous en parlions, suggéra-t-elle.

— Oui, bien sûr. Mais commence par fignoler ce contrat pour que je puisse le signer le plus vite possible.

Si elle ne s'était pas retenue, A.J. aurait envoyé des coups de pied dans son bureau.

— D'accord. Mais je tiens à ce que tu saches que *moi aussi*, j'ai un pressentiment.

— Cela ne m'étonne pas. Que dirais-tu de venir dîner à la maison, ce soir ?

A.J. reconnaissait bien là Clarissa, qui invitait les

275

gens à manger pour mieux faire passer la pilule. Le hic, c'est qu'elle était une cuisinière exécrable.

— Ce soir, je ne peux pas. J'ai un repas d'affaires.

— Demain, alors ?

— Entendu. A demain soir.

Après avoir raccroché et s'être excusée auprès de David Brady, A.J. revint sur leur désaccord.

— L'affaire Van Camp n'étant pas mentionnée dans le contrat, c'est à Mme DeBasse de décider d'en parler ou non dans l'émission.

— Oui, bien sûr. Je me suis déjà mis d'accord avec elle sur ce point.

Il avait réponse à tout, le monstre ! A.J. eut la désagréable impression que Clarissa et lui avaient comploté dans son dos.

— Il faudrait par ailleurs préciser dans le contrat ce que vous attendez de Mme DeBasse.

— Pas de problème.

David comprit qu'il avait gagné la partie. Il s'en était fallu de peu qu'elle ne le fiche dehors. Le téléphone avait sonné à point nommé, et lui avait sauvé la mise. Il était prêt à parier sa chemise que c'était Clarissa qui avait appelé, obligeant A.J. à jouer en temps réel son rôle d'intermédiaire.

— Je vais faire modifier le contrat en conséquence, dit-il sans pouvoir réprimer un petit sourire satisfait. Vous en aurez un exemplaire dès demain.

Pas si vite !, songea A.J. en se calant dans son fauteuil.

— Si nous devons faire affaire, monsieur Brady, il reste un dernier point à éclaircir.

— Lequel ?

— Le cachet de ma cliente.

A.J. rajusta ses lunettes sur son nez et feuilleta le contrat.

— Il est très inférieur aux cachets qu'elle reçoit d'habitude. Vingt pour cent de plus nous semblent être un minimum.

David ne put masquer sa surprise. Il s'attendait à ce que la question du cachet vienne sur le tapis. Mais pas au dernier moment ! Il commençait à comprendre pourquoi A.J. Fields passait pour l'un des meilleurs agents artistiques de la côte Ouest…

— Comme vous le savez, la télévision publique ne dispose pas des mêmes moyens que les chaînes privées. En tant que producteur, je peux peut-être vous obtenir cinq pour cent, mais certainement pas vingt.

— C'est insuffisant, déclara A.J. en retirant ses lunettes.

Ses yeux paraissaient plus grands sans, et d'un bleu encore plus intense.

— Je sais que la télévision publique est pauvre. Je sais aussi, monsieur Brady, que vous êtes l'un des producteurs les mieux payés. Quinze pour cent ! conclut-elle avec un sourire enjôleur. C'est mon dernier mot.

Typique !, songea-t-il en soupirant. Ces agents étaient bien tous les mêmes ! Elle voulait dix pour cent, ces dix pour cent que son budget l'autorisait à lui concéder. Mais il fallait jouer le jeu jusqu'au bout.

— Mme DeBasse se voit déjà offrir bien plus que n'importe qui d'autre sous contrat chez nous.

— Elle est l'invitée vedette de votre émission. Je sais aussi ce qu'est l'audimat.

— Sept pour cent.

— Douze.

277

— Dix.

— Marché conclu ! dit A.J. en se levant. J'attends la version définitive du contrat.

— Vous l'aurez demain sans faute. S'il n'y avait pas eu ce coup de fil, commença David en se levant à son tour, vous m'auriez envoyé paître, n'est-ce pas ?

Elle le dévisagea. Ce type était d'une perspicacité redoutable. Et d'une habileté rare. Il allait plaire à Clarissa.

— Sans l'ombre d'un doute.

— Ne manquez pas de remercier Clarissa pour moi.

Lorsque d'un air suffisant, David lui tendit la main, A.J. sentit que son précieux sang-froid approchait de nouveau dangereusement du point d'ébullition.

— Au revoir, monsieur…

Soudain, la voix lui manqua. A peine l'avait-elle touché qu'un flot d'émotions tumultueuses la submergeait, lui fauchant les jambes.

— Mademoiselle Fields ?

Eût-il été un fantôme qu'elle ne l'aurait pas regardé autrement. Elle était blême, et la main qu'il tenait dans la sienne était molle et glacée. Machinalement, il la prit par le bras, certain qu'elle allait s'évanouir d'une seconde à l'autre.

— Vous devriez vous asseoir.

— Pardon ? dit A.J. en se dégageant. Non, tout va bien. J'ai eu une absence. Voilà ce que c'est que d'abuser du café et de ne pas assez dormir !

S'il l'approchait, s'avisait encore de la toucher, elle était perdue ! Il fallait absolument l'en empêcher.

— Je suis contente que nous soyons tombés d'accord,

monsieur Brady. Je me charge de faire suivre le contrat à ma cliente.

Elle avait retrouvé ses couleurs et son regard n'avait plus cette fixité étrange et si impressionnante. David hésitait cependant à prendre congé. Elle avait quand même failli se trouver mal.

— Asseyez-vous, ordonna-t-il.

— Mais puisque je vous…

— Ne discutez pas : faites ce que je vous dis.

Il la prit par le coude et la força à s'asseoir.

— Vous tremblez comme une feuille.

Sans crier gare, il s'agenouilla devant elle.

— Je vous conseille d'annuler ce repas d'affaires et de vous offrir une bonne nuit de sommeil.

Elle croisa les mains sur ses genoux pour le dissuader de les prendre dans les siennes.

— Ne vous en faites pas pour moi.

— Quand une femme manque de s'évanouir à mes pieds, je me sens un peu obligé de m'en occuper.

Galvanisée par l'ironie qu'elle perçut dans ces mots, A.J. recouvra son sang-froid.

— Oh, pour ça, je vous fais confiance !

D'un geste nonchalant, il lui toucha la joue.

— Bas les pattes ! dit-elle en se dégageant d'une secousse.

Sa peau était d'une douceur infinie, constata-t-il *in petto* en se promettant de revenir plus tard sur cette découverte.

— Je voulais juste m'assurer que vous alliez mieux, railla-t-il. Si cela peut vous rassurer, vous n'êtes pas du tout mon genre.

Elle le fusilla du regard.

— Encore une chance !

En la voyant bouillonner de rage contenue, David fut pris d'une furieuse envie de rire. Et d'un désir tout aussi irrépressible de la prendre dans ses bras.

— Diminuez le café, conseilla-t-il en se relevant avant de quitter la pièce à toute vitesse.

A.J. remonta ses genoux sous son menton et y posa son front. Seigneur ! songea-t-elle, atterrée. Comment allait-elle bien pouvoir se sortir de là ?

2

A.J. fut tentée de s'arrêter en chemin pour s'offrir un hamburger. Par flemme, elle y renonça mais se consola en pensant qu'il valait mieux qu'elle s'abstienne, si elle voulait faire honneur au dîner de Clarissa. Quand on a faim, on se montre généralement moins difficile.

Elle roulait avec le toit ouvert et essayait de se détendre. Mais les quarante minutes du trajet ne lui suffiraient probablement pas à décompresser. Le contrat que David Brady lui avait retourné comme prévu ayant été modifié selon ses désirs, elle n'avait pourtant aucune raison tangible de s'opposer à ce que sa cliente le signe. Depuis la visite de Brady, la veille, ses antennes vibraient en continu, cependant.

Sans doute sa réaction était-elle quelque peu excessive. Elle n'aurait jamais eu ce malaise ridicule, si elle ne s'était pas levée aussi brusquement. David Brady n'avait rien à voir là-dedans, essayait de se persuader A.J.

Au bout d'une quinzaine de kilomètres, force lui fut d'admettre qu'il était bel et bien fautif. Cet aveu la mit dans tous ses états.

Il fallait absolument qu'elle se calme avant d'arriver à Newport Beach. On ne pouvait rien cacher à Clarissa DeBasse, et A.J. savait qu'elle ne manquerait pas de l'interroger sur l'impression que lui avait faite David Brady.

Elle faillit s'arrêter sur le bord de la route pour l'appeler d'une cabine téléphonique et décommander. Mais là encore, elle renonça.

« Respire calmement ! » s'intima-t-elle en s'efforçant de se rappeler ses exercices de yoga. Lorsque la tension physique se fut un peu relâchée, elle mit la radio à fond pour s'empêcher de penser.

Comme toujours, la vue du minuscule pavillon, de sa pelouse impeccable et de ses coquets volets blancs l'emplit de fierté. Avec l'argent que lui avaient rapporté ses livres et ses passages à la télévision, Clarissa aurait pu s'acheter une villa à Beverly Hills. Mais elle ne s'y serait jamais sentie aussi bien que dans cette maison de poupée qu'A.J. l'avait aidée à choisir.

Calant sous son bras le sac contenant la bouteille de vin qu'elle avait apportée, A.J. poussa la porte, rarement verrouillée.

— Coucou ! Je suis un malfrat d'un mètre quatre-vingt-dix et cent trente kilos venu faire main basse sur les bijoux. Il faudrait juste me dire où ils se trouvent.

— Zut ! J'ai encore oublié de fermer la porte !

Clarissa sortit de la cuisine en s'essuyant les mains sur un tablier tout taché. Elle avait les joues rouges d'être restée au-dessus de ses casseroles, mais le sourire aux lèvres.

— Eh oui, tu as *encore* oublié ! dit A.J.

Tandis qu'elle embrassait Clarissa, elle essaya de deviner, juste à l'odeur, ce qu'il y aurait à manger.

— Un pain de viande, l'informa Clarissa d'un ton enjoué. J'ai une nouvelle recette.

— Oh.

A.J. aurait dû prendre un air réjoui, marquer d'une manière ou d'une autre son approbation. Au moins par politesse. Mais elle n'avait toujours pas digéré le dernier pain de viande qu'elle avait ingurgité chez Clarissa, aussi préféra-t-elle changer de sujet.

— Tu as une mine superbe, déclara-t-elle. On jurerait que tu fais du jogging tous les matins et que tu as pris un abonnement chez Elizabeth Arden.

— Penses-tu ! Je me fiche pas mal de vieillir. Ce sont les soucis qui donnent des rides. Tu ferais bien de t'en souvenir.

— J'ai vraiment l'air d'une harpie ? s'enquit A.J. en posant son porte-documents sur le guéridon pour enlever ses chaussures.

— Je n'ai jamais dit ça. Mais tu as l'air préoccupée et ça se voit.

— Je meurs de faim, si tu veux le savoir. A midi, je n'ai rien avalé d'autre qu'un malheureux sandwich.

— Tu n'es pas raisonnable. Tu devrais faire des repas équilibrés. Je te l'ai dit cent fois. Suis-moi dans la cuisine. C'est pratiquement prêt.

Soulagée d'avoir réussi à noyer le poisson, A.J. lui emboîta le pas.

— Alors, reprit Clarissa, implacable. Qu'est-ce qui te tracasse ?

— J'étais *sûre* que tu ne lâcherais pas le morceau ! grommela A.J. tandis qu'on sonnait à la porte.

— Tu veux bien aller ouvrir ? demanda Clarissa en se précipitant sur ses casseroles. Il faut que je surveille les choux de Bruxelles.

— Des choux de Bruxelles ? Il ne manquait plus que ça !

A.J. regrettait de plus en plus de ne pas s'être arrêtée dans un fast-food.

— Vous n'avez pas l'air franchement ravie de me voir.

Une main sur la poignée de la porte, elle regardait David avec des yeux ronds.

— Que venez-vous faire ici ?

— Dîner, répondit-il sans se démonter. Même sans chaussures, remarqua-t-il en entrant, vous êtes plutôt grande pour une femme.

A.J. referma la porte sans chercher à masquer sa contrariété.

— Clarissa ne m'avait pas dit qu'il s'agissait d'un dîner d'affaires.

— Dans son esprit, ce n'en est pas un. Elle ne m'a pas invité pour parler affaires, mais par pure sympathie.

David se demandait ce qui le fascinait autant chez la rigide A.J. Fields. Il comptait sur cette soirée pour obtenir deux ou trois éléments de réponse.

— Pourquoi ne pas jouer le jeu ? demanda-t-il.

Par égard pour sa mère, qui s'était donné beaucoup de mal pour lui inculquer quelques principes d'éducation, la jeune femme se sentit obligée de faire bonne figure.

— Comme vous voudrez, David. Mais vous prenez des risques, sachez-le.

— Pardon ?

A.J. ne put s'empêcher de sourire.

— Nous allons manger du pain de viande. Le champagne, dit-elle en le débarrassant de la bouteille qu'il avait dans les mains, nous sera d'un grand secours. J'espère qu'à midi, vous avez fait un copieux déjeuner ?

Quand elle avait cet air espiègle, cette étincelle de malice dans les yeux, David la trouvait irrésistible.

— Pourquoi cette question ?

Elle lui tapota l'épaule.

— Vous le découvrirez bien assez tôt. En attendant, venez vous asseoir : je vais vous servir à boire.

— Aurora ?

— Oui ? répondit machinalement A.J.

— Aurora ? répéta David comme pour mieux juger de la sonorité de ce prénom. Cela vous va mieux que des initiales.

— Je vous préviens, dit la jeune femme, le regard flamboyant de colère, si vous vous avisez de diffuser l'info, je le saurai. Et je vous le ferai payer, croyez-moi !

Il se frotta l'arête du nez, peinant à garder son sérieux.

— Je serai muet comme une tombe.

— Aurora, c'était..., commença Clarissa en débouchant de la cuisine. David, bien sûr ! s'exclama-t-elle, avec un grand sourire. Comme c'est gentil à vous d'être venu.

Ils étaient l'un à côté de l'autre, remarqua-t-elle à part soi. Cela augurait d'un bon début.

— Et à vous de m'avoir invité.

David s'avança vers son hôtesse et lui prit la main. Quand il la porta à ses lèvres, Clarissa rosit de plaisir.

— Du champagne ? C'est la fête. Nous l'ouvrirons une fois le contrat signé. A.J., occupe-toi donc de notre invité. Je n'en ai plus pour longtemps.

Ce contrat, A.J. savait que sa cliente le signerait envers et contre tout et qu'il serait vain de chercher à l'en dissuader.

— Je peux lui proposer de la vodka, dit-elle en se

tournant vers David. Comme c'est moi qui l'ai achetée, je sais ce qu'elle vaut.

— Parfait, confirma David. Avec des glaçons, si ce n'est pas trop vous demander.

Il la regarda se diriger vers un buffet bas dont elle sortit une bouteille et des verres.

— Merveilleux ! s'exclama A.J. lorsqu'elle découvrit que le seau à glace était plein. Elle a pensé à le remplir.

— Vous semblez très bien connaître Clarissa.

— C'est le cas. Elle est pour moi bien davantage qu'une simple cliente, expliqua A.J. en servant la vodka. Voilà pourquoi je me fais autant de souci pour cette émission.

Il s'avança pour prendre son verre. Le parfum de la jeune femme lui caressa les narines. Il se demanda si ce sillage était censé attirer les hommes, ou par sa discrétion les tenir à distance, au contraire.

— Du souci ? Mais pourquoi donc ?

Puisqu'il leur fallait travailler ensemble, autant jouer la carte de la franchise, décida A.J. en confiant à mi-voix :

— Clarissa ne se méfie pas assez. Cette fâcheuse tendance à se livrer trop facilement lui a valu toutes sortes d'ennuis.

— Vous me croyez capable de lui causer du tort ?

A.J. but une gorgée de vodka.

— Je me pose la question.

— Je l'aime beaucoup, vous savez, déclara David en enroulant autour de son doigt une des mèches de cheveux de la jeune femme.

Ce geste, il ne l'avait pas prémédité, et elle ne l'avait pas vu venir. Il laissa retomber sa main presque aussitôt, ne lui laissant pas le temps de protester.

— C'est une femme très attachante, poursuivit-il.

Pour se donner une contenance, il gagna la fenêtre et fit mine de s'intéresser aux moineaux qui voletaient dans le jardin autour de leur mangeoire. Les ignorant superbement, le chat profitait du dernier rayon de soleil pour faire une petite sieste.

A.J. attendit pour parler d'avoir recouvré un tant soit peu de sang-froid et de professionnalisme.

— Je suis ravie de savoir que vous l'appréciez, mais en tant que producteur, vous avez des obligations : il faut que l'émission soit bonne. Or la fin justifie les moyens, non ?

— Oui, d'une certaine façon.

Ce qui le troublait, songea David en se resservant un verre de vodka, c'était sa tenue décontractée. En femme d'affaires guindée, elle lui avait semblé beaucoup moins dangereuse que dans cette petite jupe blanche qu'elle portait sans veste, juste avec un chemisier. En plus, elle était pieds nus et elle avait les cheveux en bataille. Mais elle n'était décidément pas son genre.

— Pour autant, je ne suis pas homme à profiter des gens que j'invite dans mes émissions. Je fais mon travail, A.J., et tout ce que je demande, c'est un minimum de collaboration.

— Il n'y a rien de plus normal. Mais le mien, de travail, consiste à protéger les intérêts de Clarissa.

— A priori, nos objectifs ne sont pas incompatibles.

— Voilà, c'est prêt ! claironna joyeusement Clarissa.

Aïe ! les choses s'étaient gâtées, songea-t-elle en constatant que ses invités étaient maintenant chacun à un bout de la pièce. L'ambiance était pour le moins tendue. Mais comme ils étaient aussi têtus l'un que l'autre, ce n'était pas vraiment étonnant. Elle se demanda combien de temps il leur faudrait pour se rendre compte qu'ils se plaisaient mutuellement. Et pour tomber dans les bras l'un de l'autre…

— J'espère que vous avez faim.

A.J. reposa son verre vide en souriant d'un air chafouin.

— David m'a dit qu'il mourait de faim. Tu vas devoir lui servir une double ration.

— Tant mieux. Allons vite manger, dit Clarissa.

Elle les conduisit dans la salle à manger, et les fit s'asseoir autour de la table sur laquelle trônaient deux chandeliers.

— J'adore dîner aux chandelles, pas vous ? demanda-t-elle.

Sous cet éclairage, il fallait reconnaître que le pain de viande avait bien meilleure mine, songea A.J.

— C'est Aurora qui a apporté le vin. Je vous laisse le servir, David. Je m'occupe du pain de viande.

— Il est magnifique, dit David en se demandant pourquoi A.J. riait sous cape.

— Merci. Vous êtes californien de naissance, David ? s'enquit Clarissa, tout empressée à trancher le pain de viande.

— Non, je suis originaire de l'Etat de Washington.

— C'est une très belle région, mais il y fait si froid.

David ne s'en était jamais plaint. S'il s'était bien adapté au climat de Los Angeles, les hivers longs et rigoureux de son enfance lui manquaient.

— J'ai grandi dans l'Est, continua Clarissa. Je suis venue il y a trente ans, quand je me suis mariée. Mais il m'arrive encore, en automne, de regretter mon Vermont natal. Aurora, tu devrais prendre des légumes. Il faut que tu veilles à avoir une alimentation équilibrée.

A.J. se servit une cuillerée de choux de Bruxelles qu'elle n'avait nullement l'intention de manger.

— Cette année, tu pourrais peut-être y retourner, suggéra A.J. après avoir avalé une généreuse rasade de beaujolais pour faire passer le pain de viande.

— Je vais y réfléchir. Vous avez de la famille, David ?

Il contemplait son assiette d'un air accablé. Quelle recette Clarissa avait-elle donc suivie pour que ce soit aussi infâme ?

— Euh, oui, dit-il. J'ai deux frères et une sœur.

Sous l'œil goguenard d'A.J., il mastiquait avec application.

— Moi aussi, je viens d'une famille nombreuse, dit Clarissa. J'ai eu une enfance très heureuse.

Tapotant la main d'A.J., elle ajouta :

— Aurora est fille unique.

— Cela ne m'a pas empêchée d'avoir une enfance heureuse, déclara A.J. en riant.

La jeune femme eut pitié de David, qui engouffrait stoïquement sa platée de purée.

— Qu'est-ce qui vous a fait choisir le documentaire ? demanda-t-elle poliment.

— On n'a pas à se casser la tête à chercher une intrigue, expliqua-t-il entre deux bouchées. Il suffit d'avoir un thème et de trouver un moyen de le présenter de manière attractive.

— La vocation d'un documentaire n'est pas de distraire, mais d'instruire, d'informer.

— Je ne suis pas professeur. Un documentaire qui montre les choses telles qu'elles sont et incite les gens à se poser des questions peut être aussi divertissant qu'un feuilleton.

Il était tellement craquant en invité poli qui se force à finir son assiette qu'A.J. se surprit à le trouver à son goût.

— Le cinéma ne vous a jamais tenté ?

— J'aime bien la télévision. Mais je trouve dommage que les programmes soient aussi pauvres. Entre la téléréalité et les émissions de variétés tapageuses et vulgaires, les spectateurs ne sont vraiment pas gâtés.

— C'est vrai, admit A.J., mais certaines de ces émissions battent des records d'audience et de longévité. *Empire*, par exemple, a déjà quatre ans d'existence.

Elle se garda bien d'avouer qu'elle était elle-même une fan d'*Empire*.

— Tout le problème est là, justement. Cela prouve bien que les gens ont perdu tout sens critique.

— Une émission n'a pas besoin d'être éducative pour être bonne. Les chaînes publiques ont un peu tendance à oublier qu'après s'être colletiné huit heures de travail, les embouteillages pour rentrer, les devoirs des enfants, le dîner à préparer, les traites de la voiture à payer, le téléspectateur moyen a besoin de se détendre.

— Certes, dit David, amusé de voir la jeune femme s'enflammer. Mais ce n'est pas une raison pour l'abrutir.

— Je ne regarde pas assez souvent la télévision pour avoir un avis tranché sur la question, intervint Clarissa. Mais, dis-moi, A.J., ce n'est pas toi qui représentes cette jolie actrice qui tient le rôle principal dans *Empire* ?

— Si. Audrey Cummings n'est pas seulement belle, elle joue aussi très bien. Elle a incarné plusieurs héroïnes shakespeariennes et nous venons de lui décrocher le rôle de Maggie dans un remake de *La Chatte sur un toit brûlant*.

A.J. but une gorgée de vin et lança à David :

— Voilà justement une pièce populaire qui n'a certes pas les prétentions intellectuelles d'un opéra de Verdi. Depuis sa sortie, son succès ne s'est pourtant jamais démenti.

— La télévision publique ne passe pas que des opéras de Verdi, protesta David, qui sentait bien que la conversation avait pris un tour dangereux mais ne voulait pas pour autant jeter l'éponge. Vous n'avez pas vu le reportage consacré à Taylor Brooks, je suppose ? C'est le portrait le plus complet qu'on ait jamais fait d'un rockeur.

A son tour, il prit son verre et fit mine de porter un toast.

— Ne me dites pas que vous êtes son agent, à lui aussi ?

— Non.

Bien décidée à lui river son clou, A.J. n'hésita qu'une fraction de seconde avant d'ajouter :

— Nous sommes sortis ensemble, il y a deux ans. J'ai pour principe de ne jamais mélanger vie privée et relations professionnelles.

— Vous avez bien raison, dit David. C'est un principe très sage.

— Contrairement à vous, je n'ai rien contre la télévision. Sinon, je ne vous aurais jamais laissé engager ma meilleure cliente.

— Je vous ressers du pain de viande ? proposa Clarissa.

— Pas à moi ; je suis repue, répondit A.J. Mais David va sûrement en reprendre.

— J'adore le pain de viande, mais je n'ai plus faim du tout.

Il se leva avec un soulagement évident.

— Je vais vous aider à débarrasser, offrit-il aimablement.

— Oh, non, ce n'est pas la peine, dit Clarissa en se levant à son tour. Aurora, aurais-tu l'obligeance de montrer à David ma collection ? Je crois que je l'ai un peu déçu, la première fois qu'il est venu.

— D'accord, dit A.J.

D'une main, elle ramassa son verre, de l'autre, elle fit signe à David de la suivre.

— Vous avez fait mouche, dit-elle. Clarissa ne montre pas sa collection à n'importe qui.

— Vous m'en voyez flatté. Mais peut-être préféreriez-vous que je garde mes distances ?

Elle n'aurait su dire pourquoi, mais A.J. aurait en effet préféré qu'il ne s'approche pas de Clarissa à plus de cinquante kilomètres. Et d'elle à plus de cent !

— Clarissa a les amis qu'elle veut.

— Oui, mais vous les avez à l'œil. Ils n'ont pas intérêt à lui faire une entourloupe.

— Exactement. Venez, c'est par ici, dit-elle en le précédant dans une pièce située à l'autre bout du couloir. Au clair de lune, ce serait plus bien impressionnant. Il faudra faire sans.

De longs et lourds rideaux masquaient les fenêtres, sans aucun doute pour dissuader les curieux, songea David, car la pièce aurait été plus à sa place dans quelque tour ou donjon moyenâgeux que dans ce riant pavillon de banlieue.

La boule de cristal qui l'avait tellement fait fantasmer

semblait le narguer, sur son étroit guéridon de palissandre. Incapable de résister plus longtemps, il s'approcha de l'objet mais n'osa pas le toucher. Dans une petite vitrine, un jeu de tarots, visiblement très ancien, attira son attention. En l'examinant de plus près, il vit que les cartes avaient été peintes à la main. De l'animisme au vaudou, les livres que contenait la bibliothèque englobaient absolument tous les phénomènes paranormaux. Sur l'étagère du milieu trônait un chandelier bizarre, représentant une femme nue levant les bras au ciel.

Une planchette oui-ja gravée de pentagrammes était posée sur la table. Des masques en argile, bois, céramique ou papier mâché s'alignaient le long du mur du fond. Il y avait aussi des baguettes de sourcier et des pendules, des pyramides de différentes tailles, un vieux grelot indien bien usé, ainsi que des chapelets de perles de jais ou d'améthyste.

— C'est plus conforme à l'idée que vous vous faisiez de Clarissa, non ? demanda A.J. au bout d'un petit moment.

— Il m'a suffi de cinq minutes pour comprendre que Clarissa n'avait pas besoin de toute cette camelote.

Il avait fait la réponse appropriée. Elle essaya de ne pas trop s'en réjouir.

— En fait, Clarissa s'amuse à collectionner les attributs de la profession, expliqua-t-elle.

— Elle ne les utilise pas ?

— Non, c'est juste un passe-temps. C'est une amie, autrefois, qui lui a offert ce jeu de tarots dégoté chez un antiquaire, en Angleterre. Puis la collection s'est enrichie au fil des années.

— Cela vous contrarie, on dirait ?

A.J. haussa les épaules.

— Tant que Clarissa se contente de les regarder, je n'y vois rien à redire.

— Avez-vous déjà essayé ce truc ? demanda David en lui montrant la tablette oui-ja.

— Non.

Il aurait juré qu'elle mentait.

— Vous ne croyez à rien de tout cela, si je comprends bien ?

— Je crois en Clarissa. Tout le reste est de la mise en scène.

— Vous n'avez jamais eu envie de lui demander de se pencher sur cette boule de cristal et de vous prédire l'avenir ?

— D'une part, Clarissa n'a pas besoin de boule de cristal. De l'autre, elle ne prédit pas l'avenir.

— Pour quelqu'un qui a autant de pouvoirs, c'est bizarre.

— Je n'ai jamais dit qu'elle ne *pouvait* pas le faire. Si elle ne le fait pas, c'est parce qu'elle ne *veut* pas le faire.

David, qui tripotait un talisman en ivoire, s'immobilisa.

— Et pour quelles raisons ?

— Clarissa déplore toutes les escroqueries auxquelles ce genre de prédictions donne lieu. Elle a toujours refusé de prédire quoi que ce soit, à quelque prix que ce soit.

— Mais si elle en est capable, c'est un peu dommage.

— Elle se sent responsable de l'usage qu'elle fait de son don, et ne veut pas risquer de l'utiliser à mauvais escient.

— Vous voulez dire qu'elle met ses facultés en veilleuse ?

— En partie. Un médium reçoit et transmet la réalité

suprasensible en fonction de ce qu'il est prêt à recevoir et à transmettre.

— Vous êtes bien informée, à ce que je vois…

Il était diaboliquement perspicace, se souvint-elle tout à coup. La plus grande prudence s'imposait.

— Au contact de Clarissa, on finit par apprendre tout un tas de choses, expliqua-t-elle d'un ton qu'elle voulut désinvolte.

David marcha droit sur elle et planta son regard dans le sien. Puis il lui prit son verre des mains et but une gorgée de vin.

— J'ai l'impression que cette pièce vous met mal à l'aise, A.J. À moins que ce ne soit moi ?

— Vos intuitions vous égarent, David. Clarissa pourra vous aider à les affiner, si cela vous intéresse.

— Vous avez les mains moites, fit-il remarquer en saisissant dans la sienne la main de la jeune femme. Et votre pouls bat à tout rompre. Ce n'est pas une intuition, ma chère, c'est un constat !

Il fallait à tout prix qu'elle se ressaisisse. Levant crânement les yeux vers lui, elle déclara :

— La faute en incombe au pain de viande.

— Hier, déjà, vous avez failli vous évanouir. Je vous fais un drôle d'effet, on dirait.

Plus dévastateur que drôle, songea A.J. avec une ironie amère. Elle n'en avait pas dormi de la nuit.

— Je vous ai expliqué ce qui s'était passé.

— Je n'en ai pas cru un mot. Vous m'avez raconté n'importe quoi, et si j'en suis persuadé, c'est sans doute parce que je suis troublé, moi aussi. Vous m'intriguez beaucoup, Aurora.

Elle avait appris à contrôler ses émotions. Il l'avait

bien fallu. C'était le moment ou jamais de montrer sa maîtrise d'elle-même. Elle lui reprit tranquillement son verre et le vida d'un trait. Mais lorsqu'elle sentit le goût de sa bouche sur le rebord du verre, elle comprit son erreur.

— David, je vous rappelle que je ne suis pas votre genre.

— Exact, dit-il en glissant derrière sa nuque une main qu'il enfouit dans sa chevelure. Mais je m'en fiche.

Comme il se penchait vers elle, A.J. hésita. Ou elle prenait lâchement la fuite, ou elle restait de glace face à l'offensive. Elle choisit cette dernière option. Ce fut sa seconde erreur.

Il savait s'y prendre avec les femmes. Il savait les rendre pantelantes de désir. Sans hâte aucune, sa bouche effleura celle d'A.J. qui se figea. Du bout de la langue, il explora ses lèvres tandis que sa main continuait de lui caresser la nuque. Elle frémit et ferma les yeux, s'abandonnant peu à peu aux baisers qu'il déposait maintenant tout le long de sa mâchoire.

A son corps défendant, A.J. finit par céder sous l'assaut de ses baisers. Lorsque le verre de vin lui glissa des mains et atterrit sur la moquette, ni l'un ni l'autre ne s'en aperçurent.

Pour le parfum, il ne s'était pas trompé. De près, la fragrance devenait capiteuse, grisante, mystérieuse, et semblait comme exsudée par la peau elle-même. Ce parfum, il sut d'instinct qu'il ne l'oublierait jamais. Ni non plus la femme qui le portait.

Lorsqu'il revint à sa bouche, ses lèvres étaient entrouvertes, offertes à ses baisers. Mais il recula lentement. Il se sentait en danger. La croqueuse d'hommes se révélait être une femme douce et sensible qui risquait de l'avoir par les sentiments. Cela donnait matière à réflexion.

— Je crois que vous aussi, Aurora, vous me faites un drôle d'effet, murmura-t-il, aussi bouleversé qu'elle.

Elle avait le ventre en feu, les jambes en coton, l'esprit en déroute.

— Si nous devons travailler ensemble…, commença-t-elle.

— Nous *allons* travailler ensemble, déclara David.

Elle poussa un soupir excédé.

— Il va falloir que vous appreniez les règles de base. Je ne couche pas avec n'importe qui, et en tout cas jamais avec mes clients ou mes relations de travail.

Il fut soulagé de l'apprendre, mais évita soigneusement de se demander pourquoi.

— Cela restreint sacrément votre champ d'action.

— Ce sont mes affaires, rétorqua-t-elle sèchement. Ma vie privée est totalement dissociée de ma vie professionnelle.

— C'est un principe louable qui dans une ville comme L.A. ne doit pas être facile à mettre en œuvre. Quoi qu'il en soit…

Il s'interrompit pour replacer derrière l'oreille de la jeune femme une mèche de cheveux qui s'était échappée.

— Je ne vous ai pas demandé de coucher avec moi.

A.J. lui saisit le poignet pour le repousser.

— Je vous déconseille de le faire, si vous ne voulez pas essuyer une rebuffade qui vous ferait perdre la face.

— Le risque n'est pas bien grand, dit-il en lui caressant la joue d'un doigt nonchalant. De perdre la face, j'entends.

— Arrêtez ça tout de suite.

Il la dévisagea sans vergogne. Cette fille avait décidément quelque chose. Elle n'était ni d'une beauté transcendante, ni particulièrement sexy, pourtant. Pourquoi la désirait-il à ce point et l'imaginait-il nue, lovée contre lui ?

— Il y a quelque chose entre nous, dit-il.

— Oui, une franche hostilité, répliqua-t-elle.

Il lui décocha un sourire à mille watts qui l'électrisa.

— Certes, admit David. Mais nous nous connaissons depuis trop peu de temps pour nous détester vraiment. Et d'ailleurs, il y a trente secondes, je me voyais en train de vous faire l'amour. Croyez-moi, je ne réagis pas comme ça avec toutes les femmes que je rencontre.

A.J. sentit ses paumes devenir moites, de nouveau.

— Dois-je en être flattée ?

— Notre collaboration sera nettement plus fructueuse si nous apprenons à nous connaître, susurra-t-il.

Elle avait une folle envie de battre en retraite. C'était si suspect qu'elle s'obligea à camper sur ses positions.

— Mettons les choses au point : je représente Clarissa DeBasse, et à ce titre je défends ses intérêts et la protège. Si vous cherchez à lui nuire, que ce soit sur le plan professionnel ou sur le plan personnel, je vous massacre. Cela mis à part, nous n'avons rien à craindre l'un de l'autre.

— L'avenir le dira.

Alors seulement, A.J. s'autorisa à reculer d'un pas. Elle ne prenait pas la fuite, elle allait juste éteindre la lumière.

— J'ai une réunion très tôt demain matin. Allons signer ce contrat, Brady. Puis chacun de nous fera ce qu'il croit devoir faire.

3

La préparation d'une nouvelle émission mettait généralement l'équipe en transe. Chacun s'investissait à fond dans le projet. David le premier. Jongler avec les chiffres afin d'équilibrer le budget était un exercice périlleux dont se jouait son esprit pratique. Faire coïncider les fonds qui lui étaient alloués avec les moyens techniques à mettre en œuvre était une gageure que sa créativité relevait avec un enthousiasme chaque fois renouvelé. Si cela n'avait pas été le cas, il n'aurait jamais choisi de faire ce métier.

On disait de lui qu'il savait ce qu'il voulait et ne renonçait jamais. Cette opiniâtreté ne s'exerçait pas dans le seul cadre de sa vie professionnelle. Plus qu'un trait de caractère, elle était chez lui une seconde nature. En tant que réalisateur, il était exigeant — souvent intransigeant, aux dires de certains metteurs en scène. En tant qu'homme, il était généreux — pas toujours chaleureux, aux dires de certaines femmes.

David laissait à ses collaborateurs la bride sur le cou. Mais qu'ils s'avisent de prendre la mauvaise direction, et il avait tôt fait de les remettre dans le droit chemin. Il était ouvert à la discussion, et même prêt à accepter les compromis. Mais compromis ou pas, il finissait toujours par imposer son point de vue et sa manière de faire.

Dans sa vie privée, il se montrait tendre et conciliant avec ses compagnes. Il se prêtait à tous leurs caprices, accédait à tous leurs désirs. Mais qu'elles s'avisent de devenir envahissantes et il avait tôt fait de les remettre à leur place. Là encore, il lui arrivait de revenir sur ses positions. Mais fondamentalement, il ne changeait pas d'un iota.

S'ils le trouvaient exigeant, les metteurs en scène n'hésitaient pas à retravailler avec lui. Et les femmes qui lui reprochaient sa froideur sautaient de joie lorsqu'elles entendaient sa voix au téléphone.

Il n'y avait là aucun calcul de sa part. Ce n'était pas un genre qu'il se donnait. Simplement, David faisait toujours passer en premier ses convictions et son bien-être personnels.

Dès que le projet fut agréé, qu'ils eurent été d'accord sur le découpage de l'émission et sur les endroits où elle serait enregistrée, David put enfin se mettre au travail. Le premier volet serait consacré à Clarissa DeBasse. Elle lui était sympathique. Et pas seulement à cause de son agent.

Il avait prévu initialement d'interviewer Clarissa chez elle, mais A.J. Fields lui signifia qu'il n'en était pas question. Que la vie privée de Mme DeBasse était sacrée. Qu'il était inutile d'insister. David trouva aussitôt la parade : il fit recréer en studio l'intérieur douillet de la voyante et recruta pour l'interviewer un journaliste qui avait de la bouteille. Sérieux, consciencieux, et reconnu dans le milieu, Alex Marshall était l'homme de la situation.

Pour le reste, David donna carte blanche à son équipe. S'il avait eu, par le passé, quelques démêlés avec son metteur en scène, les reportages qu'ils avaient réalisés ensemble avaient été primés. Au fond, seul le résultat final comptait.

— Et le filtre, bon sang ! hurla le metteur en scène. Il faut soigner l'ambiance. Ce studio ressemble peut-être à un show-room Roche et Bobois, mais on doit jouer le jeu. En piste, Alex ! J'aimerais voir ce que ça donne.

— O.K.

Alex éteignit son cigare et s'avança sous les projecteurs. David consulta sa montre. Clarissa était en retard. Dans dix minutes, si elle n'était toujours pas arrivée, il la ferait appeler par un de ses assistants. Tandis que le metteur en scène peaufinait l'éclairage, Alex répétait son intro. Tout était nickel. Constatant qu'on n'avait pas besoin de lui, David décida d'aller téléphoner lui-même à Clarissa. Ou d'appeler l'agence, plutôt. Tant pis si A.J. le prenait mal.

— Oh, David, je vous prie de m'excuser.

Clarissa trottinait dans sa direction, méconnaissable. Son chignon, très travaillé, lui donnait un petit air glamour et la rajeunissait de plusieurs années. Elle était élégante, maquillée avec soin, et portait autour du cou, en pendentif, une énorme améthyste du plus bel effet.

— Clarissa, vous êtes resplendissante, dit-il en lui tendant les mains.

— Merci, mon cher. Il a fallu que je me prépare à toute vitesse. J'étais persuadée que l'interview était demain. Quand Aurora est arrivée, j'arrosais mes pétunias.

David ne put s'empêcher de scruter le bout du couloir.

— A.J. est là ?

— Elle gare sa voiture. Vous savez, je m'en veux beaucoup de lui causer tous ces tracas.

— Elle n'a pas l'air de s'en plaindre.

— Bien sûr que non. Aurora est d'une telle générosité.

Il préféra s'abstenir de tout commentaire.

— On y va, ou vous préférez d'abord boire un thé ou un café ?

— Non, pas d'excitant quand je travaille. Ils ont tendance à me brouiller l'esprit. Vous me paraissez tendu, David, remarqua Clarissa, qui n'avait toujours pas lâché ses mains.

Lorsqu'il vit arriver A.J., sa nervosité monta encore d'un cran.

— Sur un tournage, j'ai du mal à ne pas l'être, répondit-il, l'esprit ailleurs.

A.J. avait une démarche très féline, à la fois souple et rapide, qu'il n'avait encore jamais eu l'occasion d'observer.

— Cela n'explique pas tout, déclara Clarissa. Mais je ne veux pas me mêler de ce qui ne me regarde pas. Ah, voilà Aurora. On y va ?

— Nous n'attendions plus que vous, murmura David, les yeux toujours rivés sur A.J.

— Bonjour, David. J'espère que nous n'avons pas bouleversé vos plans.

Elle était directe, à l'aise, aussi professionnelle que la première fois qu'il l'avait vue. Curieusement, il remarqua qu'elle ne portait pas de rouge à lèvres. Et il se demanda si elle s'était parfumée. Il aurait bien voulu s'approcher pour en avoir le cœur net. Mais il prit le bras de Clarissa.

— Non, pas du tout. Je suppose que vous voulez assister à l'émission ?

— Oui, naturellement.

— C'est par ici, dit-il à Clarissa en poussant la porte du studio. Voici le metteur en scène, Sam Cauldwell. Sam…

Apparemment, David se moquait pas mal de déranger son metteur en scène en plein travail. Le fait qu'il attende que Cauldwell vienne à lui n'échappa pas à A.J. Elle pouvait difficilement le lui reprocher : à sa place, elle aurait fait pareil.

— Sam, reprit David, je te présente Clarissa DeBasse.

Cauldwell s'empressa de lui serrer la main.

— Enchanté, madame DeBasse. La lecture de vos deux livres m'a été d'un grand secours dans la préparation de cette émission.

— Je suis très flattée. J'espère qu'ils vous ont plu.

Dubitatif, Cauldwell haussa les sourcils.

— Ce qui est sûr, c'est qu'ils ont éveillé ma curiosité.

— Mme DeBasse est prête à commencer quand vous voulez.

— Parfait, répondit Cauldwell. Veuillez prendre place ici. Nous allons tester le micro et vérifier une dernière fois l'éclairage.

A.J. ne lâchait pas Cauldwell des yeux. David s'en étonna.

— C'est une habitude, chez vous, de garder toujours un œil sur vos clients ?

— Oui. Mais vous semblez faire la même chose avec vos metteurs en scène, non ?

— Allons là-bas, dit David sans relever le sarcasme. Vous verrez mieux.

Elle le suivit docilement tandis que Clarissa faisait la connaissance du présentateur de l'émission. Grand, mince, le teint hâlé et les cheveux grisonnants, Alex Marshall était un fringant quinquagénaire visiblement assez sûr de lui.

— Le choix du présentateur est très judicieux, remarqua-t-elle.

— Il fallait quelqu'un qui inspire confiance.

— Certes.

— Alex Marshall a vingt-cinq ans de métier, et il n'est pas du genre à cautionner n'importe quoi. Ou plutôt n'importe qui. Si vous faites venir sur le plateau une diseuse de bonne aventure, il n'hésitera pas à la mettre en boîte.

A.J. le regarda droit dans les yeux.

— Clarissa n'a rien à craindre de ce côté-là.

David hocha lentement la tête.

— J'en suis convaincu. J'ai essayé de vous joindre, la semaine dernière.

— Oui, je sais, répondit A.J. en se demandant ce qu'Alex avait bien pu dire de si drôle à Clarissa, qui riait aux éclats. J'ai été débordée. En tout cas, la reconstitution du salon de Clarissa est vraiment réussie. On s'y croirait presque.

— C'était le but recherché. Pourquoi m'évitez-vous, A.J. ?

Il se planta devant elle, de manière à lui boucher la vue et à l'obliger à le regarder. Pour se venger, elle le détailla de pied en cap, passant en revue ses vieilles baskets, son pantalon froissé, et sa chemise à col ouvert.

— J'espérais que vous capteriez le message.

— J'aurais pu renoncer, répondit David en caressant

du doigt le quartier de lune en argent qu'elle portait au revers de sa veste. Mais je sais qu'elle ne me laissera pas faire, dit-il avec un regard oblique en direction de Clarissa.

A.J. s'attendait à ce qu'il lui tienne ce genre de discours, s'y était préparée mentalement, avait réfléchi à ce qu'elle lui répondrait. Mais c'était moins facile qu'elle ne l'imaginait.

— Ecoutez, David, vous n'êtes pas homme à vous accrocher à tout prix, surtout quand aucun espoir n'est permis.

— Non, en effet, dit-il sans cesser de tripoter la broche. Pas plus que vous n'êtes femme à feindre l'indifférence par coquetterie.

— Je ne feins rien du tout. Mon indifférence est bien réelle, si vous voulez le savoir. Et si vous vous poussiez, cela m'arrangerait. Vous me gênez, figurez-vous.

— Je crois que je n'ai pas fini de vous gêner, marmonna David en s'écartant.

Après quarante-cinq minutes de discussions, mises au point et réglages, l'enregistrement put enfin commencer. A.J. trouva le temps long, mais elle était soulagée de savoir David occupé. Quant à Clarissa, elle attendait, un verre d'eau à la main, qu'on veuille bien commencer.

Lorsque tout fut prêt, Alex vint s'asseoir à côté d'elle et engagea la conversation. A ses questions, Clarissa répondait avec précision et concision, dans un langage simple que tout un chacun pouvait comprendre. Il fut question de clairvoyance, de divination, d'astrologie. Parfaitement à l'aise, Clarissa s'en sortait à merveille.

A.J. baissa sa garde. Tout se passait pour le mieux.

Puis un assistant apporta un jeu de cartes.

A.J. se leva d'un bond, prête à intervenir. Mais d'un imperceptible mouvement de tête, Clarissa lui fit signe de ne pas bouger.

— Il y a un problème ? demanda David.

La jeune femme ne l'avait pas entendu venir. Ses yeux se braquèrent sur lui tels deux canons de fusil.

— Ce n'était pas prévu dans le contrat, lança-t-elle.

Surpris par sa réaction, il observa ce qui se passait sur le plateau.

— Les cartes ? Nous en avons discuté avec Clarissa.

— La prochaine fois, Brady, c'est avec moi qu'il faudra en discuter, gronda-t-elle entre ses dents.

Il s'abstint de répondre et reporta son attention sur Alex, dont la voix grave et bien timbrée s'éleva dans le studio.

— Madame DeBasse, on utilise couramment les cartes pour tester la perception extrasensorielle.

— En effet. Mais ce test n'est pas toujours probant. La télépathie aussi peut se mesurer au moyen des cartes.

— Vous-même avez subi ce genre de tests dans plusieurs universités et centres de recherches aux Etats-Unis et en Angleterre.

— Absolument.

— Auriez-vous l'obligeance de nous expliquer la manière dont cela se passe ?

— Oui, bien sûr. En général, on utilise pour ces tests des cartes de deux couleurs et cinq formes. Des carrés, des cercles, des lignes brisées, etc. A partir de là, on peut mathématiquement déterminer la part du hasard, et la part de ce qui ne relève *pas* du hasard. Avec deux couleurs, par exemple, on tombe juste une fois sur deux. Si le sujet observé réussit un score supérieur à cinquante pour cent, on peut supposer qu'il ne se fie pas seulement au hasard.

— Cela semble assez simple.

— Avec les couleurs seules, c'est effectivement simple. Prenons les formes, à présent. Dans un jeu de vingt-cinq cartes, si le sujet totalise quinze bonnes réponses, ses facultés extrasensorielles sont indéniables.

— Oui, mais comment faites-vous pour deviner de quelle carte il s'agit ? demanda Alex en battant nonchalamment les cartes qu'il avait dans les mains. Quand on vous montre une carte, vous avez une précognition ?

— Il s'agit plutôt d'une image mentale.

— Vous voulez dire que vous *voyez* la carte ?

— Quand vous lisez, monsieur Marshall, les mots, les phrases se forment dans votre esprit. C'est à peu près la même chose, expliqua Clarissa avec un sourire.

David, qui ne perdait pas une miette de la démonstration, songea qu'elle connaissait diablement bien son affaire.

— Je vois, dit le présentateur, pour le moins sceptique. Cela fait appel à l'imagination.

— Ce genre de facultés implique une maîtrise totale de l'imagination et une très grande concentration.

— Est-ce à la portée de tout le monde ?

— Les avis sont partagés. Certains chercheurs pensent que n'importe qui peut développer des pouvoirs extrasensoriels. Que cela s'apprend. D'autres soutiennent que ces pouvoirs sont innés. On naît médium et, en aucun cas, on ne le devient. Ma position se situe entre les deux.

— C'est-à-dire ?

— Je pense que chacun d'entre nous possède un

certain degré d'intuition. Mais rares sont ceux qui utilisent et développent cette faculté. La plupart des gens préfèrent la laisser de côté. C'est plus confortable.

— Vos pouvoirs ont été reconnus. Nous aimerions que vous nous en fassiez la démonstration. Acceptez-vous de tenter l'expérience, madame DeBasse ?

— Oui, sans problème.

— Voici un jeu de cartes ordinaire. Il a été acheté ce matin et vous ne l'avez jamais eu en mains. Est-ce bien exact ?

— Oui, je confirme. Les cartes et moi, nous ne faisons pas bon ménage, confia Clarissa avec un petit sourire d'excuse.

Admiratif, David applaudit mentalement.

— Si j'en choisis une au hasard, dit Alex en tirant une carte du paquet, pouvez-vous me dire de quelle carte il s'agit ?

— Non.

Elle souriait toujours tandis que David s'apprêtait à faire signe de couper.

— Il faut que vous la regardiez, monsieur Marshall, comme si vous vouliez l'imprimer dans votre esprit.

Alex s'exécuta aussitôt.

— Je ne vous trouve pas très concentré, dit Clarissa. Mais il s'agit d'une carte rouge. Ah, voilà qui est beaucoup mieux ! C'est le neuf de carreau, annonça-t-elle d'un ton triomphant.

La caméra fit un gros plan sur le visage stupéfait du présentateur, qui retourna la carte. Il s'agissait bien du neuf de carreau.

Il procéda à un deuxième essai, tout aussi confondant. La troisième fois, Clarissa fronça les sourcils.

— Vous essayez de m'induire en erreur en mémorisant une carte différente de celle que vous avez tirée. Cela complique un peu les choses, mais l'image qui s'impose à moi est celle du dix de pique.

— Extraordinaire ! s'exclama Alex en retournant le dix de pique. C'est fascinant !

— Oh, vous savez, cela se pratique couramment dans les arrière-salles de café. N'importe quel petit malin peut arriver au même résultat. En procédant différemment, bien sûr.

— Vous voulez dire qu'il y a un truc ?

— Cela peut être truqué. Pas en ce qui me concerne. N'étant pas très habile, je n'essaierai même pas. Mais il y a des gens qui font ça très bien.

— Vous avez débuté en lisant les lignes de la main, enchaîna Alex en reposant le jeu de cartes.

— Il y a de cela de nombreuses années. Ce n'est pas sorcier. Il suffit de parcourir un ou deux ouvrages de vulgarisation pour savoir repérer et interpréter les lignes de la main, expliqua Clarissa en tendant ses deux paumes. Mais ce n'est pas tant aux lignes que s'intéresse un médium quand il prend votre main dans la sienne. C'est à ce qu'il perçoit de vous à travers votre main.

Alex l'écoutait avec intérêt, mais il n'avait pas l'air plus convaincu pour autant.

— J'ai un peu de mal à croire qu'il vous suffit de toucher ma main pour percevoir ce que je ressens.

— Vos émotions sont en général assez facilement déchiffrables. Elles s'expriment de mille façons qui n'ont rien à voir avec la divination. Maintenant, si je prends votre main et vous dis d'emblée que vous êtes un homme de communication et que vous gagnez bien votre vie, ce ne sera pas vraiment un scoop. Mais je peux sans doute aller un peu plus loin. Si vous permettez…

Clarissa prit la main d'Alex dans la sienne.

— Oh ! fit-elle en le dévisageant d'un air consterné.

A.J. voulut intervenir, mais David l'en empêcha.

— Laissez-la faire, dit-il à mi-voix. C'est un documentaire ; cela doit rester spontané. Au besoin, nous pourrons couper.

— Ce sera à Clarissa de décider.

La main de Clarissa était douce et ferme sous celle d'Alex, mais elle faisait des yeux comme des soucoupes.

— C'est si grave que ça ? demanda-t-il, mi-figue, mi-raisin.

Elle émit un petit rire et s'éclaircit la voix.

— Oh, non, pas du tout. Mais vous émettez de très fortes vibrations, monsieur Marshall.

— C'est ce qu'on dit.

— Vous êtes veuf. Votre femme est morte il y a une quinzaine d'années. Vous avez été un mari exemplaire et un excellent père, continua Clarissa avec un sourire.

— Cela fait toujours plaisir à entendre, mais ça aussi, je le savais déjà.

Clarissa ne releva pas.

— Vos enfants sont aujourd'hui tous les deux bien établis dans la vie. C'est un gros souci de moins, même s'ils ont été relativement faciles à élever. Votre fils, cependant, vous a donné du fil à retordre, à une époque. Mais certaines personnes mettent plus de temps que d'autres à trouver leur voie, n'est-ce pas ?

Alex ne souriait plus. A son tour, il la fixait.

— Oui, sans doute, murmura-t-il.

— Vous êtes un perfectionniste, aussi bien dans votre

travail que dans votre vie privée. Cela mettait la barre un peu haut pour votre fils. Comme tous les parents, vous vous inquiétiez de son avenir. Un peu trop, peut-être. Mais maintenant qu'il va devenir père, vous êtes plus proches. La perspective d'avoir des petits-enfants vous enchante. En même temps, elle vous fait réfléchir à votre propre avenir. A mon avis, vous auriez tort de prendre votre retraite. La pêche, c'est bien joli, mais un homme tel que vous, dans la force de l'âge, qui aime se démener et relever des défis risque de s'ennuyer ferme au fond de sa barque. Vous devriez plutôt…

Elle s'interrompit brusquement et secoua la tête.

— Pardonnez-moi. J'ai tendance à me laisser emporter quand quelqu'un m'intéresse. Et dans ces cas-là, j'ai toujours peur d'en dire trop.

— Non, pas du tout. Madame DeBasse, vous êtes vraiment stupéfiante.

— Coupez !

Sam Cauldwell se retint d'aller remercier Clarissa à genoux pour cette révélation. Qui aurait soupçonné qu'Alex Marshall envisageait de prendre sa retraite ? Personne n'en avait soufflé mot.

— Je veux voir l'enregistrement dans trente minutes. Merci, Alex, tu as été parfait. Madame DeBasse…

Il lui aurait de nouveau serré la main s'il n'avait craint d'émettre de mauvaises vibrations.

— Merci pour votre prestation. Je suis impatient de vous retrouver pour le deuxième volet de cette émission.

Il était encore en train de la féliciter lorsque A.J. la rejoignit. La jeune femme savait ce qui allait se passer. Un technicien viendrait parler à Clarissa d'un « truc bizarre qui lui était arrivé ». Un autre lui demanderait de lui lire les lignes de la main. Les questions fuseraient et, en moins de deux, Clarissa serait assaillie de toute part.

— Si tu es prête, je te ramène chez toi, proposa A.J.

— Je croyais que nous nous étions mises d'accord, dit Clarissa en cherchant des yeux son sac à main. Newport Beach est bien trop loin pour que tu fasses l'aller et retour. Je prendrai un taxi.

A.J. lui tendit le sac que Clarissa lui avait confié avant d'entrer sur le plateau.

— Ah, merci. Je me demandais où il était passé.

— Un chauffeur va vous raccompagner, proposa obligeamment David en se gardant bien de regarder A.J., dont il sentait la franche hostilité. Il est hors de question de vous laisser rentrer en taxi.

— C'est très gentil.

— Merci, mais ce ne sera pas la peine, dit sèchement A.J.

— Non, en effet, intervint Alex. J'espère que Mme DeBasse m'autorisera à la reconduire chez elle — après avoir accepté mon invitation à dîner.

— Avec plaisir, répondit Clarissa sans laisser à A.J. le temps de placer un mot. Vous ne m'en voulez pas, au moins, pour ce que j'ai dit tout à l'heure ?

— Non, pas du tout. Vous m'avez beaucoup impressionné.

— Vous me flattez. Je te remercie, A.J., d'être restée pendant tout l'enregistrement, dit Clarissa en embrassant son agent sur la joue. Bonsoir, David.

— Bonsoir, Clarissa. Alex. Passez une bonne soirée.

David les regarda s'éloigner, bras dessus bras dessous.

— Joli couple ! murmura-t-il.

A.J. se tourna vers lui comme si elle voulait le mordre.

— Pauvre crétin !

Elle était sur le point de pousser les portes du studio lorsqu'il la rattrapa.

— Quelle mouche vous a piquée ?

S'il n'avait pas eu ce sourire narquois sur les lèvres, elle se serait peut-être contrôlée.

— Je veux voir cet enregistrement, Brady. Si les quinze dernières minutes ne me plaisent pas, il faudra les couper.

— Si je me rappelle bien les termes du contrat, vous n'avez aucun droit de veto.

— Il n'était pas prévu dans le contrat que Clarissa lirait les lignes de la main, rétorqua la jeune femme du tac au tac.

— Je vous l'accorde. Alex a improvisé, mais tout s'est très bien passé, alors où est le problème ?

— Comment cela, où est le problème ? Vous étiez là, bon sang ! tempêta A.J. en poussant d'un coup d'épaule les portes du studio.

David la rattrapa par le bras.

— J'étais là, oui. Mais j'ai raté quelque chose, on dirait.

— Clarissa était mal à l'aise. Quand elle a pris la main d'Alex, elle a senti quelque chose qui l'a perturbée. Regardez la bande. Vous verrez que pendant plusieurs secondes, elle le fixe sans rien dire.

— Cela ajoute au mystère. C'est excellent pour l'émission.

— Je me fiche pas mal de votre émission ! riposta A.J. en se dégageant si vivement qu'il faillit aller valdinguer dans le mur. Je n'aime pas la voir comme ça. Clarissa est un être humain, pas une marchandise, que diable !

— O.K., pas la peine de vous énerver.

David lui courait après tandis qu'elle se dirigeait vers la sortie d'un pas de grenadier.

— Quoi qu'il en soit, elle n'avait pas l'air perturbé quand elle est partie.

— Vous avez outrepassé vos droits et je déteste ça. Avec ces cartes débiles, tout d'abord. J'en ai marre qu'on la mette tout le temps à l'épreuve.

— Les cartes étaient incontournables, A.J. Ce test, elle l'a passé des dizaines de fois dans des conditions autrement plus stressantes.

— Justement ! Ce n'était pas la peine de le lui imposer de nouveau. Même chose pour les lignes de la main.

Après avoir dévalé deux à deux les marches conduisant au parking, A.J. se dirigea vers sa voiture, David sur ses talons.

— Je ne sais pas ce qui l'a perturbée. J'aurais voulu le lui demander, mais ce grand escogriffe à voix de velours ne m'en a pas laissé le temps.

— Alex ? dit David sans pouvoir réprimer un éclat de rire. Vous, alors, vous êtes impayable !

Blême de colère, les lèvres pincées, elle le foudroya du regard.

— Vous trouvez ça drôle ? Clarissa a suivi ce type je ne sais où. Elle va passer la soirée avec lui et se laisser raccompagner alors qu'elle ne sait rien de lui. Si jamais il lui arrive quelque chose…

David leva les yeux au ciel.

— Que voulez-vous qu'il lui arrive ? Alex Marshall n'est pas un détraqué. Et Clarissa est assez grande pour savoir ce qu'elle fait — et pour sortir avec qui bon lui semble.

— Elle ne sort pas avec lui !

— Ah bon ?

Renonçant à répondre, A.J. fit volte-face et commença à s'éloigner.

— Pas si vite ! dit David en se plaçant devant elle. Je n'ai pas l'intention de vous poursuivre à travers toute la ville.

— Retournez au studio et visionnez cet enregistrement.

— Je n'ai pas d'ordre à recevoir de vous. Ce n'est pas ma faute si vous êtes paranoïaque, A.J. Je ne comprends pas que vous fassiez toute une histoire parce qu'une cliente accepte une invitation à dîner.

— Clarissa est ma mère, si vous voulez le savoir !

Cet aveu leur coupa le sifflet à tous les deux. Comment ne l'avait-il pas deviné ? se demanda David sans lâcher la jeune femme, qui peinait à recouvrer son souffle. A la forme du visage, aux yeux surtout, c'était pourtant évident.

— Mince, alors !

— Oui, comme vous dites, marmonna A.J. en s'adossant au capot d'une voiture, garée derrière elle. Cela doit rester entre nous. Ne dites rien à personne, surtout.

— Pourquoi ?

— Parce que Clarissa et moi préférons que ça ne se sache pas. Il s'agit de notre vie privée.

— Je comprends mieux, maintenant, pourquoi vous la couvez autant. Mais je pense quand même que vous en faites un peu trop.

— Pensez ce que vous voulez, mais poussez-vous ! J'aimerais pouvoir regagner ma voiture.

David ne bougea pas d'un pouce.

— Si vous vous mêlez autant de la vie de votre mère, c'est peut-être que la vôtre manque d'intérêt.

— Ma vie ne vous regarde pas, Brady.

— Pas pour l'instant, mais notre collaboration m'oblige à m'intéresser à celle de Clarissa. Lâchez-lui un peu la bride, que diable !

Il avait raison, bien sûr, et cela la rendit encore plus furieuse.

— Vous ne pouvez pas comprendre.

— Peut-être pourriez-vous m'expliquer ?

— Imaginez qu'Alex Marshall en profite pour lui extorquer une interview, pour la harceler de questions…

— Pourquoi ne l'aurait-il pas invitée simplement parce qu'il la trouve charmante et d'agréable compagnie ? Vous semblez douter du pouvoir de séduction de Clarissa.

— Je ne veux pas qu'elle souffre.

Plutôt que d'essayer de la convaincre, probablement en pure perte, David opta pour une tout autre stratégie.

— Allons faire un tour, proposa-t-il.

— Pardon ?

— Un tour en voiture. Tous les deux. Je vous signale au passage, dit David en souriant, que la voiture contre laquelle vous vous appuyez est la mienne.

— Oh, pardon, marmonna A.J. en se redressant. Je dois retourner au bureau. J'ai du travail. J'ai tout laissé en plan.

— Ça attendra bien demain. Une balade le long du bord de mer vous fera le plus grand bien.

Tout en parlant, David avait sorti ses clés de voiture et déverrouillé les portières.

C'était tentant, songea A.J., honteuse de s'être

bêtement laissé emporter. Le grand air, la vitesse lui videraient la tête.

— Vous allez la décapoter ?

— Oui, bien sûr.

C'était exactement ce dont elle avait besoin, constatat-elle, un instant plus tard. La radio à tue-tête rendant toute conversation impossible, David la laissait tranquille, aussi put-elle fermer les yeux et lâcher prise.

Cela faisait des lustres qu'elle n'avait pas roulé ainsi, sans but, sans contrainte horaire, juste pour le plaisir. Et c'était si bon…

Qui était-elle vraiment ? se demandait David en la regardant s'affaisser peu à peu sur son siège, s'abandonner à une douce somnolence. Un agent intraitable qui exigeait dix pour cent de commission sur tous les contrats qu'elle négociait ? Une jeune femme très attachée à sa mère, qui défendait bec et ongles les intérêts de celle-ci, s'opposait farouchement à toute exploitation abusive de son image, mais n'oubliait pas de prendre son pourcentage au passage ?

Lui qui pourtant était si perspicace, d'habitude, quand il s'agissait de se faire une opinion des gens qui l'entouraient, ne savait pas quoi en penser. Quand il l'avait embrassée, elle lui avait paru si fragile, si vulnérable. Cette facette de sa personnalité ne correspondait pas à l'image qu'elle donnait. Qu'elle *se* donnait. Pourquoi ce décalage ?

— Vous avez faim ?

Elle souleva les paupières et tourna la tête vers lui. Son regard le frappa. Comment avait-il pu ne pas remarquer la ressemblance avec Clarissa ? Dans la forme et la couleur de leurs yeux, et dans cette intensité si particulière qu'elles avaient toutes deux dans le regard ? L'idée qu'elles avaient peut-être d'autres points communs lui effleura l'esprit. Mais il ne s'y attarda pas.

— Pardonnez-moi, murmura-t-elle. J'étais un peu ailleurs.

Mais elle aurait pu décrire son visage dans ses moindres détails. Depuis ses pommettes saillantes jusqu'à la fente au milieu de son menton : rien ne lui avait échappé. Exhalant un soupir, elle s'étira longuement.

— Vous avez faim ? répéta David.

— Oui, un peu. Combien de kilomètres avons-nous parcourus ?

Pas encore assez, songea-t-il fugacement.

— Une trentaine, je pense. Vous avez le choix, dit-il en se garant au bord de la route et en lui indiquant le restaurant qui se trouvait d'un côté, et le fast-food, de l'autre.

— Je mangerais bien un hamburger. A condition qu'on puisse s'asseoir sur la plage.

— J'ai de la chance de sortir avec une femme qui se contente d'aussi peu.

— Nous ne sortons pas ensemble !

— J'avais déjà oublié. En ce cas, vous paierez votre part.

C'était la première fois qu'il l'entendait rire d'aussi bon cœur. Il en fut tout chamboulé.

— Qu'avez-vous choisi ? demanda-t-il, au comptoir.

— Un maxi-cheese-burger, une grande portion de frites et un milk-shake au chocolat.

Ils passèrent commande et regardèrent, en attendant d'être servis, des baigneurs qui s'amusaient à sauter dans les vagues. Les mouettes faisaient un vacarme épouvantable, se disputant les restes de nourriture abandonnés sur la plage.

— Je vous suis, dit David en s'emparant lestement des sacs en papier contenant leur repas.

— Allons au bord de l'eau. J'aime bien regarder les gens se baigner.

Elle se déchaussa et, ses sandales à la main, s'avança sur la plage. Puis, sans se préoccuper le moins du monde de sa jupe en lin, A.J. s'assit dans le sable. Les yeux rivés sur ses longues jambes fines, en partie dévoilées, David l'imita.

— Je crois que je me suis un peu énervée, tout à l'heure, s'excusa-t-elle en prenant la boîte qu'il lui tendait.

— Un peu beaucoup, dit David.

Elle mordit à belles dents dans son cheese-burger.

— J'ai horreur de ça. Je passe pour être dure en affaires, mais je ne suis pas une enquiquineuse. Le problème, c'est que dès qu'il s'agit de Clarissa, je perds toute objectivité.

Il cala dans le sable les gobelets en carton.

— Quand on aime quelqu'un, l'objectivité n'existe plus.

— Clarissa est si bonne. Intérieurement, je veux dire. Les gens comme elle se font facilement avoir. Elle a tendance à donner trop d'elle-même. Si on la laissait faire, Dieu sait ce qu'elle deviendrait…

— Heureusement que vous êtes là ! dit David, moqueur, en lui tendant le sachet de frites.

— On voit bien que vous ne la connaissez pas, rétorqua A.J., piquée au vif.

— Ce n'était pas une critique. Je ne demande pas mieux que de comprendre. Parlez-moi de votre enfance.

C'était un sujet qu'elle n'abordait jamais. Mais elle

n'avait pas non plus l'habitude de manger des frites sur la plage avec ses relations de travail.

— Elle a été — est toujours — une mère formidable. Clarissa est si douce et si généreuse.

— Et votre père ?

— Il est mort quand j'avais huit ans. Comme il était représentant de commerce, il n'était pas souvent à la maison. Ses affaires marchaient plutôt bien, expliqua la jeune femme avec un petit sourire mélancolique. On a eu de la chance de ne pas se retrouver sur la paille. Nous avions de quoi vivre, mais Clarissa oubliait régulièrement de payer les factures. Alors on nous coupait le téléphone. C'est à ce moment-là, je pense, que j'ai commencé à tout prendre en charge.

— Vous n'étiez qu'une gamine.

— N'empêche que je me débrouillais beaucoup mieux qu'elle, affirma A.J. avec un sourire épanoui qui révéla deux discrètes fossettes, tout à fait semblables à celles de Clarissa. Puis elle s'est lancée dans la voyance et nous avons eu quelques rentrées d'argent. Aider les autres, les rassurer, leur redonner confiance était chez elle un véritable besoin. Notre salle de séjour ne désemplissait pas. Les gens du voisinage étaient très intrigués. Mais ceux-là mêmes qui venaient régulièrement consulter Clarissa se montraient distants, et parfois carrément méfiants, quand on les croisait dans la rue.

— Pour vous, ça n'a sans doute pas été facile à vivre.

— Cela dépendait des fois. Clarissa faisait comme si de rien n'était. Elle ignorait superbement ceux qui nous tournaient le dos. Sa réputation s'est étendue peu à peu. Je devais avoir douze ou treize ans quand elle a fait la connaissance des Van Camp. La première fois que j'ai vu des acteurs de cinéma à la maison, je n'en revenais pas. Mais je me suis vite habituée. Quand on leur proposait un rôle, ils appelaient Clarissa pour savoir s'ils devaient l'accepter. Elle avait beau leur dire que c'était à eux, et à eux seuls, de décider, ils continuaient, à chaque fois, de lui demander son avis. Puis le petit Van Camp a été kidnappé et là, ça a vraiment été le cirque. Les médias campaient sur la pelouse et le téléphone n'arrêtait pas de sonner. A Newport Beach, où je l'ai finalement poussée à s'installer, elle est plus tranquille. Même quand on la sollicite pour une affaire qui fait la une des journaux.

— Comme les meurtres de Ridehour, par exemple.

D'un seul coup, A.J. se leva et marcha vers la mer. David lui emboîta le pas.

— Vous n'imaginez pas l'épreuve que cela a été pour elle, dit la jeune femme d'une voix tremblante en croisant les bras sur sa poitrine. J'ai tenté de la dissuader de s'investir dans cette affaire, mais elle n'a rien voulu entendre.

La sentant sur le point de craquer, David posa une main sur son épaule.

— Pourquoi cherchiez-vous à la dissuader de s'en mêler puisqu'elle pouvait aider les enquêteurs ?

— Elle prend les choses trop à cœur. Elle ne pensait plus qu'à ça, n'en dormait plus la nuit, en oubliait de manger. Cette affaire a commencé à l'obséder bien avant qu'on fasse appel à elle. Vous n'imaginez pas quel enfer cela peut être pour quelqu'un comme elle. Les cinq jeunes filles assassinées, je sais qu'elle les voyait. Quoi qu'en dise Clarissa, c'est terrible, parfois, d'avoir ce genre de don.

— Admettons que vous lui demandiez d'arrêter. Le pourrait-elle seulement ?

A.J. passa les doigts dans ses cheveux, que le vent avait ébouriffés.

— En théorie, oui. Mais dans la pratique, Clarissa est bien incapable de s'arrêter. Il faut qu'elle donne. J'ai fini par l'accepter. Je m'assure simplement qu'elle ne donne pas à n'importe qui.

— Et vous ? demanda David.

La voyant tiquer, il se demanda ce qui lui déplaisait dans sa question.

— Etes-vous devenue agent artistique pour protéger votre mère ?

Elle se détendit et répondit en souriant :

— Oui, en partie. Mais j'aime beaucoup ce métier. Je crois que je suis vraiment faite pour ça.

— Et Aurora dans tout cela ?

Il la prit aux épaules et la regarda droit dans les yeux.

— Aurora n'est là que pour Clarissa, répondit A.J. en se blindant intérieurement contre les émotions indésirables qu'elle sentait poindre en elle. Moi seule sais comment me protéger et protéger ma mère.

— Contre quoi ?

— Il se fait tard, David.

— Oui, concéda-t-il distraitement tandis que sa main glissait vers le cou gracieux de la jeune femme. J'étais en train de penser que j'avais commencé à vous embrasser, Aurora, mais que je n'avais jamais eu l'occasion de terminer.

Il avait de grandes mains viriles. Elle l'avait remarqué dès la toute première fois, mais ce détail prit soudain à ses yeux une importance capitale.

— Cela vaut peut-être mieux ainsi, murmura-t-elle.

— Je le crois aussi. Dieu sait pourtant que j'en ai envie !

— Cela va passer.

— Pourquoi ne pas faire un essai, juste pour voir ? Vous n'avez rien à craindre. Nous sommes sur une plage publique et il fait encore jour.

Comme il l'attirait à lui, elle se raidit.

— Vous avez peur ?

Pourquoi cela l'excitait-il autant ? Il n'aurait su le dire.

— Non, mentit A.J. avec un aplomb qui l'étonna elle-même.

Cette fois, il ne mènerait pas la danse. C'est elle qui prendrait l'initiative, décida A.J. en nouant résolument les bras autour du cou de son partenaire, et en écrasant sa bouche sur la sienne.

David eut l'impression que ses pieds s'enfonçaient dans des sables mouvants et que le bruit des vagues enflait démesurément, grondant à ses oreilles comme le tonnerre un soir d'orage. Il croyait pouvoir contrôler la situation, faire de ce baiser une simple expérience. Mais c'était sans compter sur la chaleur, la douceur, la saveur exquise des lèvres qui s'étaient emparées des siennes. Tant qu'à perdre la tête, pourquoi faire les choses à moitié ? se dit-il en rendant son baiser à la jeune femme.

Tout allait beaucoup trop vite, beaucoup trop loin, songeait A.J., prise de panique. Mais ses hormones en folie se moquaient éperdument de cet avertissement. Cet homme, il le lui fallait. Elle le désirait comme jamais encore elle n'avait désiré personne. Les doigts enfoncés dans les cheveux qui frisottaient sur sa nuque, elle se plaqua contre lui en gémissant. C'était sûrement une bêtise. Une énorme bêtise. Jamais pourtant elle ne s'était sentie aussi sûre d'elle.

Une mouette piqua soudain au-dessus de leurs têtes, ne laissant derrière elle qu'une ombre furtive et l'écho de son cri, qui mit brusquement fin à ce moment de folie.

Lorsqu'ils se séparèrent, A.J. fit un pas en arrière. Un léger froid se glissa entre eux. Elle l'aurait voulu polaire pour éteindre le brasier qui faisait rage en elle. Si David ne l'avait pas tenue aux épaules, elle aurait tourné les talons.

— Allons chez moi, proposa-t-il d'une voix rauque.

Plongeant les yeux dans son regard voilé, A.J. comprit qu'elle était en danger. Accepter, c'était risquer de lui donner bien plus qu'il ne demandait.

— Non, David. C'est impossible. Croyez bien que je regrette ce qui s'est passé.

— Moi aussi, dit-il en reculant à son tour. Mais cela ne change rien à ce que nous éprouvons l'un pour l'autre.

— Nos vies sont ce que nous en faisons. Je sais ce que je veux et ne veux pas dans la mienne.

— Les besoins changent, évoluent. Rien n'est immuable, argua David, qui partageait pourtant cette vision des choses.

— Cela dépend des besoins.

— Et si je vous disais que j'ai besoin de vous.

Le cœur d'A.J. s'emballa. Elle déglutit péniblement.

— Je vous répondrais que vous vous fourvoyez. Je ne suis pas votre genre, David, je vous le rappelle. Fiez-vous à votre première impression. C'est souvent la bonne.

— Dans votre cas, j'ai besoin d'un peu plus d'éléments pour me prononcer.

— A votre guise. En attendant, il faut que je rentre. Je veux appeler Clarissa et m'assurer que tout s'est bien passé.

Il la prit par le bras une dernière fois.

— Vous ne pourrez pas toujours vous servir d'elle, Aurora.

Elle darda sur lui un regard aussi pénétrant que celui de sa mère.

— Je ne me sers pas d'elle. Contrairement à vous.

Sur ce, elle fit volte-face et retraversa la plage en direction de la route.

4

L'éclat argenté de la lune faisait miroiter les lattes du parquet ciré sur lequel ondoyait l'ombre majestueuse d'un chêne, juste derrière la fenêtre. La brise nocturne diffusait le parfum subtil des jacinthes. Quelque part, un robinet coulait. On entendait l'eau glouglouter. Un tableau, au mur, accrochait le regard. Ces grandes taches rouges et ces lignes violettes sur la toile blanche symbolisaient l'énergie, le mouvement, le désir et la frustration. Il y avait une glace en pied, aussi. A.J. y voyait son reflet tout entier.

Elle y apparaissait floue, éthérée, lointaine. L'atmosphère irréelle dans laquelle elle baignait lui donnait l'impression qu'elle n'aurait qu'un pas à faire pour entrer dans le miroir et disparaître à jamais. Une sensation de froid la traversa de part en part. Quelque chose l'effrayait. Mais quoi ? La raison de cette peur était aussi insaisissable que son reflet dans la glace. Son instinct lui dictait de s'en aller. De partir le plus vite possible, avant de découvrir de quoi il s'agissait. Mais au moment où elle tournait les talons, quelque chose s'interposa.

L'agrippant aux épaules, David lui bloquait le passage. Ses yeux luisaient dans la pénombre, farouches et impatients. Le désir qu'ils éprouvaient l'un pour l'autre saturait l'air au point de le rendre irrespirable.

Non, je ne veux pas. Avait-elle prononcé ces mots ou les avait-elle seulement pensés ? La réponse, en tout cas, ne se fit pas attendre. Le ton était dur, cassant :

— Vous ne pourrez pas toujours fuir, Aurora. Pas plus me fuir moi que vous fuir vous.

Puis elle se sentit glisser le long d'un tunnel vertigineux dont les parois mouvantes commençaient à s'enflammer.

A.J. s'assit, haletante et tremblante. Les premières lueurs de l'aube filtraient à travers les fenêtres de sa chambre. Il n'y avait là ni jacinthes odorantes, ni tableau bariolé, ni ombres inquiétantes.

C'était juste un rêve. Un mauvais rêve, songea-t-elle, le cœur battant, en repoussant une mèche de cheveux collée à son front. Mais pourquoi lui avait-il paru si réel ? Il lui semblait sentir encore sur ses épaules la pression des doigts de David Brady.

S'il l'obsédait au point de s'insinuer dans ses rêves, ce n'était pas tellement étonnant. Elle se demandait où en était le documentaire qu'il préparait, et ce qu'il pouvait bien mijoter. Ces deux dernières semaines, elle avait travaillé dur. La dernière fois qu'elle s'était accordé un peu de répit, c'était le soir où elle avait dîné avec lui sur la plage.

Mais mieux valait ne pas y penser, oublier ce qui s'était passé, ce qui avait failli arriver, ce qu'ils s'étaient dit et pas dit. Elle préférait se concentrer sur ce qu'elle avait à faire.

Elle ne se rendormirait pas. Bien qu'il soit à peine 6 heures, A.J. repoussa drap et couverture et se leva. Une tasse de café noir et une bonne douche lui remettraient les idées en place. Il le fallait, car la journée s'annonçait chargée.

Sa cuisine était spacieuse et bien rangée. Elle ne supportait pas le désordre, même dans une pièce où elle ne passait qu'en coup de vent. Les plans de travail et l'électroménager rutilaient de tous leurs feux. Non pas tant à cause de la diligence de la femme de ménage que parce qu'ils n'étaient presque jamais utilisés. Descendant les deux marches qui conduisaient à la salle de séjour, A.J. se dirigea vers la cafetière, qu'elle mit en marche après l'avoir déprogrammée, car elle était censée démarrer à 7 h 05. Quinze minutes plus tard, lorsqu'elle sortit de la douche, l'arôme du café frais, si rassurant, emplissait l'appartement. Elle but un premier café pour achever de se réveiller, puis avala une poignée de vitamines en guise de petit déjeuner. Une seconde tasse de café à la main, elle regagna sa chambre. Tout en examinant le contenu de sa penderie, elle se remémora la liste de ses rendez-vous.

Son premier client de la matinée était un acteur très en vue, et un peu caractériel, qui venait de décrocher le rôle principal dans une série télévisée. Ce rendez-vous serait suivi d'une séance de débriefing avec toute son équipe. A l'heure du déjeuner, le réalisateur Bob Hopewell l'attendait dans un restaurant branché. Si elle arrivait à lui fourguer deux de ses poulains pour son prochain film, elle n'aurait pas perdu son temps.

Il lui fallait jouer la carte de l'élégance, décida-t-elle en jetant son dévolu sur un ensemble de soie sauvage grège qu'elle revêtit en deux temps trois mouvements. Comme elle épinglait au revers de sa veste sa broche en forme de croissant de lune, son rêve lui revint à l'esprit et elle se revit, apeurée et perdue, si différente de la femme efficace et sûre d'elle qu'elle était ce matin.

Dans la vie réelle, elle ne pouvait pas se permettre d'être vulnérable. L'agent artistique autant que la femme devait rester sur ses gardes. Au moindre signe de faiblesse, elle risquait de se faire dévorer vivante par la concurrence, ou par l'homme dont elle ne s'était pas suffisamment méfiée.

Moins de vingt minutes plus tard, elle ouvrait la porte de son complexe de bureaux. Il n'était pas rare qu'elle arrive la première. Elle avait pris cette habitude au début de sa carrière, alors qu'elle officiait dans un studio au quatrième étage d'un immeuble sans ascenseur. A l'époque, son personnel se limitait à une secrétaire à temps partiel qui avait toujours rêvé de devenir mannequin. A.J. employait aujourd'hui deux réceptionnistes, deux assistantes et un cheptel d'agents ultra-compétents. Confiés à un professionnel, l'aménagement et la décoration des lieux n'avaient rien d'ostentatoire. La patine des murs pêche, le mobilier sobre et élégant, les vases en cuivre montraient cependant qu'elle avait réussi dans le métier et qu'elle n'avait plus rien à prouver.

Comme il était encore tôt, A.J. décida de se débarrasser des coups de fil qu'elle devait passer sur la côte Est. En une petite demi-heure, elle abattit un travail considérable, donnant verbalement son accord pour que son client caractériel aille faire un bout d'essai à New York, négociant le renouvellement de contrat d'un autre comédien, qui tenait l'affiche au théâtre depuis plusieurs mois, et déclenchant le courroux d'un producteur en refusant une offre qu'elle jugeait indigne de son client.

Lorsqu'elle raccrocha, elle n'était pas mécontente

d'elle-même. Elle savait que le producteur reverrait sa proposition à la hausse. L'acteur qu'il voulait pour le rôle méritait un gros cachet. Elle avait lu le script. C'était un rôle difficile, physiquement et nerveusement épuisant. Les acteurs suaient souvent sang et eau sur un tournage. Les payer avec un lance-pierres lui semblait immoral, aussi A.J. ne ménageait-elle jamais ses efforts pour leur obtenir une meilleure rétribution.

En attendant l'heure de son premier rendez-vous, elle se plongea dans ses dossiers. Un bruit de pas lui fit lever le nez et tendre l'oreille.

Elle consulta sa montre. Lequel de ses collaborateurs était assez zélé pour arriver d'aussi bonne heure ? Intriguée, elle se leva pour aller voir. Les pas cessèrent aussitôt. Et si c'était un fou ? songea-t-elle soudain en se figeant. La peur au ventre, elle s'empara d'un lourd presse-papiers en bronze.

Les pas reprirent, de plus en plus proches. Ils s'arrêtèrent devant son bureau. S'efforçant de respirer normalement, de ne pas céder à la panique, A.J. traversa la pièce sur la pointe des pieds et se posta derrière la porte. Brandissant le presse-papiers d'une main, elle saisit la poignée de la porte de l'autre, prit une grande inspiration et ouvrit d'un coup. Alors qu'elle s'apprêtait à lui fracasser le crâne, David attrapa son bras au vol.

— C'est comme ça que vous accueillez vos clients ?

— Bon sang ! grommela la jeune femme en laissant choir le presse-papiers sur la moquette. Vous m'avez fait une peur bleue. Qu'est-ce qui vous prend de venir traîner ici à une heure aussi matinale ?

— Il me prend que, comme vous, je me suis levé tôt.

Les genoux flageolants, A.J. s'affala dans un fauteuil.

— La différence, c'est que je suis ici dans mon bureau. Je peux y venir à l'heure qui me chante. Que voulez-vous, Brady ?

— Je serais tenté de vous dire que je m'ennuyais de vous.

— Epargnez-moi vos boniments.

— En réalité, je pars à New York tourner une scène en extérieur. Je ne vais pas avoir une minute à moi pendant les deux prochains jours. Je voulais vous laisser un message pour Clarissa.

Il n'avait aucun scrupule à mentir. De toute façon, il n'avait pas le choix. A.J. Fields n'était pas le genre de femme à qui il pouvait avouer de but en blanc qu'il crevait d'envie de la voir. Elle serait partie en courant ou l'aurait fichu dehors.

— Je vous écoute, dit-elle en tendant la main vers un bloc-notes. Je transmettrai votre message. Mais à l'avenir, soyez un peu plus prudent. J'aurais pu vous tuer.

— La porte était ouverte, et comme il n'y avait personne à la réception, je me suis aventuré dans les couloirs en espérant tomber sur quelqu'un qui pourrait prendre le message.

C'était assez logique, dans le fond, mais A.J. lui en voulait de lui avoir fait la peur de sa vie avant 9 heures du matin.

— Je vous écoute, répéta-t-elle d'un ton sec.

David n'avait pas la moindre idée de ce qu'il allait lui raconter. Fourrant ses mains dans ses poches, il balaya du regard la pièce soigneusement rangée et si joliment décorée.

— J'aime bien votre bureau, dit-il.

Les dossiers sur lesquels elle avait travaillé étaient

empilés sur un coin du bureau. Il n'y avait pas un trombone qui traînait.

— Vous êtes quelqu'un de très ordonné, fit-il remarquer.

— Oui, dit-elle en tapotant son calepin avec la pointe de son stylo. Alors, ce message pour Clarissa ?

— Comment va-t-elle, au fait ?

— Très bien.

Il s'approcha de l'unique tableau qui était au mur. Une marine dans des tons de pastel.

— Vous vous faisiez du souci pour elle, l'autre soir. Vous vous demandiez si elle ressortirait vivante de ce dîner avec Alex.

— Elle a passé une excellente soirée, marmonna A.J. Il paraît que cet Alex est un vrai gentleman et que sa conversation est passionnante.

— On dirait que cela vous chagrine ?

— Clarissa n'a pas l'habitude de... ce genre de sortie.

Se sentant ridicule, A.J. posa son calepin et gagna la fenêtre.

— Le fait qu'elle sorte avec un homme pose un problème ?

— Non, bien sûr que non. C'est juste que...

Elle n'aurait pas dû parler de choses qui ne regardaient que sa mère, mais il y avait si peu de gens qui étaient au courant de leur parenté, qu'elle ne put s'empêcher de confier à David ce qu'elle avait sur le cœur.

— J'ai remarqué que quand elle parlait de lui, elle avait l'air troublé. Dimanche, ils ont passé la journée ensemble. A faire du bateau. A ma connaissance, Clarissa n'était jamais montée dans un bateau de sa vie.

— Elle fait des découvertes.

— C'est bien ce qui m'inquiète, avoua A.J. dans un

souffle. Avez-vous idée de ce que c'est que de voir sa mère s'amouracher de quelqu'un ?

— Non, pas vraiment.

Il songea à sa propre mère, au couple modèle qu'elle formait avec son père. Elle lui préparait de bons petits plats et recousait ses boutons. Il sortait les poubelles et réparait le grille-pain.

— Ce n'est pas marrant, croyez-moi. Après tout, je ne sais quasiment rien de cet homme. Il est charmant, ça oui. Mais si j'en crois ce qu'on m'a dit, il a été charmant avec la moitié des femmes de la côte Ouest !

— Si vous vous entendiez, railla David en la rejoignant à la fenêtre. On dirait une mère de famille qui se fait du souci pour sa fille de quinze ans. Si Clarissa était une femme ordinaire, il y aurait peut-être de quoi s'inquiéter. Mais ses facultés la mettent à l'abri de pas mal d'embrouilles, non ? Les gens mal intentionnés, elle doit les repérer à cent mètres.

— Non, pas forcément. Quand les sentiments s'en mêlent, ses pouvoirs n'opèrent plus. Surtout quand ça commence à devenir sérieux.

— En ce cas, vous devriez peut-être vous méfier de vos propres sentiments.

Il la sentit se raidir. Il n'eut pas besoin de la toucher, ni même de s'approcher pour s'apercevoir de son trouble.

— L'affection que vous avez pour votre mère, et votre souci constant de la protéger, vous poussent à voir le mal partout. Ces sentiments, il serait peut-être bon que vous leur trouviez une autre cible, non ?

— Clarissa est la seule personne au monde capable de les susciter.

— Curieuse façon de dire les choses ! Vous arrive-t-il

de prendre en compte vos propres besoins ? demanda David en caressant doucement les cheveux de la jeune femme.

— Cela ne vous regarde pas.

— Vous avez le ton et la manière de dissuader les gens d'insister. Je vous vois très bien passer au fil de l'épée les hommes qui auraient l'audace de se mettre sur votre chemin.

Bizarrement, la colère qui flamboyait dans ses yeux bleus l'incitait à la provoquer.

— Mais avec moi, A.J., ça ne marche pas !

— J'ai eu tort de penser que je pouvais vous faire confiance.

— Le fait que vous n'ayez pas hésité une seconde devrait vous donner à réfléchir.

— Pourquoi me poussez-vous à bout ?

— Parce que je vous désire.

Il était si près d'elle que son parfum l'emprisonnait dans ses volutes grisantes.

— Parce que je rêve de vous faire l'amour longuement, dans un endroit tranquille où rien ni personne ne viendra nous déranger. Mais comme je n'en dors plus la nuit, ce rêve, je ne peux le faire qu'éveillé.

La gorge d'A.J. était douloureuse à force d'être sèche, et ses mains glacées.

— Je crois vous avoir dit que je ne couchais pas à droite et à gauche.

— C'est une excellente chose, murmura David. Vous et moi, nous n'avons pas besoin de ça. Je crois que votre personnel arrive ; je vais vous laisser travailler. Juste une précision : je suis prêt à accepter vos conditions, l'heure et le lieu qui vous conviendront, mais il faut que vous sachiez que j'ai l'intention de passer plus d'une nuit avec vous. Bien plus d'une nuit…

Si elle ne s'était pas retenue, elle aurait ramassé le presse-papiers et le lui aurait jeté à la figure. Mais elle devait garder son sang-froid, surtout en présence de ses employés.

— Brady ? dit-elle alors qu'il avait déjà la main sur la poignée de la porte.

Il se retourna et lui sourit.

— Oui ?

— Vous avez oublié le message pour Clarissa.

— Ah oui ? Faites-lui toutes mes amitiés. A bientôt, très chère.

Lorsqu'il déverrouilla la porte de sa chambre d'hôtel, David n'avait pas la moindre idée de l'heure qu'il était. Tout ce qu'il savait, c'était qu'il allait encore devoir accomplir des miracles pour ne pas faire exploser son budget, car le tournage avait duré un jour de plus que prévu. Conformément à ses instructions, la femme de chambre n'avait pas touché aux papiers qui s'amoncelaient sur le guéridon de l'entrée. Il les ramassa, appela la réception et commanda du café. Puis il se mit au travail. En deux heures, il réussit à retomber sur ses pattes… et à remplir le cendrier.

L'institut de parapsychologie dans lequel ils avaient tourné l'avait beaucoup impressionné. Comme tous les instituts, il était poussiéreux et étouffant, et comme tous les scientifiques, ceux de Danjason s'étaient montrés plutôt secs et concis dans leurs explications. A tel point que David se demanda s'ils convaincraient les téléspectateurs, ou s'ils les endormiraient.

Les expériences lui avaient cependant paru intéressantes car l'institut testait non seulement des médiums, mais aussi des gens ordinaires. En outre, les procédés utilisés et les résultats obtenus étaient rigoureusement scientifiques. On soumettait les données à la théorie des probabilités mathématiques. C'était plutôt ardu et sûrement pas à la portée du premier quidam venu. David, lui, avait l'impression que tout cela était le fait du hasard.

Mais dès qu'on réunissait des scientifiques de haut niveau et que l'on mettait à leur disposition du matériel ultrasophistiqué, les phénomènes paranormaux devenaient un sujet d'étude extrêmement sérieux. Surtout quand après des dizaines d'années d'expériences laborieuses, l'étude de ces phénomènes accédait enfin au statut de science.

Il y avait eu ensuite une visite à Wall Street, où ils avaient interviewé un agent de change doté de pouvoirs paranormaux. L'homme ne s'était pas caché d'utiliser son don pour jouer en Bourse et gagner des millions de dollars. Ce n'était rien d'autre qu'une technique, avait-il expliqué, à peu près comme la lecture, l'écriture ou le calcul. Il avait également déclaré que certains des dirigeants des plus grosses sociétés au monde avaient mis à contribution ce même don pour obtenir leur poste et y rester. A l'entendre, la perception extrasensorielle était un outil aussi indispensable aux affaires que l'ordinateur ou la règle à calcul.

Une science, un moyen de gagner de l'argent, une émission de télévision… David repensa à Clarissa. Elle n'avait pas eu besoin de s'appuyer sur une quelconque technologie de pointe, ni d'émailler son discours de formules mathématiques obscures. Elle n'avait pas péroré sur les tendances boursières ou le cours du Dow Jones. Elle avait juste parlé de ses pouvoirs, quels qu'ils soient.

Voilà qu'il se mettait à y croire ! constata-t-il en se passant les mains sur le visage. Ses propres recherches lui avaient pourtant montré que pour une expérience menée en laboratoire sous contrôle scientifique, il y avait des dizaines de fraudeurs qui profitaient de la crédulité des gens pour leur faire gober n'importe quoi. Qu'il perde son objectivité, et son documentaire était fichu.

Clarissa restait, quoi qu'il en soit, le pivot central de son émission, pivot autour duquel s'articulait tout le reste. Les yeux mi-clos, David se représenta mentalement la première partie du documentaire. Il s'ouvrirait sur l'interview des parapsychologues en blouse blanche procédant à des tests extrêmement rigoureux. Suivrait une séquence montrant Clarissa en train d'expliquer à Alex, dans un langage simple et compréhensible de tous, à peu près les mêmes phénomènes. Le numéro de cirque que leur avait fait l'agent de change de Wall Street, filmé dans son bureau panoramique en haut d'un gratte-ciel, viendrait ensuite. Puis la parole serait de nouveau donnée à Clarissa, confortablement installée dans son canapé. On enchaînerait avec le tour de passe-passe du médium en smoking qu'ils avaient déniché à Las Vegas. Toujours aussi posée, aussi sobre, Clarissa DeBasse se soumettrait alors à l'expérience du jeu de cartes que lui avait proposée Alex au débotté.

C'était pas mal du tout, conclut David avec un soupir

de satisfaction. Mais il lui fallait une accroche, quelque chose qui parle d'entrée de jeu aux téléspectateurs.

Il n'eut pas à chercher longtemps. Les affaires de meurtre que Clarissa avait aidé à élucider conviendraient parfaitement. L'interview d'Alice Van Camp ne devrait pas être trop difficile à obtenir. Il aurait plus de mal à entrer en contact avec un des acteurs de l'affaire Ridehour. A.J. essaierait peut-être de lui mettre des bâtons dans les roues, mais il passerait outre.

Combien de fois avait-il pensé à elle au cours des trois derniers jours, revécu en pensée les moments délicieux qu'ils avaient partagés sur la plage, rêvé de la prendre de nouveau dans ses bras... pour ne plus jamais la lâcher ?

Aurora. La douce, tendre et fragile Aurora. David savait qu'il avait tort de penser à Aurora plutôt qu'à l'inflexible A.J. Fields, toujours si sûre d'elle, et toujours prête à en découdre. Mais dans sa chambre d'hôtel, il se sentait bien seul. C'était à Aurora qu'il songeait. C'était Aurora qu'il désirait comme un fou.

Sur un coup de tête, il prit le téléphone et enfonça les touches à toute vitesse. La sonnerie retentit quatre fois avant qu'elle décroche.

— A.J. Fields.

— Bonjour.

— David ?

Elle rattrapa de justesse la serviette qu'elle avait enroulée autour de ses cheveux mouillés.

— Comment allez-vous ? demanda-t-il.

— Je sors de la douche, expliqua-t-elle en essayant d'enfiler son peignoir sans lâcher le téléphone. Il y a un problème ?

Le problème, c'était qu'il y avait entre eux près de cinq mille kilomètres et qu'il aurait donné tout ce qu'il avait pour être près d'elle en cet instant.

— Non, pourquoi y en aurait-il un ?

— Quand on m'appelle à cette heure-là, c'est souvent pour m'annoncer une mauvaise nouvelle. Quand êtes-vous rentré ?

— Je vous appelle de New York.

Bon sang, que c'était bon d'entendre sa voix ! songea David en se carrant dans son fauteuil.

— Et vous êtes déjà levé ? s'étonna-t-elle.

— En fait, je ne me suis pas encore couché.

Cette fois, elle manqua de réflexe et la serviette atterrit sur ses pieds nus.

— Je vois. Ah, les folles nuits de Manhattan ! Difficile d'y résister, n'est-ce pas ?

Il considéra d'un œil morne les papiers disséminés sur la table et songea, en regardant la tasse vide, aux litres de café qu'il avait éclusés pour se tenir éveillé, et en voyant le cendrier plein, à toutes les cigarettes qu'il avait fumées pour se donner le courage de continuer.

— Oui. Ici, on fait la fête jusqu'au matin.

— Je n'en doute pas, dit A.J. en se baissant pour ramasser la serviette. Vous deviez avoir quelque chose d'important à me dire pour vous arracher à toute cette liesse.

— Il fallait que je vous parle.

La jeune femme se mit à se frictionner la tête sans ménagement.

— Oui, ça, j'avais compris, murmura-t-elle. Mais de quoi ?

— De rien.

— Brady, vous avez bu ou quoi ?

Il eut un petit rire bref.

— Non. Ni bu ni mangé depuis une éternité. En quoi le fait que j'aie envie de bavarder avec vous serait-il anormal ?

— Les producteurs font rarement la causette aux agents, surtout à plusieurs milliers de kilomètres de distance, et d'aussi bon matin.

— Il faut savoir innover. Comment allez-vous, A.J. ?

— Bien, et vous ? demanda-t-elle en s'asseyant sur son lit.

— Pas trop mal. Les choses prennent tournure. Mais là, tout de suite, je suis un peu fatigué, confia-t-il en bâillant. Nous avons interviewé hier une équipe de physiciens passablement rasoirs et je me suis entretenu avec une femme qui prétend avoir fait plusieurs expériences au-delà des limites du corps.

A.J. ne put s'empêcher de sourire.

— J'ai entendu parler de ce genre d'expériences.

— Elle m'a raconté qu'elle avait visité l'Europe de cette façon.

— C'est bien de pouvoir faire l'économie du billet d'avion.

— Oui, évidemment.

Le ton découragé de sa voix amusa la jeune femme.

— On dirait que vous peinez à séparer le bon grain de l'ivraie, Brady ?

— C'est à peu près ça. Et nous ne sommes pas au bout de nos peines. Nous devons encore rendre visite à un chiromancien dans les hauteurs du Maryland, faire un saut en Virginie pour aller voir une maison prétendument hantée par une jeune fille et un chat, et interviewer en Pennsylvanie un hypnotiseur spécialisé dans la régression néonatale.

— Tout un programme ! Et des heures d'amusement en perspective.

— Vous n'avez aucun projet de déplacement, je suppose ?

— Non, pourquoi ?

— Parce que je ne serais pas fâché de vous voir.

Le cœur d'A.J. fit une embardée dans sa poitrine, mais elle s'efforça de garder la tête froide, trouvant même le courage de se moquer.

— David, vos déclarations me rendent toute chose.

— La poésie, ce n'est pas trop mon truc, s'excusa-t-il.

Zut de zut ! Il s'y prenait comme un manche.

— Si je vous avais dit que je pensais à vous et que j'avais envie de vous voir, vous m'auriez envoyé promener. Compte tenu de ce que me coûte cet appel, ce serait un peu dommage.

— Vous avez un budget à respecter, il ne faut pas l'oublier !

— Vous voyez ? Ça commence ! dit-il, amusé. Ecoutez, je propose que nous fassions une petite expérience.

A.J. s'allongea sur son lit. Elle avait déjà dix bonnes minutes de retard, mais c'était le cadet de ses soucis.

— Quelle sorte d'expérience ?

— Vous allez me dire quelque chose de gentil… pour changer. Cela nous permettra de repartir sur de nouvelles bases. Je vous écoute, insista David après un silence qui semblait parti pour s'éterniser.

— Je cherche.

— Vous y mettez de la mauvaise volonté.

— Ça y est : j'ai trouvé ! Votre documentaire sur

les femmes au gouvernement était passionnant et étonnamment impartial. On n'y sentait aucun parti pris, ni
pour un sexe ni pour l'autre.

— C'est un début, mais vous ne pourriez pas trouver
quelque chose d'un peu plus personnel ?

— D'un peu plus personnel ? minauda-t-elle au
téléphone en contemplant le plafond. Je sais ! S'il vous
prenait un jour l'envie de passer de l'autre côté de la
caméra, je me charge de faire de vous une star.

— Je suis sûr que c'est le genre de compliment que
vous balancez dix fois par jour.

— Je vous trouve un peu difficile. Et si je vous disais
que vous pourriez, éventuellement, être un compagnon
acceptable ? Vous avez un physique supportable et vous
n'êtes pas complètement idiot.

— Cela manque un peu d'enthousiasme, A.J.

— C'est à prendre ou à laisser.

— Poussons l'expérience un peu plus loin. Acceptez
de passer une soirée avec moi : vous pourrez vérifier
la validité de votre hypothèse.

— Vous voudriez que je laisse tout en plan ici
pour aller vérifier une théorie en Pennsylvanie, ou je
ne sais où ?

— Je serai de retour dans le courant de la semaine
prochaine.

Elle hésita un millième de seconde, se sermonna
pour la forme et céda à son impulsion.

— Vendredi, sort le film dans lequel joue Hastings
Reed, qui est un de mes clients et semble bien parti
pour décrocher un oscar.

— Vous ne pouvez pas oublier un peu vos clients,
A.J. ?

— J'ai pu avoir deux places pour la première. Je vous invite à m'accompagner.

— Vous m'invitez à *sortir* avec vous ?

— Je vous conseille de ne pas faire le malin, Brady.

— Je passerai vous chercher.

— A 20 heures. Je vous laisse, maintenant. Je vais être en retard au bureau.

— Aurora ?

— Oui ?

— N'oubliez pas de penser à moi de temps en temps.

— Au revoir, Brady.

A.J. raccrocha. Assise sur son lit, elle se demanda ce qui lui avait pris. Elle qui boycottait tous les événements mondains et médiatiques, pourquoi s'était-elle engagée à aller à cette première ? Avec David Brady, par-dessus le marché !

Il y avait des siècles qu'elle ne s'était pas laissé courtiser par un homme. Mais où cela l'avait-il menée ? Elle avait pleuré pendant des jours et des jours sur ses espoirs déçus et elle avait maudit sa naïveté.

Depuis, elle avait fait du chemin. Elle n'était plus une gamine, mais une femme d'affaires prospère et aguerrie qui, autour d'une table de négociations, pouvait sans problème tenir tête à dix David Brady. L'ennui, c'était qu'en dehors d'un bureau, elle se sentait infichue de faire face. Même à un seul.

Comme elle se désolait de cette inaptitude, son regard croisa la pendule. Jurant entre ses dents, la jeune femme bondit à bas du lit. Avec tout ça, elle était bien en retard.

5

Elle s'offrit une nouvelle robe. Pour un soir de première, elle pouvait difficilement faire autrement. Et en son for intérieur, elle savait cependant que cette robe, elle l'avait achetée pour Aurora, et non pour A.J.

A 19 h 55 le vendredi soir, plantée devant son miroir, elle jugeait du résultat. Cela changeait des tailleurs qu'elle portait d'habitude. Mais peut-être le contraste était-il trop radical ?

Cette robe avait au moins le mérite d'être noire. Le noir était passe-partout et indémodable. Elle pivota d'un côté, puis de l'autre. Et elle n'était pas « m'as-tu vu » pour deux sous. Maintenant, il aurait sans doute mieux valu choisir quelque chose de plus discret que cet étroit fourreau de shantung qui moulait outrageusement ses formes… quand il ne les dévoilait pas. Comment avait-elle pu ne pas s'apercevoir que le tissu collait autant ? En fait, elle avait bien dû le voir. Mais dans un moment de folie, elle avait décidé de l'acheter quand même parce que dans cette robe, au moins, elle n'avait pas l'air d'une femme d'affaires. Dans cette robe, elle se sentait féminine. Elle se sentait belle et désirable. Ce qui, en contrepartie, risquait de lui attirer pas mal d'ennuis.

Mais la petite veste brodée de perles qu'elle avait prévu de porter par-dessus allait la tirer d'embarras.

Forte de cette pensée, A.J. fixa autour de son cou un joli médaillon en argent monté sur un cordon noir. Elle le centrait sur sa poitrine lorsque la sonnette retentit. Sans se presser, elle se glissa dans ses escarpins, vérifia le contenu de son sac et sortit sa veste de la penderie. En se dirigeant vers la porte, elle se rappela qu'il s'agissait d'une expérience et qu'elle devait donc vivre cette soirée comme telle.

Elle ne s'attendait pas à ce qu'il lui apporte des fleurs. Cela correspondait si peu au personnage. Il eut l'air aussi surpris qu'elle, si bien qu'ils restèrent un long moment à se dévisager sans rien dire.

Elle était éblouissante. Il lui avait toujours trouvé du charme, l'avait toujours trouvée sexy, dans son genre un peu froid, un peu distant. Mais ce soir, elle était à tomber. Sa robe bustier n'avait ni strass ni paillettes, mais elle épousait son corps adorable et cela suffisait à la rendre remarquable.

Il avança d'un pas. S'éclaircissant la voix, A.J. recula d'autant.

— Pile à l'heure ! dit-elle en plaquant un sourire sur ses lèvres.

— Je regrette déjà de ne pas être venu plus tôt.

A.J. prit les roses d'un air un peu blasé, mais elle mourait d'envie d'enfouir son visage dans les pétales odorants.

— Merci. Elles sont superbes. Voulez-vous boire quelque chose pendant que je les mets dans un vase ?

Il déclina son offre. La contempler suffisait à son bonheur.

— J'en ai pour une minute.

Il profita qu'elle tournait le dos pour admirer sa nuque gracieuse, ses omoplates fines et soyeuses. Son regard glissa le long de son dos jusqu'à l'endroit où, la courbure s'inversant, il change de nom. La gorge sèche, il s'en voulut d'avoir refusé le verre qu'elle lui proposait.

Pour se changer les idées, il reporta son attention sur l'appartement. En matière de décoration, A.J. n'avait visiblement pas les mêmes goûts que Clarissa.

La pièce était à peu près aussi froide et aussi lisse que celle qui vivait dedans. Pas tant à cause des murs blancs et de l'absence de mobilier. David ne détestait pas ce côté zen. Ce qui le gênait davantage, c'était qu'Aurora ait mis aussi peu d'elle-même dans cet appartement. Comme dans son bureau, chaque chose était scrupuleusement à sa place. Il n'y avait ni photo ni souvenir exposés, nulle part. Aucune babiole. Rien qui puisse révéler quoi que ce soit de la vie ou du passé de la jeune femme. Ce constat lui donna encore plus envie de savoir ce qu'elle semblait si soucieuse de cacher.

Lorsqu'elle reparut, A.J. était calme et impassible. Elle avait disposé les roses dans un grand vase en cristal de Baccarat, le seul qu'elle possédait.

— Allons-y, si vous voulez, proposa-t-elle. Nous pourrons observer les stars tout à loisir. Ce n'est pas la même chose que de déjeuner avec elles ou d'assister à un tournage.

— Vous êtes une vraie sorcière, murmura David. Votre peau si blanche, et cette robe si noire. Il ne manque plus que l'odeur de soufre.

Ses mains tremblaient un peu quand elle attrapa sa veste.

— L'une de mes ancêtres a été brûlée vive, vous savez.

Il lui prit la veste des mains et l'aida à l'enfiler.

— Cela ne m'étonne qu'à moitié.

— C'était à Salem, au moment des événements, expliqua la jeune femme.

Elle feignit de ne pas remarquer qu'il s'était débrouillé, en l'aidant à passer sa veste, pour lui caresser furtivement les épaules.

— Sorcière, elle ne l'était pas plus que Clarissa. Elle n'avait que vingt-cinq ans et elle était très belle, paraît-il. Elle n'aurait évidemment jamais dû prévenir ses voisins que leur grange allait prendre feu... deux jours plus tard.

— Et c'est pour cela qu'elle a été exécutée ?

— Les gens réagissent parfois de façon très violente aux choses qui les dépassent.

— Nous avons interviewé un agent de change qui fait un malheur à la Bourse de New York en « voyant » les choses par anticipation.

— Les temps changent, conclut A.J. en ramassant son sac. Mon ancêtre est morte seule et pauvre comme Job. Elle s'appelait Aurora. On y va ?

Ils sortirent l'un derrière l'autre, sans rien dire.

— Cela vous a marqué, apparemment, d'avoir une soi-disant sorcière parmi vos ancêtres ?

A.J. appela l'ascenseur.

— Tout le monde n'en a pas une dans son arbre généalogique, dit-elle en haussant les épaules. Quant à son histoire, elle donne à réfléchir. Je sais par expérience qu'il faut se méfier des réactions que peuvent avoir les gens. Ils se font parfois des idées qui les poussent tantôt à condamner sans appel, tantôt à gober n'importe quoi. Dans les deux cas, c'est très dangereux.

Tout en montant dans l'ascenseur, David répondit :

— D'où votre souci constant de protéger Clarissa contre ces deux extrêmes.

— Exactement.

— Et vous ? C'est pour vous protéger que vous cachez que Clarissa est votre mère ?

— Je n'ai rien à craindre de ma mère, rétorqua A.J. d'un ton qu'elle aurait voulu moins agressif. Il se trouve juste que cela facilite nos relations professionnelles.

— C'est logique. Vous avez toujours réponse à tout, A.J.

La jeune femme se demanda s'il fallait le prendre comme un compliment.

— Il se trouve aussi que je connais beaucoup de monde. Je n'aimerais pas que mes clients débarquent à tout bout de champ dans mon bureau parce qu'ils ont perdu leur diamant et qu'ils comptent sur ma mère pour le retrouver. Votre voiture est au parking ?

— Non, elle est garée juste devant. Ce n'était pas une critique, Aurora, mais une simple question.

Elle sentit sa colère retomber comme un soufflé.

— Pas de problème. Je suis un peu chatouilleuse dès qu'il s'agit de Clarissa. Je ne vois pas votre voiture, dit-elle en lorgnant du coin de l'œil une limousine grise rutilante.

Comme il gardait le silence, elle regarda de nouveau la limousine en haussant les sourcils.

— Si je m'attendais à ça ! Alors là, vous m'impressionnez !

Le chauffeur s'empressait déjà d'ouvrir la portière.

— C'était le but recherché. Je vous en prie, dit David en s'effaçant cérémonieusement pour la laisser prendre place dans le véhicule.

A.J. se glissa à l'intérieur. Ce n'était pas la première fois qu'elle montait dans une limousine. Il lui arrivait parfois d'aller chercher ses clients ou de les raccompagner à l'aéroport en limousine. Mais elle considérait cela comme un luxe. Tandis qu'elle se prélassait, David débouchait une bouteille de champagne.

— Les roses, la limousine, le champagne : vous ne faites pas les choses à moitié ! Cela m'impressionne beaucoup, Brady, mais il faut que vous sachiez que…

Il ne la laissa pas finir.

— N'allez pas tout gâcher, dit-il en servant le champagne. N'oubliez pas que nous sommes censés vérifier l'hypothèse selon laquelle je pourrais faire un compagnon acceptable. Je ne m'en sors pas trop mal, jusque-là, non ?

Elle prit la flûte qu'il lui tendait et la porta à ses lèvres. Tout cela était trop beau pour être vrai. Mais A.J. savait tenir les hommes à distance.

— Vous vous en sortez d'autant mieux que je n'ai pas l'habitude de faire l'objet de tant d'attentions. D'habitude, c'est moi qui chouchoute les autres.

— Quel effet cela vous fait-il d'être chouchoutée à votre tour ?

— Je crains d'y prendre goût, répondit-elle en retirant ses chaussures pour enfoncer ses pieds dans la moquette. Je crois que je pourrais rester assise là pendant des heures.

D'un doigt nonchalant, il lui caressa le cou, juste

sous l'oreille, là où la peau est si blanche à force de ne jamais voir le soleil.

— Vous tenez vraiment à voir ce film ? demanda-t-il dans un souffle.

A.J. tressaillit malgré elle. Tandis qu'une salve de frissons venait mourir au creux de son ventre, elle songea que David Brady n'était pas un homme comme les autres.

— Oui, répondit-elle en pensant « non » et en tendant son verre pour qu'il la resserve. Je suppose que vous avez l'habitude de ce genre de choses.

— Des premières ? Non, je n'aime pas l'ostentation.

— Je vois ça, ironisa-t-elle en regardant autour d'elle.

— Ce soir, je fais une exception. Pour vous.

Il leva son verre en souriant, heureux de la voir si détendue, apparemment si bien en sa compagnie.

— Mais vous, avec votre métier, vous devez assister à toutes les réceptions huppées ?

— Sûrement pas. En fait, j'ai horreur de ça.

— Pourquoi diable y allons-nous, en ce cas ?

— Cela entre dans le cadre de notre expérience.

La limousine s'arrêta au bord du trottoir sur lequel se pressait une foule bruyante et compacte jugulée par des barrières qui obligeaient ceux qui voulaient entrer dans le cinéma à faire la queue sur plusieurs rangs. Les appareils photo cliquetaient, les flashes crépitaient. L'excitation était à son comble. Tel un couple de stars, ils furent accueillis par un concert de hourras, bravos et vivats.

— C'est incroyable, grommela David en l'entraînant loin des paparazzi qui les bombardaient sans pitié.

— Dieu que je n'aimerais pas être une actrice ! Essayons de trouver un coin sombre.

— Je suis partant.

Elle ne put s'empêcher de rire.

— Vous alors, vous avez de la constance !

— A.J. ? A.J., comment ça va, ma chérie ?

Avant d'avoir compris ce qui lui arrivait, la jeune femme se retrouva plaquée contre un giron confortable.

— Merinda ! Je suis contente de vous voir.

— Et moi donc ! s'exclama Merinda MacBride, la nouvelle coqueluche d'Hollywood. C'est tellement rassurant de tomber sur un visage connu.

Des pendeloques en diamant qu'elle avait aux oreilles à la robe de sequins qui semblait avoir été peinte sur elle, la star brillait comme un arbre de Noël. Elle décocha à A.J. un sourire d'une blancheur aveuglante.

— Vous êtes divine.

— Merci. Vous n'êtes pas venue seule ? s'informa A.J.

— Non. Je suis avec Brad…, Brad…

Renonçant à retrouver le nom de famille de son compagnon, elle sourit de nouveau.

— Avec Brad, dit-elle simplement. Il est allé me chercher à boire. Mais vous non plus, vous n'êtes pas venue seule, remarqua-t-elle en se tournant vers David.

— Merinda MacBride, David Brady.

— Enchanté, fit-il en serrant — et non baisant, comme de toute évidence elle l'espérait — la main qu'elle lui tendait. Je vous ai vue à l'écran et je vous ai trouvée formidable.

Elle le jaugea des pieds à la tête, sans la moindre gêne.

— Vous êtes aussi un client d'A.J. ?

— David est producteur.

Amusée par la lueur de convoitise qu'elle vit s'allumer dans les yeux bleu porcelaine de l'actrice, A.J. attendit plusieurs secondes avant de préciser :

— De documentaires. Je suis sûre que vous avez vu ses reportages à la télévision.

— Naturellement, mentit Merinda avec un grand sourire. J'admire beaucoup les producteurs. Surtout quand ils sont aussi séduisants.

— J'ai un ou deux scripts à vous faire lire, dit A.J. pour détourner son attention.

— Vraiment ? Vous pouvez me les envoyer ?

— Lundi matin sans faute.

— Il faut que je parte à la recherche de Brad avant de me le faire souffler. J'ai été ravie de vous connaître, David. J'espère avoir d'autres occasions de vous rencontrer. Merci d'avance, A.J. On déjeune ensemble un de ces jours, O.K. ?

— O.K. On s'appelle.

David n'attendit même pas que l'actrice se soit éloignée pour faire part de ses commentaires à A.J.

— Et vous supportez ça toute la journée ?

— Chut !

— Je vous plains sincèrement, dit-il en suivant des yeux Merinda qui ondoyait dans la foule telle une sirène dans les flots.

— Merinda est un peu spéciale mais, à l'écran, elle est vraiment géniale.

— Je suis sûr qu'elle est bourrée de talents, dit David d'un ton de connaisseur.

Comme A.J. lui faisait les gros yeux, il s'empressa de préciser :

— Je parle de son talent d'actrice, bien sûr. Elle excelle dans *Un jour, c'est tout*.

A.J. n'arriva pas à sourire. Elle s'était donné un mal de chien pour que Merinda obtienne le rôle.

— Vous avez vu ses films, alors ?

— Je ne vis pas au fond des bois. C'est le premier film dans lequel on la voit autrement que dans le plus simple appareil.

— C'était aussi la première fois que je la représentais.

— Elle a de la chance de vous avoir pour agent.

— Merci, mais je ne suis pas perdante, vous savez. Merinda est une véritable mine d'or.

— Je dirais plutôt que c'est de la dynamite. Mais comme je tiens à rester en vie, je me garderai bien d'y toucher.

Leur progression à travers la foule reprit, lente et laborieuse, constamment interrompue par de nouvelles rencontres. Entre ses clients, ses collaborateurs, ses connaissances, A.J. avait fort à faire, congratulant les uns, saluant les autres et déclinant les invitations de tous à prendre un verre après le film.

Lorsque, enfin, ils purent entrer dans le cinéma, ils décidèrent d'un commun accord de s'asseoir dans le fond de la salle.

— Comment faites-vous pour avoir l'air aussi blasé, A.J. ? Vous faites la bise à des dizaines de stars, mais semblez n'en tirer aucune gloire.

— Cela fait partie du métier. Je ne suis pas blasée : je garde les pieds sur terre. Vous n'avez rien à m'envier. La seule fois où je vous ai vu la langue pendante, c'était devant une bombe qui ne demandait qu'à vous sauter dessus.

Il s'apprêtait à répondre, mais elle lui cloua le bec d'un « chut ! » impérieux.

— Taisez-vous. Le film va commencer et j'ai horreur de rater le générique.

Elle connaissait bien l'acteur qui tenait le rôle principal. Elle était non seulement son agent, mais aussi son amie, sa confidente, celle à qui il venait raconter ses déboires conjugaux, celle qui le réconfortait quand il avait le moral à zéro, celle qui ne manquait jamais de souhaiter leur anniversaire à chacun de ses trois enfants. Mais à la seconde où il apparut sur l'écran, elle oublia qui il était dans la vie réelle et se laissa totalement prendre au jeu du personnage qu'il jouait dans le film.

L'action se déroulait dans le Connecticut, dans une grande maison sinistre qui s'apprêtait à être le théâtre d'un meurtre. Lorsqu'un coup de tonnerre retentit, plongeant la maison dans l'obscurité, A.J. saisit le bras de David et se rencogna dans son siège. N'étant pas homme à dédaigner une occasion aussi belle, il passa un bras autour de ses épaules.

La dernière fois qu'il était allé au cinéma avec une fille, il devait avoir dix-huit ans. Pendant toutes ces années, il avait vraiment manqué quelque chose, songea-t-il tandis que la jeune femme, terrorisée, se blottissait contre lui. Grisé par son parfum, il finit par perdre le fil de l'histoire, somme toute assez peu mouvementée comparée au tumulte de son cœur. Lorsque les lumières se rallumèrent dans la salle, il regretta le temps où la séance comportait deux films d'affilée.

— Super, non ? dit A.J., les yeux brillant d'excitation.

— Vraiment super. Si l'on se fie aux applaudissements, votre client a fait mouche.

Gênée par une promiscuité qui n'avait plus lieu d'être, A.J. s'écarta un peu.

— Tant mieux. C'est moi qui l'ai persuadé d'accepter le rôle. S'il avait fait un flop, je passais à la trappe.

— Et maintenant qu'il est sûr de remporter le gros lot ?

— Seul son talent en est la cause. Mais c'est assez normal. Cela ne vous ennuie pas qu'on s'en aille avant que ce soit de nouveau la cohue ?

— Non, au contraire.

Il se leva et la guida à travers les grappes de spectateurs qui s'agglutinaient déjà dans les allées. Ils n'avaient pas fait trois pas qu'une voix, derrière eux, interpella la jeune femme.

— A.J. ? Où t'enfuis-tu comme ça ?

Le grand et beau Hastings Reed les avait rattrapés. Quoique fier de sa prestation, l'acteur, anxieux, se demandait ce qu'il fallait penser de l'accueil du public.

— Tu n'as pas aimé ?

A.J. s'empressa de le rassurer.

— Bien sûr que si, dit-elle en se haussant sur la pointe des pieds pour l'embrasser sur la joue. Tu es magnifique, dans ce film. C'est ton plus beau rôle.

Il lui témoigna sa gratitude en la serrant à l'étouffer dans ses bras musclés.

— On verra ce que disent les critiques, grommela-t-il.

— Prépare-toi à recevoir des louanges à n'en plus finir. Hastings, je te présente David Brady.

— Brady ? Le producteur ?

— Absolument.

— J'adore ce que vous faites, déclara l'acteur en secouant énergiquement la main de David. Je suis président honoraire de l'association contre l'enfance maltraitée. Votre reportage a fait prendre conscience aux gens d'un problème dont ils ne soupçonnaient pas la gravité dans ce pays. Pour tout vous dire, c'est après l'avoir vu que j'ai eu envie de faire quelque chose pour le combattre.

— Cela fait plaisir à entendre. Notre but était de sensibiliser les téléspectateurs à ce qui est devenu un fait de société.

— Je me suis senti d'autant plus concerné que j'ai moi-même des enfants. Si jamais vous faites une suite, vous pouvez compter sur ma participation. A titre gracieux, bien entendu, précisa-t-il avec un clin d'œil complice.

— Qu'est-ce que vous complotez, tous les deux ? demanda A.J., qui s'était retournée un instant pour saluer quelqu'un.

L'acteur la serra de nouveau contre lui en riant.

— Elle est formidable. Je ne sais pas ce que je serais devenu sans elle. Quand je pense que je ne voulais pas de ce rôle ! C'est elle qui m'a forcé à l'accepter.

— Comme tu y vas ! Je n'ai jamais forcé personne.

— Elle m'a harcelé, tanné jusqu'à ce que je cède. Et je ne l'en remercierai jamais assez.

La tenant à bout de bras, il l'examina de haut en bas.

— Waouh ! Tu es à croquer, ce soir. Je ne t'avais encore jamais vue habillée comme ça.

Pour mettre un terme à ses compliments, A.J. entreprit de lui arranger son nœud de cravate.

— Si mes souvenirs sont bons, dit-elle d'un ton badin, la dernière fois que je t'ai vu, tu portais un jean crasseux et tu sentais le crottin de cheval.

— Je veux bien te croire. Tu viens au Chasen, bien sûr ?

— A vrai dire, je crois que je…

— Tu viens. Je dois donner une ou deux interviews, mais ce sera vite fait. Je te retrouve là-bas dans une demi-heure.

Il tourna les talons et disparut, englouti par la foule.

— Sacré bonhomme ! murmura David.

— Comme vous dites ! Mais je me serais bien passée d'aller au Chasen. Je peux prendre un taxi : ne vous sentez surtout pas obligé de m'y accompagner.

— Une femme doit toujours repartir au bras de l'homme avec lequel elle est arrivée.

— Nous ne sommes pas au bal.

— La règle s'applique quand même. En avant pour le Chasen !

— D'accord. Mais nous y faisons juste un saut.

Le « saut » se prolongea jusqu'à 3 heures du matin.

Le champagne coulait à flots et le buffet disparaissait sous des montagnes de canapés au caviar et de petits-fours. En dépit de ses réticences, A.J. trouva la fête très réussie. La musique était assourdissante, mais personne n'avait l'air de s'en plaindre. Pas question, de toute façon, de s'isoler dans un coin pour bavarder tranquillement, car entre ses clients et les nombreux contacts de David, ils connaissaient à peu près tout le monde. Pris dans ce tourbillon de mondanités, ils ne virent pas le temps passer.

Sur la piste de danse bondée, ils purent se ménager quelques instants en tête à tête.

— C'est exactement le genre d'ambiance que je fuis d'habitude, déclara A.J. sans s'offusquer de la main qui lui caressait langoureusement le dos.

— Pourquoi ?

— Parce que travaillant dans l'ombre, je ne m'y sens pas à ma place. C'est sûrement plus facile pour vous.

La fatigue, l'alcool, le plaisir de la fête conjuguant leurs effets, elle dansait avec David joue contre joue, heureuse de le sentir tout contre elle, de humer cette légère odeur de sueur à laquelle se mêlaient des effluves capiteux d'après-rasage.

— Vous êtes vous-même un artiste, continua-t-elle. Un créatif, tout du moins. Mon rôle à moi se borne à rédiger des contrats et à négocier des cachets.

— Vous l'avez voulu ainsi, non ?

— Je ne me plains pas. Surtout ce soir, dit-elle en se lovant encore plus étroitement contre lui.

— Je donnerais cher pour que nous soyons seuls tous les deux, murmura-t-il au creux de son oreille.

— Ce ne serait pas raisonnable, objecta-t-elle.

Mais lorsqu'il posa ses lèvres sur sa tempe, elle le laissa faire.

— Qui parle d'être raisonnable ?

— Moi, répondit A.J. en s'écartant pour lui sourire. J'ai besoin d'ordre, de discipline, de sécurité.

— Pour quelqu'un qui a choisi de travailler dans le show-business, ce n'est pas banal.

— Les contrats, j'en fais mon affaire. Les risques, je les leur laisse.

— Du moment que vous empochez vos dix pour cent, le reste vous importe peu, si je comprends bien ?

— C'est tout à fait ça.

— Si vous m'aviez dit cela quand on s'est rencontrés, je vous aurais peut-être crue. Mais je vous ai vue à l'œuvre avec Clarissa.

— Ce n'est pas la même chose, vous le savez bien.

— Certes. Mais ce soir, je vous ai vue avec Hastings. Vous prenez très à cœur le destin de vos clients, A.J. Vous cherchez à vous persuader qu'ils ne sont rien d'autre que des signatures au bas de vos contrats, mais moi, je sais qu'ils sont bien plus que cela. Je sais aussi que vous leur donnez beaucoup de vous-même, et je vous admire énormément pour ça. Pour ça, et pour plein d'autres choses.

Il ponctua sa déclaration d'un léger baiser sur les lèvres qu'elle ne songea même pas à esquiver.

— Je ne mélange jamais les affaires et les sentiments.

— Vous mentez.

— Il peut m'arriver de faire quelques entorses à la vérité, mais de mentir, jamais.

— Ce soir, à la première, vous étiez pourtant prête à toutes les pirouettes pour flatter cet acteur.

D'un geste exaspéré, A.J. repoussa les cheveux qui lui venaient sur les yeux. David devinait toujours tout.

— Hastings a constamment besoin d'être rassuré. Pour son prochain film, j'espère pouvoir lui obtenir un demi-million de dollars supplémentaire.

— *Lui* obtenir ? Même vos expressions vous trahissent !

— Vous tirez vos conclusions un peu vite.

— Non, pas du tout. Je suis juste en train de découvrir vos petits secrets. J'ai décidé que je vous aimais bien, A.J. Cela vous pose un problème ?

Elle trébucha et se rattrapa à lui.

— A tout prendre, je préfère encore vous taper sur le système.

— Alors je vous rassure tout de suite : mon système est complètement chamboulé. Il y a des centaines de personnes autour de nous et je n'ai qu'une envie : vous arracher cette satanée robe pour vous avoir enfin nue dans mes bras.

— Ce n'est pas ce que je voulais dire, se défendit A.J. en essayant d'ignorer le frisson qui lui parcourait l'échine. Vous êtes quelqu'un de raisonnable, David. Vous avez les pieds sur terre.

— Je ne demanderais pas mieux que de perdre la tête et d'aller faire un tour au septième ciel, si vous acceptez de m'y accompagner.

Elle se surprit à sourire bêtement. Cela ressemblait tellement à un conte de fées. Mais il y avait longtemps qu'elle ne croyait plus au prince charmant.

— David, dit-elle en le prenant aux épaules, vous semblez oublier quelques petits points de détail. Primo, nous travaillons ensemble. Cela exclut donc toute possibilité de liaison sérieuse entre nous. Secundo, pendant le tournage de ce documentaire, ma seule préoccupation est, et restera, Clarissa. Tertio, je cours toute la journée, alors le peu de temps libre dont je dispose, je le garde pour moi. Et enfin, je ne suis pas faite pour l'amour. Je suis trop égoïste et bien trop exigeante.

— Voilà qui est très clair. On s'en va ? suggéra David après lui avoir appliqué un baiser fraternel sur le front.

— D'accord.

Un peu déroutée de le voir rendre les armes sans résistance, A.J. alla récupérer sa veste, puis ils quittèrent l'ambiance survoltée de la discothèque, accueillant avec soulagement l'air frais et le silence de la nuit.

— Le bruit et la fureur ne sont supportables qu'à petites doses, fit remarquer la jeune femme en se glissant à l'intérieur de la limousine.

— Il faut de la modération en toute chose.

— Sans elle, la vie serait intenable.

A peine s'était-elle assise sur le siège capitonné, bien à l'abri derrière les vitres teintées, que David revint à la charge, plus déterminé que jamais.

— Primo, dit-il, je suis le producteur de ce documentaire, et vous, l'agent d'une des protagonistes. Notre collaboration étant limitée, je ne vois pas ce qui nous empêcherait de nouer une relation. D'ailleurs, elle existe déjà.

Son regard brillait d'un éclat sauvage qu'elle n'avait pas remarqué sur la piste de danse. Une sourde appréhension l'envahit.

— David…

— Je vous ai laissée parler, alors laissez-moi finir. Secundo, vous pouvez assister au tournage et ne pas lâcher Clarissa d'une semelle, si cela vous chante. Tertio, nous travaillons tous les deux comme des fous et, pas plus vous que moi, nous n'avons de temps à perdre en excuses boiteuses et en faux-fuyants. Et quatrièmement, l'amour n'a pas attendu que vous soyez faite pour lui pour vous tomber dessus. Que vous le veuilliez ou non, il va bien falloir vous rendre à l'évidence.

Le regard de la jeune femme se durcit. Son ton changea.

— Quelle évidence ? Celle qui consiste à prendre vos désirs pour des réalités ?

— Celle que bon gré, mal gré, il vous faudra admettre.

Le désir, la frustration, la colère, la passion : elle en sentit toute la force et la démesure lorsqu'il écrasa sa bouche sur la sienne. Son instinct l'incita à le repousser, à tenter de lui échapper, car elle savait que si elle le laissait faire, elle était perdue. Mais David n'était pas dupe, apparemment : il comprit que c'était d'elle qu'elle se méfiait, et non de lui.

Alors il resserra son étreinte et pressa plus avidement encore ses lèvres sur celles de la jeune femme, jusqu'à lui faire oublier ses peurs, ses doutes, ses résolutions les plus farouches, jusqu'à ce qu'elle s'abandonne enfin.

Avec un gémissement étouffé, A.J. referma ses bras autour de lui. Ses doigts remontèrent voluptueuse-ment le long de son large dos et s'enfouirent dans ses cheveux. Elle avait envie de sentir tout contre elle son corps si ferme et si viril, infiniment troublant. Un flot de sensations vertigineuses la submergea tandis qu'il l'embrassait avec fougue.

Mais en homme affamé, David cherchait déjà d'autres délices. Délaissant sa bouche, il dévora son cou, ses épaules, sa gorge dénudée. Ses grandes mains affolées couraient le long de ses flancs, emprisonnaient ses seins en émoi. A.J. n'arrivait plus à respirer. Son cœur battait à tout rompre. Jamais personne ne l'avait désirée avec une telle urgence.

Poussée par ses propres démons, elle se mit à son tour à le caresser fébrilement. Lorsqu'il fut aussi pantelant qu'elle, leurs lèvres se joignirent de nouveau et leurs langues reprirent leur folle sarabande. Ce baiser, loin de l'apaiser, souleva en elle un raz de marée d'émotions violentes. En proie à la passion la plus débridée, elle se sentit irrésistiblement entraînée par cette vague de désir qui lui donnait une audace inouïe. Jurant entre ses dents, David la renversa sur la banquette de la limousine et s'abattit sur elle.

Allongée sous lui, elle n'était que douceur et tendre fragilité. Le désordre de sa chevelure et le rose de ses joues la rendaient encore plus désirable. La caresse de ses doigts de fée sur ses joues aiguisa un peu plus la faim dévorante qu'il avait d'elle.

— C'est de la folie, murmura A.J. Cela n'aurait jamais dû arriver.

Mais c'était arrivé. Elle savait depuis le début que ça arriverait. C'était aussi inéluctable que l'attraction terrestre.

— Il faut arrêter ça tout de suite.

— Pourquoi ?

— J'ai mes raisons, dit-elle dans un souffle. Vous ne pouvez pas comprendre.

— S'il y a un autre homme, je m'en moque éperdument.

— Non, il n'y a personne. Personne d'autre, assura-t-elle en plongeant son regard dans le sien.

Pourquoi hésitait-il ? Elle était là, offerte, à deux doigts de lui céder. Il n'avait qu'à se servir au lieu de se demander ce que cachait la supplique muette qu'il lisait dans ses yeux. Mais aussi grand que soit le désir qui lui mordait les entrailles, il ne pouvait faire abstraction de la réticence de la jeune femme.

— Ce n'est peut-être ni le moment ni l'endroit, admit-il de mauvaise grâce. Mais un jour, Aurora, ce qui doit être sera.

Tout au fond d'elle-même, elle savait qu'il avait raison. Mais elle ne pouvait pas, elle *ne devait pas* se résoudre à l'accepter.

— Lâchez-moi, David.

Dépité et frustré, il l'aida à se relever.

— A quel jeu jouez-vous ?

Elle était glacée. Elle frissonnait malgré elle.

— J'essaie de sauver ma peau.

— Mais qu'est-ce que vous racontez ? En quoi le fait d'être avec moi, de faire l'amour avec moi, vous met-il en danger ?

— Ce serait trop long à expliquer, trop compliqué, dit-elle tandis que la limousine ralentissait devant chez elle.

— Comment cela, compliqué ? Il n'y a rien de plus simple. Nous avons envie l'un de l'autre. Nous sommes adultes et libres de nos actes. Des tas de gens deviennent amants tous les jours sans que rien de catastrophique ne leur arrive.

— *Des tas de gens*, répéta-t-elle d'un ton empreint d'amertume. Si j'étais comme eux, tout serait tellement plus simple. Mais les choses étant ce qu'elles sont, il ne manquerait plus que je tombe amoureuse de vous.

Avant qu'il puisse l'en empêcher, elle avait ouvert la portière et sauté sur le trottoir.

— Aurora, attendez !

Il la rattrapa, lui prit le poignet, mais elle se dégagea.

— Vous ne pouvez pas partir comme ça.

— Laissez-moi.

— Vous me devez des explications, insista David en la retenant par le bras.

— Laissez-moi, répéta-t-elle d'une voix qui se brisa. Il est tard et je suis fatiguée. Je n'ai plus les idées très claires.

— Cette discussion, nous l'aurons, A.J. Je vous le garantis.

— D'accord. Mais je vous en prie, allez-vous-en. J'ai besoin d'être seule.

Il pouvait affronter sa colère, mais il était désarmé face à sa fragilité.

— Très bien, dit-il en la laissant partir.

Il attendit jusqu'à ce qu'elle soit entrée dans l'immeuble. Des explications, il en aurait plus tard. Rien ne pressait. Ils reparleraient de tout cela à froid. C'était préférable. En attendant, s'il voulait dormir un peu, il avait intérêt à la chasser le plus vite possible de son esprit.

6

Masquant tant bien que mal sa nervosité, A.J. prit la tasse de thé que Clarissa lui tendait en souriant.

— Je suis contente que tu sois venue me rendre visite. C'est si rare que tu puisses te libérer l'après-midi.

— Abe s'occupe très bien de l'agence en mon absence.

— Il est la gentillesse faite homme. Comment va son petit-fils ?

— Abe lui passe tous ses caprices.

— Les grands-parents sont faits pour ça, non ?

Soucieuse de ne pas montrer combien elle aurait aimé, elle aussi, avoir un petit-fils à gâter, Clarissa baissa les yeux.

— Alors, ce thé, comment le trouves-tu ?

— Ça change un peu, répondit poliment A.J. qui voulait s'épargner un mensonge. C'est quoi ?

— De l'infusion de cynorhodon. Le fruit de l'églantier est connu pour ses vertus calmantes. Cela devrait te faire du bien. Il y a longtemps que je ne t'avais pas vue aussi à cran.

A.J. reposa sa tasse et se leva pour marcher de long en large. Elle savait, quand elle avait pris son après-midi, qu'elle viendrait voir Clarissa. Elle avait besoin d'aide. Elle avait besoin d'elle.

— Maman, dit-elle en se rasseyant brusquement sur le canapé. Je ne sais plus quoi faire. Comment vais-je me sortir de là ?

Clarissa prit tout son temps pour répondre. C'était la première fois que sa fille exprimait son désarroi. Elle ne pouvait pas la laisser comme ça.

— Tu as peur, Aurora.

La jeune femme jaillit de nouveau du canapé.

— Je suis morte de trouille. Je me sens complètement dépassée. Je ne contrôle plus rien.

— Il faut parfois savoir lâcher prise.

— Pour moi, c'est impossible, dit-elle en regardant sa mère. Tu ne devrais avoir aucun mal à le comprendre.

Clarissa réprima un soupir. Elle aurait tellement voulu que sa fille, son unique enfant, soit en paix avec elle-même.

— Tu as peur de souffrir, n'est-ce pas ? Tu t'es juré que cela n'arriverait jamais plus, mais tu aimes David. Tu l'*aimes*, Aurora.

A quoi bon prétendre le contraire ? S'il y avait une personne à qui on ne la faisait pas, c'était bien Clarissa.

— J'essaie de garder la tête froide, maman.

— Quel mal y a-t-il à aimer un homme ?

— David n'est pas un homme comme les autres. Il est unique, exceptionnel. Et puis, ajouta A.J. après une pause, je sais ce qu'il en coûte de tomber amoureuse.

— Tu étais si jeune, à l'époque, dit Clarissa en reposant brutalement sa tasse dans la soucoupe. Il ne faut pas confondre un simple béguin avec l'amour véritable, qui est beaucoup plus profond et qui s'inscrit dans la durée.

Incapable de rester en place, A.J. tournait en rond.

— Qui te dit que ce n'est pas un simple béguin ? Que ce que j'éprouve pour lui n'est pas purement sexuel ?

Clarissa ne s'offusqua pas le moins du monde.

— Il n'y a que toi qui puisses répondre à cette question. Mais il me semble que tu n'aurais pas pris ton après-midi pour venir me voir si tu pensais que tout cela n'était qu'une banale histoire de fesses.

En riant, A.J. revint s'asseoir à côté d'elle.

— Il n'y en a pas deux comme toi, maman.

— Cela a dû être dur, parfois, non ? demanda Clarissa.

— Jamais, répondit A.J. en posant la tête sur son épaule. Ç'a été formidable. *Tu* es formidable.

— Ton père m'a beaucoup aimée, tu sais. Il ne s'est jamais posé de questions et ne s'est jamais plaint. Je n'ose pas imaginer ce qu'aurait été ma vie si je n'avais pas fait abstraction de tout le reste pour l'aimer en retour.

— Papa était un être à part. Les hommes ne sont pas tous aussi... compréhensifs.

Clarissa se tut un instant, puis elle s'éclaircit la voix, comme chaque fois qu'elle avait quelque chose de grave à annoncer.

— Alex aussi me prend telle que je suis.

A.J. releva brusquement la tête.

— Alex ?

Clarissa était rouge comme un coquelicot.

— Tu veux dire qu'Alex et toi, vous... ?

— Il m'a demandée en mariage.

— Quoi ? Tu vas épouser Alex ? Mais tu le connais à peine ! Voyons, maman, réfléchis : on ne se marie pas sur un coup de tête !

Clarissa la regardait en souriant de toutes ses dents.

— Quelle autorité, ma chérie. Je n'ai jamais été capable d'un tel sermon.

— Je ne te sermonne pas, grommela A.J. Mais cela m'ennuierait beaucoup que tu t'engages là-dedans sans vraiment prendre le temps d'y réfléchir.

— C'est bien ce que je disais. Je suppose que tu dois tenir cela de ton père. De mon côté, on ne s'encombrait pas d'autant de scrupules.

— Maman…

— Tu te souviens, sur le plateau de l'émission, quand Alex m'a demandé de lui lire les lignes de la main ?

A.J. savait ce que Clarissa s'apprêtait à lui dire.

— Tu as eu un flash, n'est-ce pas ?

— Je dois reconnaître que j'ai été un peu déconcertée. Je ne m'attendais pas à découvrir que je pouvais encore plaire. Surtout à un homme comme Alex. Et j'étais bien loin de me douter que je n'étais moi-même pas à l'abri du coup de foudre.

— Ce n'est pas une raison pour précipiter les choses.

— J'ai cinquante-six ans, ma chérie. Pendant très longtemps j'ai vécu seule sans jamais m'en plaindre. C'était sans doute ma destinée. Mais aujourd'hui, j'ai envie d'autre chose. A vingt-huit ans, tu es une femme épanouie et indépendante. Pour autant, tu ne devrais pas avoir peur de lier ta vie à celle d'un homme.

— Nos situations sont très différentes.

— Non, pas tant que cela. Tout le monde a besoin d'amour et de tendresse. Si David est l'homme de ta vie, tu le sauras assez vite. Le plus dur pour toi, ce sera de l'admettre.

— Il ne voudra peut-être pas de moi. J'ai tellement de mal à m'accepter moi-même.

— Oui, je sais. Cela m'a donné bien du souci. Je ne peux pas faire grand-chose pour toi, Aurora. Ton avenir t'appartient. Je ne peux même pas te prédire ce qu'il sera.

— Je ne te le demande pas.

— Je le sais bien. Interroge ton cœur, ma chérie, et oublie un peu les risques auxquels tu t'exposes.

— Je ne suis pas sûre que mon cœur soit un bon conseiller.

— Fais-lui confiance, pour une fois. Je ne peux pas te dicter ta conduite, mais je peux te dire mon sentiment. David Brady est un honnête homme. Il a ses défauts, bien sûr, mais foncièrement, c'est quelqu'un de bien. Cela a été un plaisir de travailler avec lui, et ce matin, quand il a appelé, j'ai été ravie de l'entendre.

— David a appelé? demanda A.J., sur le qui-vive. Pourquoi? Que voulait-il?

— Oh, c'était juste pour me soumettre les idées qu'il a eues pour la suite du reportage, expliqua Clarissa en tripotant la serviette en dentelle qu'elle avait sur les genoux. Il est à Rolling Hills, aujourd'hui. Il voulait visiter cette vieille demeure qui a si mauvaise réputation.

— Celle qu'on dit hantée?

— Les avis sont assez partagés. Mais je pense que David a bien préparé sa visite. Le débat sera sûrement passionnant.

— Mais quel est le rapport avec toi?

— Le rapport? Je ne sais pas. Nous avons parlé de la maison. Il a dû se dire que cela devait m'intéresser.

Rassurée, A.J. s'en voulut de s'être aussi vite dressée sur ses ergots. David n'aurait jamais osé la court-circuiter.

— Nous nous sommes aussi mis d'accord sur la suite

de notre collaboration, continua Clarissa. Il est prévu que j'aille au studio… mercredi. Oui, je crois bien que c'est mercredi. Et la semaine suivante, je vais chez les Van Camp. L'enregistrement se fera directement dans le salon d'Alice.

A ces mots, le sang d'A.J. ne fit qu'un tour.

— Quoi ? Il a maintenu son projet ? Sans m'en parler ?

L'air contrit, Clarissa croisa les mains sur ses genoux.

— J'ai fait quelque chose de mal ?

Folle de rage, A.J. se leva.

— Toi, non, dit-elle à sa mère. Mais lui, il va me le payer. Voilà ce que c'est que de faire confiance aux gens !

Ramassant son sac, elle gagna la porte en deux enjambées.

— Tu ne vas nulle part mercredi jusqu'à ce que je sache exactement de quoi il retourne. Ne t'inquiète pas, maman, je m'occupe de tout.

— Je te fais confiance, ma chérie.

Dès que la porte d'entrée eut claqué, Clarissa se rassit tranquillement dans son canapé. Elle avait fait tout ce qui était en son pouvoir. Maintenant que les choses étaient lancées, il fallait laisser faire le destin.

— Voyez avec lui pour reporter le rendez-vous. Ou bien demandez à Abe de le recevoir à ma place, cria A.J. dans son téléphone, un œil sur le semi-remorque derrière lequel elle se traînait depuis au moins cinq minutes.

— Abe a un rendez-vous à 15 h 30. Ça risque d'être difficile.

— S'il a affaire à Barbara, Montgomery risque de se braquer. Annulez, Diane, et convenez avec lui d'un autre rendez-vous. Dites-lui que… j'ai eu un empêchement de dernière minute. Une affaire à régler de toute urgence.

— Entendu. Ce n'est pas trop grave, j'espère ?

Un sourire sans joie étira les lèvres d'A.J.

— Cela pourrait bien le devenir.

— Hou là, ça sent mauvais ! Où puis-je vous joindre ?

— Nulle part. Si c'est important, laissez-moi un message. Je vous rappellerai.

— Pigé, dit la secrétaire. Je vous souhaite bonne chance.

— Merci, dit A.J. avant de raccrocher, plus remontée que jamais.

S'il croyait pouvoir jouer au plus fin avec elle, il se trompait ! Elle allait lui montrer qui était le plus fort. David Brady n'avait plus qu'à numéroter ses abattis.

Mais encore fallait-il qu'elle le trouve ! songea-t-elle en se penchant sur sa carte routière.

Lorsque la première goutte de pluie s'écrasa sur son pare-brise, elle jura entre ses dents. Jouant décidément de malchance, elle se trompa de sortie et prit à plusieurs reprises la mauvaise intersection. Vingt minutes plus tard, réduite à errer sur une route défoncée au beau milieu d'un orage fracassant, elle pestait tout ce qu'elle pouvait et maudissait David Brady de l'avoir mise dans cette galère.

La maison lui apparut enfin. Sous la pluie battante, au milieu des éclairs, la grande bâtisse victorienne était sinistre à souhait. A se demander s'il n'avait pas programmé cet orage exprès ! La jeune femme écrasa rageusement la pédale de frein et sortit de sa voiture.

Déjà bien pleine, la coupe déborda lorsqu'elle s'enfonça jusqu'aux chevilles dans une flaque de boue.

David la vit arriver à travers la fenêtre du salon. Aujourd'hui, il avait vraiment toutes les guignes. Le travail n'avançait pas et il n'avait pas la tête à ce qu'il faisait. Et comme en plus, il manquait cruellement de sommeil, il n'était pas à prendre avec des pincettes. Lorsqu'il ouvrit la porte, il était aussi furieux qu'elle.

— Que diable êtes-vous venue faire ici ?

Elle avait les cheveux dégoulinants, son tailleur était trempé et ses escarpins en chevreau probablement fichus.

— Il faut que je vous parle, Brady.

— En ce cas, appelez mon secrétariat et prenez rendez-vous. Je suis en plein travail.

— Il faut que je vous parle *maintenant* ! dit-elle en le poussant contre la porte. De quel droit vous permettez-vous de prendre des dispositions avec un de mes clients sans me consulter auparavant ? Si vous voulez filmer Clarissa dans vos studios la semaine prochaine, c'est à *moi* qu'il faut le demander. Est-ce clair ?

Il repoussa la main qu'elle avait plaquée sur son torse.

— Je vous rappelle que Clarissa est sous contrat chez nous pour toute la durée du tournage. Par conséquent, je n'ai rien à vous demander.

— Vous feriez bien de relire le contrat, Brady. Il stipule que les lieux, dates et heures sont à définir avec son agent.

— O.K. Je vous enverrai un planning. Si vous voulez bien m'excuser…

Il repoussait déjà la porte, mais elle fut plus rapide que lui.

— Je n'ai pas fini, déclara-t-elle en se carrant dans l'embrasure.

Les deux électriciens qui travaillaient dans l'entrée s'interrompirent pour les regarder.

— Moi, si. Fichez-moi le camp, si vous ne voulez pas que je vous fasse jeter dehors.

— Je vous conseille de modérer vos propos… si vous ne voulez pas que ma cliente attrape une laryngite aiguë avec extinction de voix totale.

— Pas de menaces, A.J., dit-il en l'agrippant par les revers de sa veste. Cela suffit comme ça. Je vous attends dans mon bureau demain à la première heure. Nous parlerons, puisque vous y tenez tant.

— Monsieur Brady, on vous demande en haut.

Il ne la lâcha pas tout de suite. Pâle et échevelée, les traits tendus, les narines frémissantes, elle semblait prête à lui arracher les yeux. Il s'en fut de peu qu'il ne la prenne dans ses bras et ne couvre de baisers son visage convulsé de rage. Qu'il n'écrase sa bouche sur la sienne pour l'empêcher de riposter, de respirer. Mais ce qu'il aurait voulu par-dessus tout, c'était la faire souffrir autant que lui souffrait.

— Allez au diable ! grommela-t-il en la repoussant brutalement avant de faire volte-face pour monter à l'étage.

D'une main, la jeune femme se retenait au chambranle. Son cœur battait à tout rompre, ses oreilles bourdonnaient et un voile rouge lui obscurcissait la vue. Il y avait des années qu'elle n'était pas entrée dans une telle fureur. Remontée à bloc, elle se précipita dans l'escalier, plus décidée que jamais à en découdre.

— Encore vous ! constata David d'un ton flegmatique.

Debout sur le palier, il s'apprêtait à rejoindre son équipe, qui l'attendait pour les prises de vues.

— Il n'y a pas de demain qui tienne, lança A.J. en lui emboîtant le pas.

Le couloir était étroit et sombre, et des toiles d'araignées pendaient du plafond. Ecaillés, fissurés, les murs portaient les traces de tableaux disparus. Lorsqu'elle pénétra dans la pièce, juste derrière David, A.J. reçut comme un choc. Alors qu'elle ouvrait la bouche pour lui crier quelque chose, elle se figea, en proie à une sensation de froid intense, comme si la température avait brutalement chuté de vingt degrés.

Elle ne remarqua ni les projecteurs, ni les caméras, ni les rouleaux de câbles qui encombraient la pièce. Mais tandis que son regard fixe contemplait le papier peint délicatement fleuri et le lit à baldaquin drapé de satin rose, tout lui était perceptible : l'odeur des roses fraîchement coupées dans le vase en cristal posé sur la coiffeuse en acajou, les traces d'usure sur le tabouret bas au bout du lit, le brillant des meubles frottés à la cire d'abeille. Elle voyait et entendait tout. Absolument tout.

— *Tu m'as trompé. Tu as couché avec lui, Jessica.*

— *Non ! Non, je te jure que non. Je t'en supplie, Charles, ne fais pas ça. Je t'aime. Je…*

— *Tu mens ! Tais-toi. Je ne veux plus jamais t'entendre.*

Il y eut des cris de terreur, des cris de douleur puis un grand silence, encore plus angoissant. A.J. lâcha son sac pour se boucher les oreilles.

— A.J., que se passe-t-il ? demanda David en la secouant comme un prunier.

Elle l'agrippa par sa chemise. L'air hébété, elle murmura :

— Pauvre Jessica ! Quelle fin atroce !

Il prit ses mains glacées dans les siennes. Elle avait le teint crayeux et tremblait de tous ses membres. Mais plus impressionnant encore était son regard fixe et vitreux.

— Quelle Jessica ? demanda-t-il aussi calmement que possible.

— Il l'a tuée. Là, dans ce lit. Il l'a étranglée de ses propres mains. Elle criait comme une damnée alors il a serré, serré, jusqu'à ce que…

— A.J. ! dit David en lui prenant le menton pour l'obliger à le regarder. Il n'y a pas de lit. Il n'y a rien de tout cela.

Comme un plongeur émergeant brusquement des profondeurs océanes, elle secoua la tête et prit une grande inspiration. Une vague de nausée lui tordit l'estomac.

— Laissez-moi ! cria-t-elle avant de se précipiter hors de la pièce, bousculant au passage les techniciens encore sous le choc de la scène à laquelle ils venaient d'assister.

La main sur la bouche, elle traversa le couloir en courant et dévala l'escalier quatre à quatre. Elle était dehors, sous la pluie battante, lorsque David la rattrapa. Un éclair déchira le ciel juste au-dessus de leurs têtes, et la pluie redoubla.

— Où allez-vous ?

Il dut crier pour couvrir le fracas du tonnerre.

— Je…

A.J. jeta autour d'elle un regard éperdu.

— Je rentre en ville.

— Je vous raccompagne.

— Non. Lâchez-moi !

— Je ne vous laisserai pas prendre le volant dans cet état, rugit David en l'entraînant vers sa voiture, dans laquelle il la poussa sans ménagement. Ne bougez pas d'ici, ordonna-t-il en refermant la portière.

N'ayant pas la force de partir, elle fut bien obligée d'obéir. Mais dans une minute, elle aurait récupéré et pourrait s'en aller, songea-t-elle en essayant d'arrêter de trembler. Lorsque David reparut, cependant, elle avait toujours aussi peu d'énergie et tremblait comme une feuille. Il la débarrassa de son sac et l'enveloppa dans une couverture.

— L'un des techniciens va ramener votre voiture, l'informa-t-il avant de démarrer.

Ils roulèrent en silence sur la route défoncée. La pluie crépitait sur le toit. Sous sa couverture, A.J. ne bougeait pas.

— Pourquoi ne m'avez-vous rien dit ? demanda David.

— Dit quoi ?

— Que vous étiez comme votre mère.

A.J. se recroquevilla sur son siège, enfouit sa tête dans ses bras et éclata en sanglots.

Il ne manquait plus que ça ! songea-t-il en jurant entre ses dents. Elle l'avait épouvanté tout à l'heure, quand il l'avait découverte derrière lui, pâle et transie, terrorisée par une scène qu'elle était seule à voir.

En dépit de son scepticisme, de ses préventions à l'égard des parapsychologues, des voyantes de foire et des médiums qui prédisaient l'avenir à la chaîne, David savait qu'elle avait vraiment vu ou perçu quelque chose.

Du diable s'il savait maintenant quoi lui dire, quoi faire pour la réconforter !

Elle pleurait toutes les larmes de son corps. Ce qui s'était passé dans la maison, elle n'y était pour rien, pourtant. Strictement rien. Ce genre de choses se produisait toujours au moment où elle s'y attendait le moins.

La pluie cessa et un pâle rayon de soleil perça à travers les nuages. A.J. se redressa sur son siège.

— Je suis désolée.

— Je ne veux pas de vos regrets. Je veux des explications.

— Je n'en ai pas, dit A.J. en se séchant les joues du revers de la main. Je vous serais très reconnaissante de bien vouloir me reconduire chez moi.

— Je vais vous ramener. Mais comme je tiens à ce que nous ayons une petite discussion, nous allons d'abord passer à la maison.

Elle n'eut pas le courage de protester, de s'indigner du procédé. La tête contre la vitre, elle ne réagit pas lorsque, au lieu de tourner dans sa rue, ils continuèrent tout droit en direction des collines, sur les hauteurs de la ville.

Ils s'engagèrent dans une allée menant à une maison contemporaine, avec de grandes fenêtres qui ouvraient sur une belle pelouse bordée de massifs de fleurs.

— Je croyais que vous aviez un appartement en ville.

— Cela a été le cas longtemps. Jusqu'à ce que je décide que j'avais besoin d'oxygène.

Il récupéra le sac de la jeune femme sur la banquette arrière et prit son attaché-case. A.J. descendit de voiture. Sans rien dire, elle le suivit dans la maison.

Il y avait des peintures aux murs et des tapis persans sur les sols carrelés. Pour gagner la salle de séjour, il fallait descendre quelques marches. Sans un mot, David alla mettre du petit bois dans la cheminée pour faire une flambée.

— Il faut que vous enleviez vos vêtements. Ils sont tout trempés. La salle de bains est à l'étage, au bout du couloir. Il y a un peignoir accroché derrière la porte.

— Merci, dit-elle d'une toute petite voix.

Elle se sentait misérable, tant sur le plan physique que mental. Il ne restait rien de la morgue qui lui servait d'habitude de bouclier.

— David, ne vous sentez surtout pas obligé de…

— Je vais préparer un peu de café, dit-il en l'abandonnant devant la cheminée.

Le petit bois craquait joyeusement, les flammes commençaient à lécher les bûches de chêne et l'odeur du feu de bois, chaleureuse et réconfortante, à se répandre dans toute la pièce. Immobile, A.J. luttait contre les larmes qui menaçaient de couler de nouveau, contre le froid intérieur qui paralysait ses membres, contre ce sentiment de déchéance qu'elle avait si souvent ressenti dans les mêmes circonstances.

Il ne fallait pas qu'elle pleure. Surtout sur David Brady, décida-t-elle en se secouant. Elle n'allait pas se rendre malheureuse pour lui. Ni pour aucun autre homme. A.J. Fields n'était pas du genre à se laisser abattre.

Forte de cette pensée, la jeune femme monta prendre une douche. Puis elle sortit de son sac sa trousse de maquillage et s'appliqua à réparer tant bien que mal les dégâts. Lorsqu'elle enfila le peignoir de David, elle reconnut son odeur et s'empressa de zapper ce détail pour le moins troublant.

De retour dans la salle de séjour, elle se laissa guider par l'arôme du café frais pour trouver la cuisine.

David était debout devant la fenêtre, perdu dans ses pensées. Il avait mis quelque chose à réchauffer sur la cuisinière.

— David ? dit-elle d'une voix incertaine en croisant frileusement les bras sur sa poitrine.

Il se retourna lentement, attentif à ce qu'il allait dire. Une telle confusion régnait dans son esprit qu'il aurait pu faire un impair. Ce n'était pas le moment ; elle avait l'air si fragile.

— Le café est prêt. Vous devriez vous asseoir.

— Merci.

Faussement désinvolte, elle s'assit sur un tabouret, derrière le comptoir.

— J'ai pensé que vous aimeriez manger quelque chose, dit-il en s'approchant pour lui servir son café. J'ai fait réchauffer de la soupe.

Les yeux de la jeune femme se mirent à picoter furieusement.

— Vous n'auriez pas dû vous donner tant de mal.

Sans un mot, il versa deux louchées de soupe bouillante dans un bol qu'il posa devant elle, avec une cuiller.

— Elle a l'air délicieuse, déclara A.J., sur le point de fondre en larmes. David, il faut que vous sachiez que…

— Mangez d'abord, dit-il en s'asseyant à côté d'elle, une tasse de café à la main. Ma mère disait toujours qu'il n'y a rien de tel qu'un bol de soupe pour guérir tous les maux.

— Pourquoi ne posez-vous pas de questions ? Ce serait tellement plus simple. J'y répondrais et le problème serait réglé une fois pour toutes.

La plaie était à vif, il le sentait. Qui avait bien pu la blesser ? Et quand ?

— Je n'ai pas l'intention de vous soumettre à un interrogatoire.

Elle lui lança un regard de défi.

— Pourquoi pas ? Vous avez envie de savoir ce qui s'est passé dans cette pièce, non ?

— Oui, évidemment. Mais je ne vous sens pas prête à en parler.

— Pas prête ? se gaussa A.J. Comment pourrais-je l'être ? Vous voulez savoir à quoi elle ressemblait ? Elle était brune, aux yeux bleus, et portait une longue robe d'intérieur boutonnée jusqu'au cou. Son nom était Jessica. Elle n'avait que dix-huit ans quand son mari l'a étranglée dans un accès de jalousie. Il s'est ensuite donné la mort avec le pistolet caché dans le tiroir de la table de chevet. Cela vous ira, pour le reportage, ou il vous faut davantage de détails ?

David ne répondit pas tout de suite. Qui était la femme qui venait de lui narrer d'un ton détaché une expérience à vous donner froid dans le dos ? Qui était cette femme qu'il avait tenue dans ses bras, embrassée, et tellement désirée ?

— Ce qui s'est passé n'a rien à voir avec le reportage, assura-t-il. Je pense que rien ne serait arrivé, si vous n'aviez pas été aussi… bouleversée. Emotionnellement déstabilisée.

A.J. repoussa le bol de soupe sans même y goûter.

— Depuis le temps, j'ai l'habitude, pourtant. Si je n'avais pas été aussi en colère, aussi énervée, je pense en effet que rien ne serait arrivé.

— Vous arrivez à vous prémunir contre ce genre de choses ?

— Oui, en général j'y arrive assez bien.

— Ce... don vous gêne à ce point ?

A.J. se leva de son tabouret.

— Ce n'est pas drôle, croyez-moi ! Il faut s'appeler Clarissa pour y trouver son compte. Il faut avoir sa générosité, sa grandeur d'âme.

Incapable de rester en place, elle marcha jusqu'à la fenêtre.

— Je donnerais tout ce que j'ai pour être comme tout le monde, confia-t-elle. J'ai parfois l'impression d'être un monstre. Quand j'étais petite, je faisais des rêves prémonitoires. Je savais d'avance combien la chatte de ma meilleure amie aurait de petits et de quelle couleur ils seraient. Et quand l'une de mes camarades perdait une poupée, je lui disais où sa mère l'avait rangée, sur quelle étagère de l'armoire elle l'avait mise. Je ne me trompais jamais. Les parents de mes amis ont commencé à se méfier. Ils ont interdit à leurs enfants de me fréquenter.

— C'est sûrement très difficile à vivre.

— Oui. A six ans, on ne comprend pas. Clarissa me réconfortait du mieux qu'elle pouvait, mais le mal était fait. Je n'ai plus parlé des rêves ni de rien à personne. Puis mon père est mort.

La voix de la jeune femme se brisa. Pour empêcher les larmes de couler, elle pressa brièvement ses deux poings sur ses yeux.

— Non, je vous en prie, dit-elle en entendant David repousser son tabouret. Je vous demande juste une seconde.

Elle prit une profonde inspiration et rouvrit les yeux.

— Il était en déplacement. Je me suis réveillée en pleine nuit avec la certitude effroyable de sa mort. Je suis allée voir Clarissa. Elle ne dormait pas. Assise dans son lit, elle pleurait en silence. Sans un mot, je me suis glissée dans son lit. Ensemble, nous avons attendu que le téléphone sonne.

— Quand je pense que vous n'aviez que huit ans, murmura David.

— Je me suis débrouillée ensuite pour ne plus avoir de prémonitions ou perceptions extrasensorielles. J'arrivais à bloquer les images. Il se passait parfois plusieurs mois sans que j'aie le moindre flash. Mais si j'avais le malheur de me mettre en colère, de perdre mon self-control d'une manière ou d'une autre, je m'exposais à en avoir de nouveau.

— C'est ce qui s'est passé tout à l'heure. Je vous avais énervée.

— Oui, un peu, répondit sobrement A.J. en le fixant.

— Je suis vraiment navré. Mais je pense sincèrement que vous devriez cesser de considérer ce don comme une maladie qu'il vous faut à tout prix éradiquer de votre vie.

Au point où elle en était, songea la jeune femme en revenant vers le comptoir, autant aller jusqu'au bout.

— A vingt ans, quand je me suis lancée dans la vie active, j'ai rencontré un homme qui tenait une boutique sur la plage. Il louait des planches de surf, vendait des produits solaires et tout un tas de bricoles. Sa décontraction, sa liberté de pensée m'ont d'autant plus fascinée que je trimais dix heures par jour pour essayer de faire mon trou. C'était la première fois que je m'intéressais vraiment à un homme. Je suis tombée raide amoureuse de lui. Avant de comprendre ce qui m'arrivait, je me suis retrouvée fiancée. Il m'avait même offert la bague, précisa A.J. avec un petit rire amer en se glissant de nouveau sur le tabouret.

Elle s'interrompit et ferma un instant les yeux, comme pour puiser en elle la force de continuer.

— Puisque nous allions nous marier, il m'a semblé que nous ne devions pas avoir de secret l'un pour l'autre.

— Vous ne lui aviez rien dit ?

— Non, répondit-elle d'un ton vindicatif, comme si elle se sentait attaquée. J'ai commencé par lui présenter Clarissa. Puis je lui ai dit que… Enfin, je lui ai dit. Il a cru que je me vantais et m'a mise au défi de lui prouver que je n'inventais rien. Je croyais tellement en notre histoire que je n'ai pas hésité. Je lui ai donné toutes les preuves qu'il voulait. Sauf qu'après, il m'a regardée comme si… comme si…

Elle déglutit pour se débarrasser de la boule qui s'était formée dans sa gorge et empêchait les mots de sortir.

— Je suis désolé, murmura David.

Elle haussa les épaules.

— J'aurais dû m'y attendre, dit-elle en tripotant sa cuiller. Quoi qu'il en soit, mon fiancé s'est évanoui dans la nature. Du jour au lendemain, je n'en ai plus eu aucune nouvelle.

Les mots venaient difficilement et semblaient la faire terriblement souffrir, comme des éclats de métal qu'on extrait un à un d'une blessure.

— J'ai fini par aller chez lui. Je voulais lui jouer la grande scène de la rupture, lui rendre la bague qu'il m'avait offerte. Quand je repense à la manière dont il m'a reçue, j'ai presque envie de rire. On aurait dit qu'il n'osait pas me regarder, et encore moins m'approcher. Je lui faisais peur.

La plaie était loin d'être refermée. David aurait voulu lui tendre la main, mais il se sentait si maladroit.

— Ce n'était pas l'homme qu'il vous fallait.

A.J. secoua vigoureusement la tête.

— Je n'étais pas la femme qu'il lui fallait. Cela m'a servi de leçon. Je sais maintenant que l'honnêteté ne paie pas toujours. Vous imaginez le cirque, à l'agence, si mes clients savaient ? Entre ceux qui appelleraient pour que je leur dise à quelle audition ils ont le plus de chances d'être pris, et ceux qui me demanderaient de les accompagner à Las Vegas pour les aider à gagner à la roulette, j'aurais de quoi devenir folle.

— Voilà pourquoi vous préférez qu'on ne sache pas que Clarissa est votre mère. C'est aussi à cause de votre métier, je suppose, que vous mettez vos facultés en veilleuse ?

— Oui, bien obligée. Après ce qui s'est passé aujourd'hui, je crains le pire, confia A.J. en vidant d'un trait sa tasse de café.

— J'ai dit à Sam que je vous avais parlé du meurtre et que vous n'avez pas supporté de vous retrouver sur les lieux du drame.

David se leva pour prendre la cafetière et la resservir.

— L'équipe risque de faire quelques commentaires sur l'imagination débordante qu'ont parfois les femmes, mais cela n'ira pas plus loin, assura-t-il. Votre secret est préservé.

Une telle délicatesse de sa part toucha la jeune femme. Elle ne s'attendait pas non plus à autant de compréhension.

— Merci de m'avoir sauvé la face. Mais vous, comment avez-vous réagi, quand vous avez compris ce qui se passait ? Avez-vous eu peur ? Je vous sens encore mal à l'aise. Troublé.

— Je le suis sans doute un peu. Mais il y a de quoi, avouez. Depuis que je sais qu'on ne peut rien vous cacher, je me demande ce que cela fait de ne pas avoir de jardin secret.

— Je comprends, dit-elle en se levant, de nouveau raide et digne. Tout le monde a droit à un minimum d'intimité. Merci encore, David. Mes vêtements doivent être secs, maintenant. Je vais me rhabiller, si vous voulez bien m'appeler un taxi.

— Non, dit-il en lui bloquant le passage.

— Par pitié, n'en rajoutez pas. C'est déjà bien assez compliqué comme ça.

— Ce n'est pas mon intention, croyez-moi ! Troublé, je le suis depuis le premier jour. Je vous désire comme je n'ai jamais désiré personne, Aurora. Et rien d'autre ne compte pour l'instant.

— Pour l'instant, peut-être. Mais demain, vous verrez les choses autrement.

Il la prit dans ses bras.

— Vous êtes déjà en train de me prédire l'avenir ?

— Il n'y a pas de quoi rire.

— Il vaut mieux en rire qu'en pleurer, non ? Mais si vous cherchiez à lire dans mes pensées, là tout de suite, vous verriez que je n'ai d'autre envie que de vous attirer dans mon lit.

Le cœur d'A.J. battait comme un tambour.

— Et demain ?

— On se fiche pas mal de demain, dit-il en s'emparant

de sa bouche comme d'une place forte trop longtemps convoitée. Seul compte le désir que nous avons l'un de l'autre. Restez, Aurora, je vous en prie.

A.J. capitula sans résistance.

7

La clarté laiteuse de la lune noyait la pièce d'une blancheur irréelle. Le parfum suave des jacinthes embaumait l'air et le ruisseau qui serpentait en contrebas de la maison faisait entendre son doux murmure. Se remémorant son rêve dans ses moindres détails, A.J. se figea sur le seuil de la chambre, tous ses sens en alerte maximum.

Le tableau était bien là, avec ses taches rouges et ses lignes violettes. Lorsqu'elle tourna la tête, A.J. vit son reflet dans la porte vitrée.

— Tout cela, je l'ai rêvé, dit-elle d'une voix presque inaudible en reculant d'un pas.

Où était le rêve ? Où était la réalité ? La frontière semblait si ténue qu'elle n'était plus très sûre de pouvoir faire la différence. Jusqu'à quel point était-elle programmée pour vivre ce qu'elle s'apprêtait à vivre ? Etait-ce le destin qui avait mis David Brady sur son chemin ? Avait-elle seulement son mot à dire ?

— Non, je ne veux pas, murmura-t-elle en faisant volte-face.

Mais comme elle s'y attendait, David la prit aux épaules et la ramena dans la chambre. Elle discernait mal les traits de son visage. Seul son regard fébrile luisait dans la pénombre.

— Vous ne pourrez pas toujours fuir, Aurora. Pas plus me fuir moi que vous fuir vous.

Sa voix était altérée par le désir impérieux qu'il avait d'elle. Il fondit sur sa bouche comme un rapace sur sa proie, avec une voracité dont il ne se serait jamais cru capable. Les réticences de la jeune femme, son hésitation, avaient fait sauter les digues de tous ses contrôles, donnant ainsi libre cours à un élan primordial, brut et sauvage, aussi impérieux et aussi vieux que le monde.

Sa bouche était impatiente, ses mains partout sur elle. Il la pressait contre lui, avide de la faire sienne, avec ou sans son consentement. A.J. savait — avait toujours su — cependant que la décision finale n'appartenait qu'à elle. Il lui fallait affronter lucidement la réalité de ses actes, et accepter les conséquences qu'ils auraient sur sa vie. Ce qui allait se passer entre eux était inéluctable. En l'acceptant, elle obéissait à un instinct profond, à un élan de tout son être. Mais elle prenait aussi un risque. Il y avait quelque chose d'excitant à se mettre en danger. L'adrénaline agissait en elle comme une drogue puissante dont les effets se démultipliaient de seconde en seconde. Avec un grognement sourd, elle prit dans ses mains le visage égaré de David et s'abandonna à la passion.

Il ne s'agissait de rien d'autre que d'assouvir ce désir fulgurant, irrépressible, qui lui dévorait les entrailles depuis trop longtemps. Faire l'amour avec David n'allait pas nécessairement changer la face du monde.

Sa reddition, il l'enregistra immédiatement. Mais entre ses bras, A.J. lui parut soudain plus passionnée et plus déterminée que jamais. La faim qu'elle avait de lui n'était pas moins grande que celle qu'il avait d'elle. Cette attirance à laquelle ni l'un ni l'autre ne pouvaient se soustraire plus longtemps était aussi prometteuse que dangereuse. Car si elle leur garantissait beaucoup de plaisir, elle risquait également de les faire beaucoup souffrir. Parfaitement au fait de ce qui les attendait, ils s'effondrèrent sur le lit, agrippés l'un à l'autre comme deux bêtes furieuses luttant au corps à corps.

Dans sa hâte à la dévêtir, David écarta d'un geste brusque les pans du peignoir tandis que sa bouche affamée ne cessait de se repaître de ses lèvres, de son cou, de sa gorge offerte. Elle grogna de plaisir en sentant sur la peau délicate de ses seins la morsure de sa barbe naissante. Lorsqu'il captura entre ses lèvres ses mamelons durcis, elle se cabra en poussant un gémissement étouffé. Il voulait la soumettre, l'obliger à demander grâce, mais elle répondait à ses baisers et à ses caresses avec la même fièvre, la même faim à assouvir. Dressée contre lui, elle se mit en devoir de le débarrasser de sa chemise. En prise aux boutonnières récalcitrantes, ses doigts s'affolèrent, tirèrent, déchirèrent. Elle brûlait de le toucher, le sentir, le caresser partout à la fois.

Sa large poitrine frémissait sous ses paumes. Elle sentait ses pectoraux se contracter et son cœur cogner sourdement. Elle se laissait griser par l'odeur de sa peau à la texture un peu rude et par la sensation de puissance que lui donnait chacun des gémissements de plaisir qu'elle lui arrachait. Elle le voulait tout à elle, elle voulait lui faire perdre la tête.

Le lit ne fut bientôt plus qu'un champ de bataille sur lequel ils se livraient une lutte acharnée, telles deux créatures mythiques ivres de volupté, emportées par un élan primitif plus sauvage, plus ancien que la nuit même…

Lorsqu'il la crucifia sur le lit, bloquant ses bras au-dessus de sa tête, elle se servit de sa bouche pour le combattre et faire voler en éclats le peu qui lui restait de maîtrise de soi. Elle s'arc-bouta contre lui, sauvage et déchaînée, et comme électrisée par les caresses qu'il lui prodiguait. Refusant de lui laisser l'avantage, d'un violent coup de reins elle le fit basculer et s'abattit sur lui pour l'assaut final.

Pantelant, David tremblait d'impatience et de frustration. Lascive et volontaire, A.J., à califourchon sur lui, écrasait sa chair à la meurtrir, et lui, essoufflé, sans courage, luttait pour la subir une seconde encore. Jamais aucune femme avant elle n'avait suscité en lui une telle urgence. Torturé par l'envie qu'il avait d'elle, il avait l'impression qu'il allait mourir, se dissoudre dans une gigantesque explosion de douleur et de désir mêlés. Dans la clarté lunaire, il la voyait, amazone intrépide, ses mains avides de le caresser, le débusquer sous le reste de ses vêtements, sa bouche insatiable traçant des sillons brûlants dans son cou, sur son torse, sur son ventre, et poursuivant plus bas encore son exploration incandescente.

Lorsqu'il se retrouva nu, tout entier livré à la torture de ses mains fébriles, de ses lèvres, de ses dents et de sa langue, David crut devenir fou. Mais jamais folie ne lui avait paru plus douce. Cette sensualité insouciante, ce tempérament ardent, volcanique, s'il les avait soupçonnés chez cette femme d'apparence si froide et si réservée, il n'en avait mesuré ni l'ampleur ni les effets dévastateurs. Elle n'était que passion et volupté.

Ce n'était pas un rêve, songeait A.J., l'esprit en déroute. Jamais elle ne s'était sentie exister avec une telle intensité. L'agrippant aux épaules, David la renversa sous lui et sans lui laisser le temps de reprendre son souffle, il se fondit en elle, la pénétrant d'un fougueux coup de reins qui la fit se raidir et se tendre comme un arc tandis que la jouissance irradiait tout son corps en vagues incontrôlables. Ce tsunami de plaisir emporta ses dernières réticences et tous les conseils de prudence auxquels elle tentait vainement de s'accrocher. Etroitement enlacés, membres mêlés, ils se soumirent l'un l'autre dans un concert de gémissements rauques, de soupirs et de halètements.

Allongés côte à côte, aussi épuisés que deux naufragés rejetés sur le rivage après la tempête, ils essayaient de rassembler quelques forces et de recouvrer leurs esprits.

A.J. s'aperçut que ses bras et ses jambes emprisonnaient toujours David. Elle voulut s'écarter, mais cela exigeait d'elle un effort de volonté qu'elle se sentait incapable de fournir. Leurs corps rassasiés l'un de l'autre, elle n'avait aucune raison de rester, pourtant. D'où lui venait ce besoin de se nicher contre lui, de lui murmurer au creux de l'oreille des mots doux, des paroles folles, des serments, et d'attendre avec lui le lever du jour ?

David lui effleura les lèvres d'un baiser. Non, aucune femme avant elle ne l'avait aussi complètement réduit à sa merci. Tant d'enthousiasme et de passion l'avaient désarmé. Cette bataille, il ne l'avait pas seulement perdue. Il y avait laissé un peu de lui-même.

— Tu as froid ? demanda-t-il en la sentant frissonner.

— Ça s'est rafraîchi, on dirait.

C'était plausible. Pas question de lui avouer qu'elle ne risquait pas d'avoir froid… tant qu'elle était dans ses bras.

— Tu veux que je ferme la fenêtre ?

— Non.

Le murmure du ruisseau et le parfum des jacinthes contribuaient à la magie de l'instant. Elle ne voulait pas y renoncer.

— Alors glisse-toi là-dessous, dit-il en tirant sur le drap, tire-bouchonné sous eux. Qu'est-ce que c'est que ça ? demanda-t-il en remarquant les ecchymoses sur son bras. C'est moi qui t'ai fait ça ?

A.J. haussa les épaules et s'empressa de lui reprendre son bras. Il ne fallait surtout pas qu'elle se laisse attendrir par la douceur de sa voix.

— Ce n'est rien. Je m'en remettrai, tu sais.

Elle espérait dire vrai.

— Je ne serais pas étonnée que tu aies quelques marques, toi aussi, ajouta-t-elle d'un ton badin.

Il lui décocha un sourire complice qui fit chavirer le cœur de la jeune femme.

— Nous n'y sommes pas allés de main morte, admit-il.

— Tu regrettes ? demanda-t-elle en lui mordillant l'épaule.

— Si tu ne trouves rien à y redire, moi non plus.

Sans crier gare, il roula de nouveau sur elle et la neutralisa en lui bloquant les bras au-dessus de la tête.

— Ecoute, Brady…

— J'aime beaucoup t'affronter au corps à corps, Fields.

— A condition que tu aies le dessus.

Sa voix rauque, ses joues en feu, l'accélération de son pouls sous ses doigts réactivèrent le désir qu'il avait d'elle.

— J'avoue que j'aimerais bien garder le dessus toute la nuit. Qu'en penses-tu, ma jolie ?

Avec des torsions de sorcière, elle essaya de se dégager. En pure perte. Elle était bel et bien clouée au lit. Sous le regard ironique de David, elle se sentait aussi humiliée que s'il lui avait cloué le bec dans une joute verbale.

— Je ne peux pas rester.

— Pourquoi ?

Parce que si prendre un peu de bon temps avec lui était une chose, passer la nuit avec lui en était une autre.

— Parce que j'ai du travail demain et que…

— Je te déposerai chez toi à la première heure. Tu pourras te changer.

Il sentait durcir sous sa paume les pointes de ses seins. Il les agaça du pouce, pour avoir le plaisir de voir son regard s'assombrir.

— Il faut que je sois à l'agence à 8 h 30.

— Nous nous lèverons tôt, assura-t-il en embrassant le pourtour de sa bouche. Je crois que nous n'allons pas beaucoup dormir, de toute façon.

A.J. sentait qu'elle était en train de perdre du terrain. Son corps vibrait comme une lyre dont il pinçait les cordes pour en tirer la plus douce des mélodies. Mais le plus grand virtuose n'était pas à l'abri des fausses notes. Et il arrivait parfois qu'une corde se casse…

— Je n'ai pas l'habitude de découcher.

— Pour moi, tu peux bien faire une exception.

Si elle devait lâcher du lest, autant que ce soit en connaissance de cause.

— En quel honneur devrais-je faire cette exception ?

Il ne manquait pas d'arguments persuasifs. Mais il préférait lui faire la guerre plutôt que l'amour. C'était beaucoup moins risqué.

— Nous n'allons pas nous arrêter au premier round, Aurora. Ce serait vraiment dommage.

Très dommage, elle en convenait. Mais il était hors de question qu'il lui impose ses conditions.

— Lâche-moi, Brady.

Au ton de sa voix et à la lueur farouche qui brillait dans ses yeux bleus, il comprit que la partie était loin d'être gagnée. Perplexe, il la lâcha.

Sans cesser de le fixer, elle prit son visage entre ses mains. Un sourire énigmatique naquit sur ses lèvres.

— Je crois que nous n'allons pas dormir du tout, dit-elle avant de plaquer ses lèvres sur les siennes.

Il faisait encore nuit lorsque A.J. ouvrit un œil pour remonter la couverture. Elle étira doucement ses membres endoloris puis se retourna et chercha des yeux le cadran lumineux du réveil. Il n'était nulle part.

Elle se rappela alors qu'elle n'était pas chez elle. Mais où était passé David ? Et quelle heure pouvait-il bien être ? se demanda la jeune femme en se redressant contre les oreillers, tout hébétée de sommeil.

La nuit qu'ils venaient de passer, elle ne l'avait pas rêvée. Les courbatures qu'elle avait dans tout le corps et les bleus sur ses bras témoignaient de leurs ébats passionnés. Elle sentait encore sur sa bouche le goût de ses baisers et sa peau gardait l'odeur de son eau de toilette. Non, elle n'avait rien inventé, mais ce plaisir partagé n'adoucissait en rien la dure réalité de cette aube blafarde.

Tout brutal que soit l'atterrissage, elle ne regrettait rien, cependant. Car si elle avait enfreint l'un de ses grands principes, elle avait agi en connaissance de cause. Même au cœur de la passion, elle savait très bien ce qu'elle faisait et elle en assumait pleinement les conséquences.

Elle ramassa le peignoir de David et l'enfila prestement. La réalité était incontournable. Elle allait devoir l'affronter le plus lucidement possible, car seules les midinettes confondaient attirance sexuelle et sentiment amoureux.

Nouant soigneusement la ceinture du peignoir autour de sa taille, elle sortit de la chambre et gagna le rez-de-chaussée.

Les premières lueurs de l'aube filtraient à travers les baies vitrées de la salle de séjour. Debout devant la fenêtre, David ne se retourna pas. Derrière lui, un bon feu de bois flambait dans la cheminée, mais l'atmosphère était glaciale.

— Quand j'ai fait construire la maison, je tenais à ces fenêtres à l'est pour pouvoir contempler le lever de soleil, expliqua-t-il en tirant avidement sur sa cigarette, dont le bout incandescent luisait dans la pénombre. Chaque matin, j'ai droit à un spectacle unique, sans cesse renouvelé.

Elle ne l'imaginait pas contemplatif. Mais elle n'aurait jamais pensé non plus qu'il vivrait en haut des collines, loin de l'agitation de la ville. Que savait-elle, au juste, de l'homme avec qui elle avait passé la nuit ?

— Le soleil se lève généralement sans moi, dit A.J. en enfonçant les mains dans les poches du peignoir pour se donner une contenance.

— Je tiens beaucoup à ce petit rituel. Il m'aide à surmonter les difficultés qui peuvent surgir tout au long de la journée.

— La journée s'annonce difficile ? demanda la jeune femme, les doigts crispés sur la boîte d'allumettes enfouie dans une des poches du peignoir.

Il se tourna vers elle. Malgré ses yeux cernés et ses cheveux en bataille — ou peut-être à cause d'eux — elle lui parut plus féminine et plus attirante que jamais. Aurora J. Fields était assurément une sacrée difficulté, mais il se serait fait couper en deux plutôt que de le lui avouer.

— Tu sais, je crois que…

Les mains dans ses poches, il s'avança vers elle.

— … nous n'avons pas assez parlé, hier soir.

A.J. inspira pour se donner du courage.

— Nous avions beaucoup mieux à faire, dit-elle avant d'ajouter, pour couper court à une conversation qui risquait d'être houleuse : il faut que j'aille m'habiller et que je file à l'agence.

Elle avait déjà tourné les talons, mais il la rappela.

— Aurora. Juste une question. Qu'as-tu ressenti la première fois que tu m'as vu, dans ton bureau ?

— Hier soir, dit-elle en lui faisant de nouveau face, je t'en ai dit plus que je n'aurais dû. Bien plus.

Il en avait parfaitement conscience. D'ailleurs, il s'était demandé pourquoi elle lui avait fait toutes ces confidences. Mais elle seule pouvait répondre à cette question.

— Tu m'as parlé de tes facultés et des tours qu'elles t'avaient joués dans le passé. Je veux connaître ton ressenti sur ce que toi et moi sommes en train de vivre aujourd'hui.

— Je vais être en retard, David. Il faut que j'y aille.

— Tu es toujours en train de fuir, Aurora.

Elle s'arrêta au pied de l'escalier et fit volte-face.

— Je ne fuis pas. Il se trouve simplement que je ne vois pas l'intérêt de remettre ça sur le tapis. Ces choses-là ne regardent que moi.

— Que tu le veuilles ou non, elles me regardent aussi, dit David calmement. En arrivant dans ma chambre, hier soir, tu as dit que tu l'avais vue en rêve. Vrai ou faux ?

Un petit mensonge lui aurait épargné de fastidieuses explications. Mais elle n'avait jamais su mentir.

— Contre les rêves, on ne peut rien faire. Rien de rien. Ils échappent à tout contrôle. Tu le sais aussi bien que moi.

— Raconte-moi ce rêve.

A.J. sentit ses ongles s'enfoncer dans ses paumes. Elle ne lui dirait que ce qu'elle voudrait bien lui dire. Il n'arriverait pas à lui tirer les vers du nez.

— J'ai rêvé de ta chambre. J'aurais pu te la décrire dans ses moindres détails. Vise un peu le drôle d'énergumène que tu as en face de toi !

— Arrête de t'apitoyer sur toi-même, dit-il en s'avançant vers elle. Ça ne te va pas du tout. Tu savais que nous allions devenir amants, n'est-ce pas ?

— Oui.

— Tu l'as su le premier jour, dans ton bureau, quand

après t'être mise en colère, nous nous sommes serré la main, comme ça.

Il l'obligea à sortir sa main de sa poche et la prit dans la sienne.

— Qu'essaies-tu de prouver, David ? Tu t'informes pour ton documentaire ?

Il avait compris que son agressivité était un moyen de se protéger, aussi ne s'offusqua-t-il pas de ses sarcasmes.

— Tu le savais, insista-t-il, implacable. Et tu as eu peur. Mais pour quelle raison ?

— Je venais de comprendre que j'allais devenir la maîtresse d'un homme que je trouvais d'ores et déjà détestable. Cela te suffit comme raison ?

— Je veux bien que cela t'ait contrariée, mais effrayée, je ne vois vraiment pas pourquoi. Tu avais peur, aussi, à l'arrière de la limousine. Et hier soir, également, quand tu es entrée dans ma chambre.

Elle essaya de se dégager.

— Tu dis n'importe quoi.

Il s'approcha encore et lui effleura la joue de l'index.

— Vraiment ? Regarde comme tu as peur.

— Pas du tout. C'est juste que je n'aime pas me sentir harcelée. Tu n'as pas le droit de t'immiscer dans ma vie privée ou dans mes sentiments, quoi qu'il y ait eu entre nous.

Elle avait raison, bien sûr. Il n'avait aucun droit sur elle. Comment avait-il pu l'oublier ?

— Je te demande pardon. Mais j'ai vu dans quel état tu étais en entrant dans cette pièce, hier après-midi.

— C'est du passé. Nous n'allons pas revenir là-dessus.

Pour lui, la conversation était loin d'être close. Il jugea préférable, cependant, de laisser tomber pour l'instant.

— Et j'ai bien entendu ce que tu as dit hier soir. Je ne veux pas être responsable d'un nouvel épisode du même genre.

— Tu n'es responsable de rien du tout. C'est moi, ou plutôt les circonstances qui sont à l'origine de ces épisodes. En vingt-huit ans, j'ai eu le temps d'apprendre à faire avec.

— Oui, j'imagine. Mais de ton côté, il faut que tu comprennes qu'en trente-six ans d'existence, je n'avais jamais été directement confronté à ce type de phénomènes.

— A ta place, je suppose que moi aussi je serais méfiante, sceptique et intriguée, dit A.J. d'un ton aigre.

— Arrête de penser à ma place ! explosa David avec une soudaineté qui les surprit tous les deux.

Lorsqu'il la prit par les épaules, elle ne réagit pas.

— Je me fiche de ce que les autres ont dit ou ont fait en pareilles circonstances. Je ne suis pas comme eux, A.J. Nous avons passé la nuit ensemble mais, pour moi, tu es toujours un mystère. J'hésite à te toucher de peur de déclencher quelque chose. Ce n'est pourtant pas l'envie qui m'en manque, crois-moi ! Si je suis descendu d'aussi bonne heure, c'est parce que je brûlais de te prendre dans mes bras et que le seul moyen de m'en empêcher était de me lever.

Sans réfléchir, elle posa les mains sur les siennes.

— Que veux-tu, David ?

Il la lâcha en soupirant.

— Je n'en sais rien. Il va me falloir un peu de temps pour y voir plus clair.

A.J. acquiesça d'un signe de tête.

— Cela me semble raisonnable.

— Ce qui l'est nettement moins, c'est que je n'envisage pas de me séparer de toi un seul jour.

Le cœur de la jeune femme manqua un battement.

— David, je...

— Jamais je n'avais ressenti entre les bras d'aucune femme ce que j'ai ressenti entre les tiens cette nuit.

Subjuguée par cette voix rauque, altérée par une passion qu'il ne cherchait ni à dissimuler ni à contenir, A.J. faillit baisser sa garde.

— Merci du compliment, mais je ne te demande rien.

— Je le sais bien, dit-il en riant. N'empêche que c'est la stricte vérité. Viens t'asseoir deux minutes.

Il la prit par la main et la fit s'asseoir à côté de lui, sur une marche de l'escalier.

— La nuit dernière, je ne me suis pas posé de questions. L'urgence était ailleurs, dit-il en passant un bras autour de sa taille. Mais ce matin, j'ai eu tout le temps de cogiter. Tu n'es pas une femme parmi d'autres, A.J. Tu es *la* femme pour moi, celle avec qui j'ai envie de partager mon lit très longtemps.

Elle se tourna vers lui. Il n'y avait aucune tendresse dans l'expression de son visage, juste une farouche détermination.

— Tu m'as l'air drôlement sûr de toi, dit-elle.

— Pourquoi ne le serais-je pas ? Ce que j'éprouve pour toi, tu l'éprouves pour moi. C'est un bon départ, non ?

Il était effectivement plus simple, et incontestablement plus sage, de s'en tenir à cela. Elle acquiesça.

— Pas de promesses, pas de serments, dit-elle. D'accord ?

Une petite voix se récriait en lui avec véhémence, mais il s'empressa de la faire taire.

— D'accord.

A.J. sentit le piège se refermer sur elle. Il était déjà trop tard pour reculer.

— Les relations professionnelles d'un côté, la vie privée de l'autre. Pas d'interférence entre les deux.

— D'accord, répéta David.

— Et quand l'un d'entre nous n'y trouve plus son compte, chacun reprend sa liberté sans faire d'histoires et sans rancune.

— D'accord. Tu veux un engagement contractuel ?

Elle le scruta longuement.

— Il vaudrait peut-être mieux, dit-elle avec un petit sourire. Les producteurs sont paraît-il des gens de mauvaise foi.

— Les agents sont paraît-il des gens cyniques.

— Des gens prudents, corrigea-t-elle en lui pinçant le menton. Mais nous sommes payés pour veiller au grain. A propos, nous n'avons pas tout réglé en ce qui concerne Clarissa.

— Nous en reparlerons aux heures de bureau, mon ange.

— N'essaie pas de noyer le poisson. Il nous faut régler cela aujourd'hui même.

— Entre 9 heures et 17 heures.

— Appelle l'agence et… Oh, zut ! s'exclama soudain la jeune femme en se relevant d'un bond. J'ai complètement oublié d'écouter mes messages.

— La sécurité de la nation est en danger, railla David en se levant à son tour.

— Je devais reporter mes rendez-vous. J'ai été absente presque toute la journée d'hier. Où est le téléphone ?

— Moi, en tout cas, j'en ai bien profité.

— David, je ne plaisante pas !

— Moi non plus, dit-il en glissant une main dans l'échancrure de son peignoir.

— David ! protesta-t-elle faiblement. Je te demande juste une minute.

Un sourire prometteur aux lèvres, il lui dénoua sa ceinture.

— Une minute, c'est trop court. Bien trop court.

— Je crois que j'ai un rendez-vous en début de matinée.

— Je crois que tu n'as rien de prévu avant midi.

La jeune femme avait glissé les mains sous sa chemise. Il se demanda si elle s'en était rendu compte.

— Ce qui est sûr, c'est qu'il faut que nous fassions l'amour. Ici et maintenant.

— Après, dit A.J. dans un souffle.

— Avant.

La chute du peignoir mit fin au débat.

8

A.J. n'avait plus aucune raison d'être sur la défensive. Sa première nuit avec David remontait à dix jours et, depuis, ils filaient le parfait amour. Chaque fois qu'ils le pouvaient, ils passaient la soirée ensemble. Ils se promenaient sur la plage main dans la main, ou dînaient en tête à tête dans quelque restaurant chic, ou bien rentraient assouvir en privé la faim qu'ils avaient l'un de l'autre. Jamais rassasié, David en réclamait toujours plus. Il la désirait comme au premier jour. De cela, au moins, elle était sûre.

Mais loin de baisser sa garde, la jeune femme vivait en permanence sur le fil du rasoir. Chaque jour, elle devait reconstruire une à une les barrières que David démolissait chaque nuit. Il aurait été trop risqué de s'en passer. Elle veillait à ne pas s'impliquer plus que nécessaire dans une relation qu'elle savait fondée sur une simple attirance sexuelle. Un jour ou l'autre, David se lasserait d'elle. Elle s'y attendait et s'y préparait mentalement.

Avec cette épée de Damoclès suspendue au-dessus de la tête, elle se sentait dans une grande insécurité. Il était évident que la passion qui faisait rage en eux se consumerait peu à peu et finirait par s'éteindre car ils n'avaient pas grand-chose d'autre en commun. David lisait des essais et des romans à thème. Elle avait un penchant pour les polars et les bluettes. Il l'emmena au festival international du film d'auteur. Elle aurait préféré regarder à la télévision une vieille comédie musicale avec Gene Kelly et Judy Garland.

Plus cela allait, et plus il lui paraissait évident qu'ils n'étaient pas faits pour s'entendre. Tout les séparait, en dehors du désir qu'ils éprouvaient l'un pour l'autre et qui agissait comme un aimant. Mais avec le temps, l'attraction diminuerait. A.J. ne se faisait aucune illusion.

Sur le plan professionnel, elle se sentait nettement plus à l'aise pour traiter avec David d'égale à égal. Dans ce domaine, elle avait fourbi ses armes depuis longtemps. En échange des prestations supplémentaires de Clarissa dans le documentaire qu'il était en train de réaliser, elle exigea qu'il s'engage à faire la promotion du prochain livre de sa cliente.

Les négociations, fort âpres, avaient duré deux jours entiers, à l'issue desquels ils étaient enfin tombés sur un accord dont chacun d'eux pensait être le grand bénéficiaire.

Clarissa les laissait se chamailler. Entre ses plantations, ses recettes de cuisine, et ses préparatifs de mariage, elle avait d'autres chats à fouetter. Lorsque A.J. lui avait annoncé triomphalement qu'on allait parler de son livre à la télévision, c'est à peine si elle avait réagi, préoccupée qu'elle était par la pièce montée qu'elle envisageait de confectionner elle-même.

— Maman, rends-toi compte : une critique dans une émission littéraire aussi prestigieuse que *Book Talk* est une aubaine que beaucoup d'auteurs t'envieraient.

Passablement énervée par les quarante-cinq minutes de trajet et de discussions stériles avec Clarissa, A.J. déboula en trombe dans le parking du studio d'enregistrement.

— Oh, mais je suis ravie, tu sais. Mon éditeur va leur faire parvenir quelques exemplaires de lancement. Aurora, tu crois que, pour le mariage, on pourrait organiser une garden-party ? J'ai un peu peur pour mes azalées.

Repérant un emplacement libre, A.J. donna un violent coup de volant.

— Combien d'exemplaires a-t-il prévu d'envoyer ?

— Je ne sais plus. J'ai dû le noter quelque part. Le problème, c'est qu'il pourrait pleuvoir. En juin, le temps est tellement imprévisible.

— Trois exemplaires me semblent être un minimum. Juin, dis-tu ? Mais c'est le mois prochain !

— Tu n'imagines pas tout ce que j'ai à faire d'ici là.

De surprise, A.J. en avait perdu les pédales, si bien que la voiture avait calé. Les mains sur le volant, elle se tourna vers sa mère.

— Le mariage était prévu pour l'automne, non ?

— Au départ, oui. En octobre, mes chrysanthèmes valent vraiment le coup d'œil mais, comment dire… ? Alex est un peu impatient. Ma chérie, je sais que je ne conduis pas, mais tu devrais peut-être retirer la clé de contact.

A.J. s'exécuta en ronchonnant.

— Voyons, maman, c'est de la folie ! Comment peux-tu épouser un homme que tu ne connais que depuis deux mois ?

— Penses-tu vraiment que ce soit une question de

temps ? demanda Clarissa avec un sourire bienveillant. N'est-ce pas plutôt une question de sentiments ?

— Les sentiments ne sont pas immuables.

— L'amour n'offre aucune garantie, Aurora. Même pour des gens comme toi et moi.

— C'est bien ce qui m'inquiète, confia A.J. en ouvrant sa portière.

Elle allait dire deux mots à Alex Marshall. Sa mère se comportait comme une midinette qui s'amourachait du meilleur footballeur du collège.

— Tu n'as aucun souci à te faire, ma chérie. Je sais parfaitement à quoi je m'engage. Mais si cela peut te rassurer, parles-en avec Alex.

Lorsque Clarissa se fut extirpée de la voiture, A.J. la prit par le bras.

— Il faut bien que quelqu'un s'en fasse, maman. Et je t'interdis d'essayer de lire dans mes pensées.

— Je n'ai pas à me donner cette peine. C'est écrit sur ton front. Est-ce que je suis décoiffée ?

A.J. l'embrassa sur la joue.

— Non, maman, tu es parfaite.

— Tant mieux, dit Clarissa avec un petit glousse-ment. Je me préoccupe beaucoup de mon apparence, depuis quelque temps. Mais Alex est si séduisant. Tu ne trouves pas ?

— Si, répondit A.J. du bout des lèvres.

Il était séduisant, cultivé, courtois et élégant. Mais cela cachait sûrement quelque chose, songeait la jeune femme en poussant les portes du studio.

— Clarissa. Tu es magnifique ! s'exclama Alex en se précipitant à leur rencontre.

Il regardait sa fiancée comme si elle avait été la

huitième merveille du monde. Il prit ses deux mains dans les siennes et les serra avec emportement, les yeux rivés sur A.J., dont il semblait quêter l'approbation.

— Monsieur Marshall, dit-elle froidement en lui tendant la main.

Lâchant à regret les mains de Clarissa, il serra la sienne.

— Bonjour, mademoiselle Fields. Votre conscience professionnelle vous honore. Ce n'est pas mon agent qui se donnerait tant de mal. Cela dit, je me serais fait un plaisir d'aller chercher Clarissa.

— Oh, il faut toujours qu'elle s'en fasse pour moi, dit Clarissa en espérant détendre l'atmosphère. Je suis tellement tête en l'air qu'elle doit me rappeler chaque fois ce que je dois dire et ne surtout pas dire dans les interviews.

— Je vais voir si tout est prêt.

Comme elle se dirigeait vers le plateau, A.J. croisa David.

— Bonjour, vous ! lança-t-il en l'attrapant par la taille. Tu assistes à l'enregistrement ?

— Je veille sur ma cliente, Brady. Elle est…

Machinalement, elle avait jeté un coup d'œil par-dessus son épaule. Lorsqu'elle vit sa mère dans les bras d'Alex, elle en resta bouche bée. Tendrement enlacés, au vu et au su de tous, les deux quinquagénaires s'embrassaient.

— Entre de bonnes mains, on dirait. Viens t'asseoir une minute, proposa David en l'entraînant vers une alcôve aménagée en salon.

— Non, ça va, murmura A.J. Je ferais mieux de…

— Tu ferais mieux de t'occuper de tes affaires, ça oui ! En elle, la stupeur fit place à la colère.

— Je te rappelle que Clarissa est ma mère.

David se dirigea vers la machine à café et remplit deux gobelets.

— Justement. Tu n'as pas à te mêler de sa vie privée.

— Tu crois que je vais rester à la regarder pendant qu'elle… pendant qu'elle…

— Prend un peu de bon temps ? suggéra David en lui tendant un gobelet de café qu'elle vida presque d'un trait.

— Elle s'est laissé entraîner. Elle n'est plus en mesure de raisonner, elle est…

— Amoureuse, compléta David.

Excédée, la jeune femme finit son café et alla jeter le gobelet dans la poubelle.

— Arrête de me couper la parole. J'ai horreur de ça.

— Je sais, dit-il en souriant. Et si nous passions la soirée chez toi, pour changer ? Nous pourrions faire l'amour dans toutes les pièces. Que dis-tu de ce programme ?

— David, essaie de te mettre à ma place. Je me fais beaucoup de souci pour Clarissa. Je devrais…

— Tu devrais plutôt t'en faire pour toi-même. Et pour moi, dit-il en plaquant ses mains sur les hanches de la jeune femme.

— J'aimerais que tu…

— Je sais exactement ce que tu aimes, susurra David tout contre sa bouche. Tu veux une démonstration ?

Le cœur battant, A.J. le repoussa.

— David, tu enfreins nos règles. Nous étions bien d'accord : pas de marivaudage pendant les heures de travail.

— Tu vas me faire inculper pour harcèlement sexuel ?

demanda-t-il en glissant les mains sous sa veste. Voyons un peu ce que tu portes là-dessous.

Elle sentit ses genoux fléchir, sa tête tourner, son sang dévaler dans ses veines comme un torrent en crue.

— David, je ne plaisante pas. Il était bien entendu que…

Lorsqu'il commença à agacer du bout de la langue sa lèvre inférieure, elle renonça à résister plus longtemps.

Au diable leurs règles et toutes les consignes de prudence qu'elle s'était juré de suivre ! songea-t-elle en fondant une fois de plus sous les caresses de David et en abdiquant sous ses baisers torrides.

Ses mains étaient toujours aussi expertes et exigeantes, sa bouche toujours aussi vorace, son désir toujours aussi vif. Ils étaient coincés entre la machine à café et la poubelle, mais ils n'en avaient cure. Plus rien n'existait autour d'eux. Ils étaient seuls au monde.

— Hum…

Clarissa baissa les yeux, moins pour masquer son embarras que sa jubilation. Entre A.J. et David, le courant passait au-delà de toute espérance.

— Je crois que tout est prêt et que l'enregistrement va pouvoir commencer, dit-elle.

D'une main fébrile, A.J. remit de l'ordre dans sa tenue.

— J'arrive tout de suite, maman.

Dès que Clarissa eut tourné les talons, elle laissa échapper une bordée de jurons.

— Vous êtes quittes, fit remarquer David d'un ton badin.

Cette remarque lui valut un regard meurtrier.

— Il n'y a pas de quoi rire.

— Tu veux que je te dise, A.J. ? Tu te prends trop au sérieux.

— Peut-être, dit-elle en se baissant pour ramasser son sac. N'empêche que nous aurions été dans de beaux draps si un de tes collaborateurs nous avait surpris.

— Il aurait vu son producteur embrasser une très jolie femme. Il n'y a pas de quoi fouetter un chat.

— Nous sommes ici pour travailler, pas pour nous embrasser. Tu peux être sûr qu'en moins d'une heure, tout le monde aurait été au courant.

— Et alors ?

— Comment cela, et alors ? C'est ce que nous voulions à tout prix éviter, David. Ni ton équipe ni mes employés à l'agence ne sont censés savoir que nous couchons ensemble.

Il haussa les sourcils.

— Nous étions d'accord sur le principe de ne pas mélanger vie privée et vie professionnelle, mais, à ma connaissance, il n'a jamais été question de tenir secrète notre liaison.

— Je ne tiens pas à faire la une des magazines people ! rétorqua A.J.

David était furieux. Il aurait été incapable de dire pourquoi. Mais furieux, il l'était bel et bien.

— Tu ne laisses guère de place à la négociation, dit-il.

— C'est possible, dit-elle en se plantant devant lui. Mais je préfère éviter les commérages dans un premier temps, et les regards compatissants dans un second, quand tout sera fini entre nous.

Nul besoin d'être devin pour comprendre qu'elle redoutait ce moment-là depuis le début. Ce constat amer le blessa plus cruellement qu'il ne l'aurait cru.

NORA ROBERTS

— Je vois. A l'avenir, nous tâcherons d'être plus discrets. Allons-y, dit-il en se dirigeant vers le plateau.

Il s'en voulait de le prendre aussi mal. A.J. avait une attitude saine et parfaitement logique. Elle n'exigeait ni promesse ni serment et elle n'en faisait pas. Ces règles du jeu, il les comprenait d'autant mieux qu'il les avait lui-même longtemps appliquées. Elle veillait à ce que ses sentiments n'interfèrent pas avec sa vie professionnelle. Il avait fait la même chose, à une époque. Avec d'autres femmes.

Mais aujourd'hui, ces règles ne s'appliquaient plus.

C'était son problème, songea-t-il tandis qu'on s'activait sur le plateau à changer une ampoule qui venait de claquer, interrompant inopinément l'enregistrement. Il lui appartenait de le résoudre d'une manière ou d'une autre. Mais il n'y avait pas trente-six solutions : ou il acceptait de jouer le jeu, ou il trouvait un moyen de le faire évoluer.

Dans son tailleur bon chic bon genre, A.J. faisait très femme d'affaires. Il la regarda rejoindre Alex d'un pas décidé. Elle avait l'air de savoir ce qu'elle voulait, et lui parut aussi lisse et dangereuse qu'une bombe à neutrons.

David prit une cigarette et l'alluma d'un geste rageur. Il venait d'opter pour la solution numéro deux.

— Monsieur Marshall, puis-je vous parler une minute ?

Alex discutait avec un machiniste, mais A.J. n'hésita pas à l'interrompre. Il fallait qu'elle lui dise ce qu'elle avait sur le cœur.

— Oui, bien sûr. Nous avons même le temps d'aller prendre un café, dit-il en lui offrant son bras avec cette galanterie très désuète qui n'appartenait qu'à lui.

Bras dessus, bras dessous, ils gagnèrent l'alcôve où

un peu plus tôt, elle était venue avec David. Cette fois, c'est elle qui remplit les gobelets de café. Elle s'apprêtait à lui servir le petit discours qu'elle avait préparé, mais Alex lui coupa l'herbe sous le pied.

— Vous voulez me parler de Clarissa, je suppose ? Cela vous ennuie si je fume ? demanda-t-il en tirant un cigare d'un élégant étui en cuir grainé.

— Non, je vous en prie. J'aimerais beaucoup, en effet, que nous parlions de Clarissa.

Il tira avec force sur son cigare pour l'allumer.

— Elle m'a dit que nos projets de mariage vous contrariaient un peu. Dans la mesure où j'ignorais que vous étiez sa fille, je ne comprenais pas. Alors elle m'a tout raconté. Et si on s'asseyait ?

A.J. s'assit du bout des fesses sur l'un des fauteuils. Cela ne se passait pas du tout comme elle l'avait prévu.

— Je suis contente de savoir que Clarissa vous a mis au courant. Cela simplifie les choses. Si je me préoccupe autant du sort de ma mère, c'est parce qu'elle compte beaucoup pour moi.

— Pour moi aussi. Mais vous êtes bien placée pour savoir à quel point elle est adorable.

— Oui, dit la jeune femme, désorientée par le tour inattendu que prenait la conversation. Clarissa est merveilleuse. Mais vous vous connaissez depuis si peu de temps…

— Il a suffi de cinq minutes, vous savez. Mademoiselle Fields… A.J., reprit-il en souriant. Je peux me permettre de vous appeler par votre prénom puisque, bientôt, je serai votre beau-père.

Son *beau-père* ? Elle faillit en avaler de travers son

café. Si sa mère l'épousait, Alex serait effectivement son beau-père. Bizarrement, ce détail lui avait échappé.

— J'ai un fils de votre âge, reprit-il. Et une fille un peu plus jeune. Je sais que cela ne doit pas être facile de voir votre mère refaire sa vie.

— La question n'est pas là.

— Si, bien sûr. Vous êtes aussi précieuse aux yeux de Clarissa que mes enfants le sont aux miens. Nous allons nous marier, A.J., mais le bonheur de votre mère sera imparfait si vous désapprouvez son choix.

— Je ne sais pas quoi vous dire, monsieur Marshall — ou plutôt Alex. Vous avez parcouru le monde, vu toutes sortes de choses étonnantes en vingt-cinq ans de carrière. Ses talents et ses facultés mis à part, Clarissa est une femme très ordinaire.

— Elle est la femme rêvée pour un homme comme moi. Après toutes ces années d'errance, j'ai envie de me poser. J'envisageais de prendre ma retraite, mais je n'en avais parlé à personne, même pas à mes enfants. J'aspirais à autre chose qu'à courir après les scoops. Quand j'ai rencontré Clarissa, j'ai su presque tout de suite qu'elle était celle que j'attendais. Je veux passer le reste de ma vie auprès d'elle.

A.J. contemplait ses mains en silence. Qu'y avait-il de plus beau, pour une femme, que d'être l'objet d'un amour aussi entier et aussi absolu ?

— Alex, dit-elle avec un petit sourire, ma mère vous a-t-elle déjà préparé à dîner ?

— Oh, oui, plusieurs fois. Elle m'a confié tout à l'heure qu'elle nous avait mitonné une bolognaise pour ce soir. Sa cuisine est comme elle : pleine de surprises et de fantaisie.

— Alors là, vous m'épatez, dit A.J. en riant. Je crois que maman a tiré le bon numéro. Je suis contente pour elle.

Alex se pencha pour l'embrasser sur la joue.

— Merci, dit-il simplement.

— Prenez soin d'elle, murmura-t-elle, la gorge serrée, avant de se lever. Nous devrions aller la rejoindre. Elle doit se demander où nous sommes passés.

— Cela m'étonnerait. Vous savez bien que Clarissa sait toujours tout.

— Et cela ne vous pose pas de problème ? Le fait qu'elle soit médium ?

— Non, pourquoi ? Cela fait aussi partie de son charme.

— Oui, évidemment, dit la jeune femme sans grande conviction.

Sur le plateau, Clarissa semblait guetter leur retour. Elle les accueillit avec un grand sourire.

— Pour le mariage, je m'occupe de tout, annonça A.J. sans préambule. Et ce n'est pas négociable.

Clarissa rosit de bonheur.

— Comme c'est gentil, ma chérie, mais c'est beaucoup de tracas. Tu n'as pas besoin de ça.

— Tout ce que tu as à faire, c'est de choisir ta robe et de te faire belle. Je me charge du reste. D'accord ?

— Si tu y tiens.

— J'y tiens beaucoup, dit A.J. en embrassant sa mère sur la joue. Je crois qu'on t'attend, maman.

La jeune femme alla s'asseoir au fond, comme d'habitude.

— Te voilà rassurée ? demanda David qui s'était empressé de la rejoindre.

— Plus ou moins. Dès que l'enregistrement est fini, je m'attaque aux préparatifs du mariage.

— Ce sera bien assez tôt demain. Pour ce soir, j'avais d'autres projets, dit David avec un sourire coquin.

David était un homme de parole. A.J. venait de rentrer et avait juste eu le temps d'ouvrir l'annuaire téléphonique à la rubrique « Traiteurs » lorsqu'on sonna à la porte. L'annuaire dans les mains, un doigt glissé à l'intérieur pour ne pas perdre sa page, elle alla ouvrir.

— Je croyais que tu avais des choses à faire. Je ne t'attendais pas avant 20 heures.

— J'ai fait vite, dit David en passant sur ses lèvres une langue gourmande. Il est encore tôt, mais nous sommes en dehors des heures de bureau.

— C'est vrai, admit A.J. avec un sourire.

Avec une lenteur délibérée, il entreprit de lui déboutonner son chemisier.

— Si tu ne réponds pas au téléphone, la messagerie prendra le relais au bout de quatre sonneries.

— Au bout de six. Mais je n'attends aucun appel. Tu as faim ? demanda la jeune femme en le prenant par la taille.

— Une faim de loup.

Il essaya de résister le plus longtemps possible au désir qu'il avait de la prendre dans ses bras, mais il ne tint pas plus de trente secondes.

— Je n'ai rien d'autre à te proposer qu'une brandade de morue surgelée.

— Ce n'est pas grave. Je sais comment me rassasier.

Dégrafant sa jupe, qui glissa à terre, il la saisit par les hanches.

— Je te fais confiance, murmura A.J. en le débarrassant de son sweater.

Sans le quitter des yeux, elle promena lentement ses mains sur son torse puissant, s'attardant voluptueusement dans la toison sombre de sa poitrine. A.J., qui ne portait plus, en dehors de son chemisier grand ouvert sur un soutien-gorge pigeonnant, qu'une culotte et des bas, se pressa violemment contre lui. Elle voulait le rendre fou de désir. Mais lorsqu'elle sentit ses mains à lui partout sur elle, elle crut devenir folle.

Tout l'après-midi, David l'avait dévorée du regard. Il la tenait enfin dans ses bras et pour la première fois depuis qu'ils étaient amants, elle semblait disposée à s'abandonner complètement.

Ils se laissèrent lentement glisser sur le sol, où il la recouvrit de son corps.

Elle ne put endiguer le flot de sensations qui la submergea tandis que David l'entraînait dans une folle chevauchée.

Lorsqu'elle se mit à trembler de désir et à murmurer son nom, il comprit qu'il ne voulait rien tant que l'entendre l'appeler encore et encore et crier de plaisir. Il acheva de la dévêtir et incapable de canaliser plus longtemps le désir impétueux qui cascadait en lui, il la pénétra d'un violent coup de reins.

Ils surent alors tous deux qu'ils n'étaient plus les mêmes.

La chaleur et le poids de David l'engloutissaient. Les doigts enfoncés dans la moquette, elle se laissa emporter par la jouissance qui déferla en elle par vagues

successives avec une force et une rapidité stupéfiantes.
Mais il ne l'avait pas encore rejointe. Dressé au-dessus
d'elle, luisant de sueur et aussi pantelant qu'elle, il se
retenait héroïquement. Elle vit son regard se voiler, elle
le sentit frémir et l'entendit gémir tandis qu'il lâchait
prise et se précipitait à son tour, libre de toute attache,
dans les abîmes insondables du plaisir.

— J'aime bien te voir nue, murmura David en
s'appuyant sur un coude pour pouvoir la contempler
tout à son aise. Mais je dois reconnaître que tes bas
sont diablement sexy.

Lorsqu'il lui caressa le haut de la cuisse, elle bougea
à peine.

— Ils sont surtout pratiques à enfiler et à retirer,
dit-elle d'une voix ensommeillée.

— Je confirme, déclara David d'un ton plein de
sous-entendus.

— Ce n'est pas ce que je voulais dire.

N'ayant aucune envie de se lancer dans une discussion interminable, elle se blottit tendrement contre lui.

Il adorait son côté câlin, cette manière qu'elle avait
de se coller à lui après l'amour. Le visage enfoui dans
ses cheveux, il la caressait doucement.

— Et si nous allions prendre une douche ? proposa-
t-il soudain, comme sous le coup d'une inspiration.

— Maintenant ? Pourquoi n'allons-nous pas plutôt
au lit ?

— Tu es insatiable, à ce que je vois. Allez, viens !

Il se redressa et la souleva dans ses bras.

— Lâche-moi, David. C'est ridicule !

— Je me sens toujours un peu ridicule quand j'ai une femme nue sur les bras.

Il ne la posa à terre qu'une fois dans la salle de bains.

— Tu dois pourtant avoir l'habitude, dit A.J. en ouvrant d'un geste brusque les robinets de la douche.

— Je l'ai un peu perdue, ces derniers temps.

Sans crier gare, il la poussa dans le bac à douche, sous le jet d'eau chaude.

— Mes cheveux ! cria-t-elle en le fusillant des yeux.

Comme il la regardait d'un air goguenard, elle prit la savonnette et commença à se laver.

— Tu sembles d'humeur badine, ce soir. Cela change de ce matin où tu faisais la tête.

— Je faisais la tête ? dit-il hypocritement en lui prenant le savon des mains pour continuer ce qu'elle avait commencé.

— Nous n'étions pas d'accord, souviens-toi. Mais je ne t'en veux pas. Je suis contente que tu sois venu ce soir.

C'était plus qu'il n'en espérait.

A.J. noua les bras autour de son cou et l'embrassa à pleine bouche.

— Quand tu ne joues pas les producteurs, je t'aime beaucoup, David.

Venant d'elle, c'était tout à fait inespéré. Mais aussi tellement moins que ce dont il avait besoin…

— Quand tu ne joues pas les agents artistiques, je t'aime beaucoup, Aurora.

Au moment où elle sortait du bac à douche, la sonnette retentit.

— Zut ! dit-elle en se précipitant sur une serviette.

— J'y vais.

En un tournemain, David avait noué une serviette autour de ses hanches. Sans lui laisser le temps de protester, il sortit de la salle de bains pour aller ouvrir.

Elle enfila son peignoir, bien décidée à lui emboîter le pas. Et si c'était un collègue de l'agence ? Qu'allait-elle bien pouvoir inventer pour expliquer la présence de David Brady chez elle ? Tout nu, en plus. Non, il valait mieux qu'elle reste où elle était.

Puis elle repensa avec horreur aux vêtements, qui avaient voltigé aux quatre coins de la salle de séjour. Prenant son courage à deux mains, elle sortit de sa cachette.

Il y avait une nappe blanche sur la table de la salle de séjour. Et deux bougeoirs en métal argenté. A la lumière des bougies, la porcelaine et le cristal étincelaient de mille feux.

Elle se figea et attendit des explications. Mais David était en train de signer le papier que lui tendait un homme en smoking noir.

— J'espère que vous êtes satisfait, monsieur Brady.

— Tout est absolument parfait.

— Nous viendrons débarrasser à l'heure qui vous conviendra, dit l'homme avant de les saluer tour à tour et de se retirer.

D'un pas incertain, A.J. s'avança vers la table.

— David… qu'est-ce que c'est que ça ?

— Du coq au vin, répondit-il en soulevant la cloche qui recouvrait le plus grand plat. Je l'avais commandé pour 20 heures. Ils sont très ponctuels.

Il alla ramasser son pantalon et le plus naturellement du monde, il l'enfila après s'être débarrassé de la serviette.

A.J. s'approcha encore. Lorsqu'elle vit la rose rouge,

dans le soliflore, une émotion indésirable lui noua la gorge.

— C'est une sacrée surprise, bredouilla-t-elle. Je ne m'y attendais pas.

— Tu m'as dit une fois que tu aimais être gâtée. Alors je te gâte, expliqua David en mettant son sweater.

Elle cligna des yeux pour refouler les larmes qui menaçaient de déborder.

— Je vais aller m'habiller.

Elle avait déjà tourné les talons, mais il la saisit aux épaules.

— Tu es très bien comme ça.

— Je n'en ai pas pour longtemps.

Sa voix avait dû l'alerter, car il l'obligea à se retourner.

— Que se passe-t-il ? demanda-t-il en écrasant une larme qui roulait sur la joue de la jeune femme.

— Rien. C'est idiot. Je te demande juste une minute.

Il l'avait déjà vue pleurer. Mais à chaudes larmes, avec de gros sanglots démonstratifs. Son chagrin avait quelque chose de doux qui le bouleversa.

— Cela te rend toujours aussi malheureuse quand un homme t'invite à dîner ?

Elle essaya de sourire à travers ses larmes.

— Je ne m'attendais pas à autant de délicatesse de ta part.

Il prit sa main et embrassa ses doigts.

— Tu me prenais pour un soudard ?

David était en train de gagner du terrain, de prendre une place de plus en plus grande dans son cœur et dans sa vie. A.J. sentit qu'elle était en danger. Comme jamais encore elle ne l'avait été.

— Ce n'est pas ce que je voulais dire, dit-elle dans un souffle. David, ne me donne pas trop d'espoir.

Il avait vu juste : elle craignait d'être déçue. Elle ne voulait pas risquer de souffrir en s'investissant dans une relation qu'elle pensait vouée à l'échec. Lui-même avait toujours veillé à garder la tête froide… jusqu'à un certain soir, sur la plage.

— La machine est lancée, Aurora. Ni toi ni moi ne pouvons l'arrêter.

A.J. soupira. Dix fois déjà on lui avait tourné le dos. Du jour au lendemain, sans regret, sans un mot d'explication, les amis, les amants l'avaient laissée tomber. David ferait peut-être la même chose, mais pour l'instant, il était là, aimant et dévoué. Pourquoi ne pas profiter de ce bonheur inespéré ?

— Ce soir, en tout cas, nous n'essaierons même pas, dit-elle en lui caressant tendrement la joue.

9

— Article 15, clause B, dicta A.J. à sa secrétaire. Le libellé manque de précision Ma cliente prend très à cœur son rôle de mère et fera l'impossible pour ne pas faillir à ses devoirs. La nourrice qui accompagnera le bébé sur les tournages sera à sa charge, mais le véhicule utilisé pour tous les transports devra être équipé par vos soins d'un lit auto sécurisé. Il vous appartient également de prévoir…

A.J. s'interrompit. C'était la troisième fois depuis qu'elle avait commencé à dicter cette lettre qu'elle perdait le fil.

— Les couches ? suggéra Diane avec obligeance.

— Vous voulez bien relire ?

Diane obtempéra.

— Ah, oui, j'y suis. Le parc. Ils doivent aussi prévoir un parc. Cette femme est d'une exigence rare. A croire que la maternité lui est montée à la tête.

— C'est plutôt étonnant chez une actrice qui passe pour être une séductrice impitoyable.

— Là, pour le coup, son image risque de changer du tout au tout.

— Je fais partir ce courrier aujourd'hui ?

— Pardon ?

— Vous voulez que la lettre parte ce soir ?

— Ce soir ? Euh, oui, ce serait préférable. Déjà 17 heures ? s'exclama A.J. en consultant sa montre. Je ne m'étais pas rendu compte qu'il était si tard. Pardonnez-moi, Diane, de vous avoir retenue.

— Ce n'est pas grave. Mais vous semblez avoir l'esprit ailleurs, fit remarquer Diane avec un petit sourire complice. Le pont n'a pourtant pas encore commencé.

— Le pont ?

— Le pont du Memorial Day, A.J., dit Diane du ton patient qu'on prend avec les grands malades. Ce fameux long week-end du mois de mai que l'on attend toute l'année.

— Il m'était complètement sorti de la tête, celui-là.

Non, ce n'était pas la perspective d'un week-end en amoureux qui la rendait aussi distraite. Le cours de sa vie lui échappait. Elle avait l'impression de ne plus rien contrôler, d'avancer à l'aveuglette sans trop savoir où elle allait. Difficile, dans ces conditions, de se concentrer sur quoi que ce soit.

— Mais vous, Diane, vous avez sûrement des projets. Laissez cela et filez. Il n'y aura pas de distribution lundi, de toute façon. Nous ferons porter cette lettre par coursier mardi.

— J'ai un programme effectivement assez chargé : *sea, sex and sun !* Il doit passer me chercher dans une heure.

— Allez-y, Diane, il ne faut pas le faire attendre. Gare aux coups de soleil !

Après le départ de la secrétaire, A.J. retira ses lunettes et se frotta pensivement l'arête du nez. Que lui arrivait-il ?

Le surmenage, peut-être ? songea-t-elle en empilant machinalement les dossiers posés sur son bureau. Le travail avait toujours été un palliatif à ses soucis. Ou le manque de sommeil. Elle dormait mal... depuis qu'elle dormait seule. David s'était absenté et bien que ce soit difficile à admettre, il lui manquait.

Il lui manquait terriblement. Quel mal y avait-il à cela ? Elle n'était pas dépendante au point de ne pas pouvoir vivre sans lui. Mais elle s'était habituée à sa présence. Il n'en finirait pas de se rengorger s'il savait qu'elle passait son temps à penser à lui. Dégoûtée, la jeune femme se mit au travail.

Au bout de deux minutes, ses pensées la ramenèrent à David. C'était sa faute, aussi. Quel besoin avait-il de commander ce dîner aux chandelles, ou de lui faire livrer un bouquet de marguerites le jour de son départ pour Chicago ? A ce train-là, elle allait devenir abominablement romantique.

Il était grand temps qu'elle se ressaisisse, décida-t-elle en reprenant son stylo. Au diable David Brady ! Quand on frappa à sa porte, quelques minutes plus tard, elle avait de nouveau le nez en l'air... et le regard dans le vide. Elle sursauta, poussa un juron et cria « Entrez ! » d'un ton énervé.

— Tu n'arrêtes donc jamais ? demanda Abe, sur le pas de la porte.

Arrêter ? C'était à peine si elle avait commencé !

— J'ai deux ou trois bricoles à régler de toute urgence. Le contrat Forrester va arriver à échéance. On a intérêt à se manifester sans attendre. Il est de plus en plus connu et...

— Je l'appelle mardi matin sans faute et je lui mets

la pression. Mais là, il est l'heure que j'aille m'occuper de ma marinade.

— Pardon ? dit A.J. en le regardant avec des yeux ronds.

— Dimanche, nous faisons un barbecue, expliqua Abe avec un clin d'œil. Pour une fois que ma femme me laisse faire la cuisine, j'ai plutôt intérêt à ne pas rater mon coup. Je te mets une entrecôte de côté ?

— Non, je te remercie. Sans vouloir t'offenser, la dernière que j'ai mangée chez toi a vraiment eu du mal à passer.

— Le boucher m'avait refilé de la vieille carne.

— Le boucher a bon dos, dit A.J. avec un sourire indulgent. Profite bien de ton week-end, Abe. Et sois d'attaque mardi.

— Pas de problème. Si tu changes d'avis, pour l'entrecôte, tu es la bienvenue.

— Merci.

A.J. se remit au travail tandis que l'agence finissait de se vider avec force rires et claquements de portes.

David la regardait sans rien dire. Dans les couloirs, c'était la débandade, mais elle, elle restait assise à son bureau, imperturbable. La fatigue qu'il avait ressentie dans l'avion s'envola d'un seul coup. Elle était si jolie quand elle avait cet air sérieux, les lunettes perchées sur son nez. Les marguerites qu'il lui avait offertes trônaient sur son bureau, incongrues dans cet univers froid et impersonnel. La vue du bouquet le fit sourire. La vue de la jeune femme réactiva son désir.

Il aurait voulu la prendre là, au milieu de ses dossiers si soigneusement empilés. Sous son tailleur strict, elle portait sans doute des dessous affriolants qu'il n'aurait eu aucun scrupule à lui arracher. Il lui aurait fait l'amour sauvagement, assouvissant enfin tous les fantasmes qu'il nourrissait secrètement depuis son départ.

A.J. continuait à écrire, malgré le trouble inexplicable qu'elle sentait poindre en elle. Ses hormones lui jouaient des tours, décidément ! Contrariée, elle se massa la nuque. L'air semblait s'être chargé d'électricité.

Soudain, elle comprit. Avant même de le voir, elle sut que David était là. Ses mains devinrent moites, son cœur s'emballa.

Elle n'eut pas l'air surpris. Il n'avait pourtant fait aucun bruit, aucun mouvement. Le fait qu'elle ait senti sa présence le troubla beaucoup moins que la manie adorable qu'elle avait de plisser les yeux pour le regarder.

Elle aurait voulu lui sauter au cou, elle aurait voulu qu'il la fasse valser dans ses bras. Mais elle se contenta de lever un sourcil et de reposer son stylo sur son buvard.

— Tu es de retour ?

— Oui. Je me doutais que tu serais encore à l'agence, dit-il en s'appuyant au chambranle de la porte.

La jeune femme esquissa un sourire.

— Tu as eu un pressentiment ? A moins que ce ne soit de la télépathie ?

— Question de logique, tout simplement, répondit David en souriant à son tour et en s'avançant vers le bureau. Tu as l'air en pleine forme.

Se renversant dans son fauteuil, elle le scruta longuement.

— Le voyage a été fatigant, on dirait ?

— Oui, assez. J'avais hâte de rentrer.

Il prit une marguerite dans le vase et la lui glissa derrière l'oreille avant de s'asseoir sur le bord du bureau.

— Tu fais quelque chose, ce soir ?

Si elle avait eu quelque chose de prévu, elle aurait annulé sans l'ombre d'une hésitation. Mais elle fit mine de consulter son agenda.

— Non, rien du tout.

— Et demain ?

Le cœur battant, elle tourna la page de son semainier.

— Non, je ne crois pas.

— Dimanche non plus ?

— Les agents artistiques ont droit à un jour de repos, comme tout le monde.

— Et lundi ?

Elle tourna encore une page.

— C'est un jour férié ; l'agence est fermée. Je vais en profiter pour lire quelques scripts et me faire les ongles.

— Je vois. Au cas où tu n'aurais pas remarqué, nous sommes en dehors des heures de bureau.

Le cœur d'A.J. se mit à battre comme un tambour, son sang à bouillonner dans ses veines.

Elle n'hésita qu'une fraction de seconde avant de prendre la main qu'il lui tendait pour l'aider à se lever.

— Viens chez moi.

Jusque-là, elle avait toujours refusé. Mais ce soir, ils n'en étaient plus là. Lorsqu'elle se baissa pour prendre sa serviette, il l'arrêta d'un geste.

— Non, pas ce soir, dit-il en lui embrassant le bout des doigts.

— Je voulais juste…

— Non, Aurora, pas ce soir. Je t'en prie.

Elle reposa la serviette, prit son sac à main, et ils sortirent du bureau, main dans la main. David ne l'avait pas embrassée, ni même prise dans ses bras, mais ce simple contact avait suffi à apaiser ses sens émoustillés.

Pensant repasser à l'agence le lendemain, elle ne voyait aucun inconvénient à laisser sa voiture au parking, aussi suivit-elle docilement David jusqu'à la sienne.

— Tu es venu directement de l'aéroport? demanda-t-elle en voyant la valise sur la banquette arrière.

Occupé à déverrouiller les portières, il ne répondit pas.

— C'est drôle, j'ai exactement la même, continua la jeune femme.

David se glissa au volant et tourna la clé de contact.

— C'est la tienne, dit-il tout à trac.

— La mienne? Je ne me souviens pas de te l'avoir prêtée.

— Tu ne m'as rien prêté. La mienne est dans le coffre.

Il sortit du parking et se faufila dans les embouteillages.

— Je me suis arrêté chez toi en revenant de l'aéroport, expliqua-t-il. Ta femme de ménage a fait ta valise pour le week-end.

— Elle a fait ma valise? répéta A.J., stupéfaite. Tu ne manques pas de culot, Brady. Mais qu'est-ce qui t'a pris d'aller demander à ma femme de ménage de faire ma valise et de…

— Cette femme est un amour. Je pensais que tu préférais avoir quelques affaires de rechange, mais si cela n'avait tenu qu'à moi, je t'aurais laissée toute nue tout le week-end. Encore que pour se balader dans les bois, ce ne soit pas très pratique.

Les mâchoires douloureuses à force d'être crispées, A.J. essaya de se détendre.

— Tu *pensais*? Si tu t'étais servi de tes neurones, tu n'aurais pas pris le risque de venir à l'agence sans

429

savoir si j'étais libre ce week-end et si j'avais envie de
partir avec toi.

— Cela aurait été vraiment dommage.

— Dommage pour qui ?

— Pour nos projets, dit-il en pressant l'allume-
cigares. Pendant ces trois jours, je n'ai pas l'intention
de te quitter des yeux un seul instant.

— Et mes intentions, à moi, tu en fais quoi ? C'est
peut-être viril de… d'embarquer de force une femme
pour le week-end, mais j'aurais préféré être consultée.
Arrête la voiture.

— Pas question.

Il s'attendait à un coup d'éclat de ce genre. Il s'en
était même réjoui par avance. Il y avait longtemps qu'il
ne s'était pas autant amusé.

Elle poussa un soupir excédé.

— Ton scénario est nul. Un enlèvement n'a rien
d'excitant.

David alluma une cigarette et souffla nonchalamment
une grande volute de fumée.

— C'est ce que je pensais jusqu'à aujourd'hui. Mais
je me trompais.

— Tu vas le regretter, crois-moi, dit-elle en se renfon-
çant dans son siège, les bras croisés sur sa poitrine.

— Je regrette déjà… de ne pas y avoir pensé plus tôt.

Le coude posé sur la vitre ouverte, il prit la route qui
grimpait vers le haut de la ville. Murée dans un silence
réprobateur, A.J. rongeait son frein. Elle ne desserra
pas les dents pendant tout le reste du trajet jusqu'à
chez lui. Dès que la voiture fut arrêtée, elle ouvrit la
portière, attrapa son sac et fila. Lorsque David la saisit

par le bras, elle fit volte-face et le menaça avec son sac
à bandoulière.

— Tu veux te battre ? demanda-t-il.

— Je ne te ferai pas ce plaisir, riposta-t-elle en se
dégageant. Fiche-moi la paix, je rentre à pied.

Il considéra d'un air goguenard sa jupe droite et ses
escarpins à talons aiguilles.

— Tu n'iras pas bien loin.

— Cela me regarde.

— Tu ne me laisses pas vraiment le choix.

Elle n'eut pas le temps de réagir que déjà il la prenait
à bras-le-corps et la jetait sur son épaule.

— Lâche-moi tout de suite, espèce de brute !

— Une petite minute, dit-il en se hâtant vers la maison.

— Immédiatement ! ordonna-t-elle en lui flanquant
un coup de sac dans le dos. Ce n'est pas drôle.

— Tu plaisantes ?

Elle profita de ce qu'il mettait la clé dans la serrure
pour tenter de lui échapper.

— Calme-toi, A.J. Tu vas finir par te rompre le cou.

— Tu n'as pas le droit ! protesta la jeune femme
en se contorsionnant. David, c'est indigne de toi. Tu
as perdu la tête, mais tu peux encore te ressaisir et je
passerai l'éponge.

Sourd à ses protestations, il commença à grimper
l'escalier. A.J. essaya en vain d'attraper la rampe.

— Je te propose un marché : si tu me reposes maintenant, je te laisserai la vie sauve.

— D'accord, dit-il en la faisant basculer en arrière.

Elle n'eut pas le temps d'avoir peur qu'il s'effondrait
avec elle sur le lit.

— Mais qu'est-ce que tu as dans la tête ? demanda-t-elle, ulcérée, en s'asseyant tant bien que mal.

— Toi.

Sidérée, elle suspendit le coup qu'elle s'apprêtait à lui flanquer dans les côtes pour le tenir à distance.

— J'ai pensé à toi tout le temps. Pas une seule seconde, je n'ai cessé de te désirer. Même à dix mille pieds d'altitude, je pensais à toi et à ce que je te ferais quand je te reverrais.

— Tu es… C'est complètement dingue.

— Peut-être. Quoi qu'il en soit, dans l'avion du retour, j'ai décidé de t'amener ici, et de te garder plusieurs jours d'affilée pour moi tout seul.

Il lui caressait la nuque très doucement, comme s'il craignait de l'effaroucher. Elle sentit son trouble augmenter de manière exponentielle.

— Si tu me l'avais demandé…

— Tu te serais défilée, coupa-t-il. Une nuit, passe encore. Mais tu aurais prétexté je ne sais quoi pour ne pas rester davantage.

— Pas du tout.

— Peux-tu m'expliquer pourquoi tu n'as jamais passé un seul week-end avec moi ?

— J'avais mes raisons, dit-elle en se tordant les mains.

Il posa sa main sur les siennes et hocha la tête.

— La vraie raison, c'est que tu as peur que je ne finisse par prendre trop de place dans ta vie et dans ton cœur.

— C'est ridicule. Je n'ai pas peur de toi.

— De moi, non. C'est de nous, Aurora, que tu as peur. Moi aussi, j'ai peur, confia David à mi-voix.

La gorge sèche, la jeune femme gardait le silence.

La confusion la plus totale régnait dans son esprit. Entre David et elle, c'était purement sexuel, scandait une petite voix dans sa tête.

— Oublions tout cela, dit-elle en passant un bras autour de lui.

— Tôt ou tard, il faudra faire face.

Elle posa ses lèvres sur les siennes, les goûta, les agaça du bout de la langue.

— En attendant, fais-moi l'amour.

Elle avait glissé ses mains sous sa chemise et s'était mise à le caresser, à le titiller avec une hâte fébrile. Sentant sa propre raison chavirer, il poussa un juron et l'attira à lui.

— C'est excellent pour la santé.

— Le foie de veau aussi, rétorqua A.J. à bout de souffle en s'adossant contre un arbre.

Ils avaient traversé le ruisseau, derrière chez lui, et parcouru environ un kilomètre et demi à travers bois. Mais le sentier était raide et ce trekking, conduit par David, qui avançait au pas de grenadier, l'avait complètement épuisée.

— C'est magnifique, tu ne trouves pas? dit-il en revenant sur ses pas pour lui faire admirer le paysage.

Les oiseaux s'égosillaient dans les hautes frondaisons des arbres et, partout où le soleil s'infiltrait, poussaient des fleurs sauvages qu'elle aurait été bien incapable de nommer. Même pour une citadine dans l'âme, c'était un cadre assurément idyllique.

— Si. Quand on habite au centre-ville, on a du

mal à croire qu'il puisse y avoir encore des endroits comme celui-ci.

— C'est la raison pour laquelle j'ai choisi de vivre dans les collines. La voie rapide commençait à me sortir par les yeux.

— La voie rapide, mais aussi les repas d'affaires, les soirées mondaines et tout le saint-frusquin.

— Absolument. A la fin d'une journée de travail, c'est bon de se retrouver au calme. Cela permet de prendre du recul.

— Moi, quand je rentre, je mets mon casque sur la tête et je décompresse en écoutant Rachmaninov.

— Je fais exactement pareil.

— Oui, mais moi, en général, je commence par envoyer quelques coups de pied, histoire de bien me défouler.

Il lui embrassa le sommet du crâne en riant.

— A chacun sa méthode. Attends de voir la vue, tout en haut.

A.J. se baissa pour se masser les mollets.

— Je crois que je vais rentrer t'attendre à la maison. Rapporte-moi une photo.

— Taratata ! Tu as besoin de t'aérer. Te rends-tu compte que nous avons passé près de trente-six heures au lit ?

— Oui, mais combien à dormir ? Je crois que j'ai eu mon compte d'exercice pour aujourd'hui.

Il la regarda étirer ses muscles endoloris. En jean et en T-shirt, elle n'avait pas grand-chose à voir avec l'A.J. Fields de la célèbre agence artistique. Il savait cependant comment relancer sa motivation.

— Je suis en bien meilleure forme que toi, apparemment.

— Alors là, ça m'étonnerait !

Elle s'élança sur le sentier, bien décidée à relever le défi. Mais David lui imposait un train d'enfer. Le dos ruisselant de sueur, les jambes en compote, au bout d'un kilomètre, elle se laissa tomber sur une grosse pierre.

— C'est bon, j'abandonne.

— Plus que cent mètres et nous pourrons redescendre de l'autre côté. C'est un peu plus court.

— Non. Tu ne me feras pas faire un pas de plus. Je dors ici cette nuit.

— Tu veux que je te porte ?

— Non. Laisse-moi tranquille.

— Si tu ne te laisses pas porter, tu te laisseras peut-être corrompre.

— Essaie toujours.

— J'ai un cabernet-sauvignon que je gardais pour les grandes occasions.

Elle se mordit la lèvre inférieure.

— De quelle année ?

— Soixante-dix-neuf.

— Pas mal. Cela devrait m'aider à parcourir les cent derniers mètres.

— Et puis il y a cette côte de bœuf que j'ai sortie du congélateur ce matin, et que je vais faire cuire sur la braise.

Elle se passa la langue sur les lèvres. Elle salivait déjà.

— Je devrais pouvoir faire la moitié du chemin de retour.

— Tu es dure en affaires.

— C'est ce qu'on dit.

— Je te propose des fleurs. Des brassées de fleurs en prime.

— Le temps que nous arrivions, les fleuristes seront tous fermés.

— On voit bien que tu es une fille de la ville. Regarde un peu autour de toi.

— Tu vas me cueillir des fleurs ?

Dans un élan de gratitude, elle lui jeta les bras autour du cou.

— Je sens mes forces revenir. Je vais peut-être réussir à rentrer.

En souriant, elle s'installa confortablement sur sa pierre tandis qu'il s'enfonçait dans les fourrés pour lui composer un bouquet.

— Je préfère les bleues, cria-t-elle en riant parce qu'il ronchonnait.

Pas une seule seconde, depuis le début du week-end, elle ne s'était ennuyée ou n'avait regretté d'être restée. David était facile à vivre, conciliant, et toujours prêt à se mettre en quatre pour lui faire plaisir.

Elle avait découvert que préparer le petit déjeuner, puis le déguster en sa compagnie, suffisait à la mettre de bonne humeur pour toute la journée. Quel bonheur de ne pas avoir à courir ! Elle n'avait pas eu une seule pensée pour l'agence et le seul effort intellectuel qu'elle ait fourni en près de deux jours avait consisté à remplir, au lit, une grille de mots croisés. Et encore ! David, insatiable, ne l'avait pas laissée finir.

Ce bouquet de fleurs serait en quelque sorte la cerise sur le gâteau. Elle les mettrait dans un vase, près de la fenêtre, où elles seraient du plus bel effet. Sauf que là, bel rimait avec mortel.

Elle se figea, tous ses sens aux aguets. Les oiseaux s'étaient tus. L'air semblait s'être densifié. David lui apparut très lointain, comme si elle l'observait avec une longue-vue. Une douleur fulgurante la traversa. S'arrachant à la pierre sur laquelle elle s'était écorché les doigts, elle courut vers lui.

— Non !

Le cri qu'elle pensait avoir poussé n'était en réalité qu'un murmure imperceptible. Elle l'appela, mais aucun son ne sortit de sa gorge. A la troisième tentative, sa voix résonna enfin.

— David ! Arrête tout de suite.

Il se redressa juste au moment où elle se jetait dans ses bras. Ce regard terrifié, il le connaissait. Il n'était pas près d'oublier la transe qu'elle avait eue dans la maison hantée.

— Aurora, que se passe-t-il ? s'enquit-il, la gorge serrée par l'angoisse.

— Ne touche plus à ces fleurs, David. Je t'en prie.

Il y avait une telle urgence dans sa voix qu'il ne pouvait qu'obtempérer.

— D'accord, dit-il en scrutant son visage d'un air interrogateur. Mais ce ne sont que des fleurs.

Une main sur la poitrine pour calmer les battements frénétiques de son cœur, la jeune femme secoua la tête.

— Si tu y touches, tu es mort, dit-elle d'une voix comme assourdie en regardant fixement les fleurs qu'il s'apprêtait à cueillir au pied d'un rocher ensoleillé.

S'efforçant de ne pas céder à la panique qui le gagnait à son tour, David laissa choir son bouquet et ramassa un bâton, dans le chemin. Puis il prit la main d'A.J. et s'approcha du massif de jacinthes des bois, qu'il se mit à fouailler énergiquement. Il entendit le sifflement du serpent lorsqu'il se dressa et se jeta sur le bâton, qui faillit lui échapper des mains. Sans demander son reste, David s'empressa de ramener A.J. sur le chemin.

— Je veux rentrer, dit-elle tout net.

Elle lui sut gré de ne pas la questionner ni même de chercher à la réconforter. Qu'aurait-elle pu lui dire ? Pendant ces quelques secondes interminables, elle avait fait une découverte encore plus effrayante que ce serpent tapi dans le massif de fleurs. Elle avait découvert qu'elle aimait David. Elle l'aimait de tout son cœur, de toute son âme. Les règles, les mises en garde n'avaient rien empêché. David pouvait la blesser gravement, de manière irrévocable, en l'abandonnant.

Aussi préféra-t-elle garder le silence. Comme il ne parlait pas non plus, elle se sentit rejetée et malheureuse comme les pierres. Le premier soin de David, en arrivant, fut de sortir du placard une bouteille de cognac. Il lui en servit un verre qu'il lui tendit sans un mot, et vida d'un trait la moitié du sien.

L'alcool lui brûlait la gorge mais, au bout de quelques gorgées, elle recouvra son calme et sa maîtrise de soi.

— Tu peux me raccompagner maintenant, si tu veux.

Il se versa encore une lampée de cognac.

— Qu'est-ce que tu racontes ?

Les mains crispées autour de son verre, elle expliqua :

— Ce genre d'incident met généralement les gens mal à l'aise. Si tu préfères que je parte, je comprendrai.

Comme il la regardait sans rien dire, elle reposa son verre.

— Je n'en ai pas pour longtemps à préparer mes affaires.

— Si tu bouges d'ici, dit-il d'une voix dangereusement calme, je ne réponds plus de moi. Assieds-toi, Aurora.

— David, épargne-moi tes questions.

Elle sursauta lorsqu'il jeta son verre dans l'évier.

— Nous n'en sommes plus là, il me semble.

Il criait. C'était après lui qu'il en avait et non pas après elle. Mais cela, A.J. ne pouvait pas le deviner.

— Est-il possible d'envisager une discussion quelconque, un contact, en dehors du sexe et des négociations ? rugit-il.

— Nous nous étions mis d'accord sur…

Le mot « accord » le fit sortir de ses gonds. Il proféra une telle grossièreté que la jeune femme en eut la chique coupée.

— Tu m'as probablement sauvé la vie, Aurora. Que veux-tu que je te dise ? Merci ?

Elle déglutit plusieurs fois avant de répondre.

— Ne dis rien. Je crois que c'est préférable.

Il s'approcha d'elle mais sans la toucher.

— Je suis moi aussi sous le choc de ce qui s'est passé. Mais je ne vais pas pour autant te considérer tout à coup comme un monstre. Je te suis infiniment reconnaissant, même si je m'y prends très mal pour te le montrer.

— Ça va, David, dit la jeune femme d'une voix chevrotante. Je ne te demande rien.

— Tout ce que tu veux, je te le donnerai, dit-il en prenant son visage dans ses mains. Que veux-tu, Aurora ? Dis-le-moi.

La tentation était forte. En y cédant, elle perdrait un peu plus de terrain ; elle le savait. Mais les mains de David étaient si douces, et son regard si tendre.

— Prends-moi dans tes bras. Juste une minute.

Il la serra contre lui comme on berce une enfant venue quémander un câlin.

— Tu as envie d'en parler ? demanda-t-il lorsqu'il la sentit moins tendue.

— J'ai eu un flash. Le bouquet que tu étais en train de composer m'est soudain apparu comme extrêmement dangereux. Les fleurs étaient noires, hideuses et coupantes comme des lames de rasoir. Quand je t'ai vu te pencher sur ces jacinthes des bois, mon sang n'a fait qu'un tour.

— Je ne m'étais pas encore approché d'elles.

— Non, mais cela n'allait pas tarder.

— En effet. Je m'apprêtais à les cueillir.

Il se tut un instant pour la serrer plus étroitement.

— N'empêche que je n'ai pas rempli le contrat : je n'ai pas de fleurs à t'offrir.

— Cela ne fait rien, assura-t-elle en pressant ses lèvres dans son cou.

Comme il prenait sa main pour l'embrasser, il vit le sang séché au dos de ses doigts.

— Mais… tu saignes ! Comment t'es-tu fait ça ?

Elle replia ses doigts en grimaçant.

— Aucune idée. Tout ce que je sais, c'est que ça me fait mal.

— Viens ici.

Il la conduisit à l'évier et fit couler de l'eau froide sur ses phalanges écorchées.

— Aïe ! gémit-elle en essayant vainement de se soustraire à ses soins.

— Je n'ai jamais été un modèle de douceur, marmonna-t-il.

— Je m'en étais rendu compte, railla-t-elle d'un ton plein de sous-entendus.

L'air préoccupé, il sécha soigneusement la main de la jeune femme.

— Montons à l'étage. Je vais te mettre un peu de désinfectant.

— Non, ça pique. Et puis, ce n'est qu'une égratignure.

— Cela pourrait s'infecter. Je préfère ne pas prendre de risques, dit David en l'emmenant de force à la salle de bains.

Avant qu'elle ait pu dire ouf, il avait sorti un flacon de l'armoire à pharmacie et pulvérisé le désinfectant sur ses doigts.

— La vache !

— Voilà, dit-il en soufflant sur sa main. Dans une minute, tu ne sentiras plus rien.

— Je ne demande pas mieux que de te croire, maugréa Aurora.

— Nous allons préparer à dîner. Comme ça, tu n'y penseras plus.

— Je te rappelle que c'est toi qui es censé faire à manger.

— C'est vrai, dit-il en l'embrassant sur le front. Je dois sortir un instant. Je m'occupe de la viande tout de suite après.

— Ne compte pas sur moi pour éplucher les légumes. Je vais plutôt aller me faire couler un bain.

— Bonne idée. Si l'eau est encore chaude à mon retour, tu me feras une petite place dans la baignoire.

La question lui brûlait les lèvres, mais elle s'abstint de lui demander où il allait. Depuis la fenêtre de la chambre, elle le regarda monter dans sa voiture et s'éloigner. Puis elle s'assit sur le lit pour retirer ses chaussures. Une grande lassitude, tant physique que mentale, s'empara d'elle. Aussi molle qu'une poupée de chiffon, elle s'étendit et ferma les yeux.

David revint à la maison avec une brassée d'asters cueillis dans le jardin d'un voisin compréhensif. Il avait dans l'idée de les jeter dans l'eau du bain pour dérider la jeune femme. Il aimait l'entendre rire. Il l'aimait elle, surtout, et ne voulait pas la perdre.

Il monta l'escalier à pas de loup. En passant devant la chambre, il la vit, couchée en travers du lit. Il songea avec émotion que c'était la première fois qu'il la voyait dormir.

Les lèvres entrouvertes, les cheveux épars, elle lui parut fragile, et plus attendrissante que jamais. Elle avait les traits délicats et des poignets d'une finesse incroyable. Il remarqua aussi la ligne de son cou, si pure, si gracieuse.

Peut-être ne l'avait-il jamais vraiment regardée, songea-t-il, ébahi par ses découvertes. Mais là, pour le coup, il se rattrapait.

Il profita de son sommeil pour la contempler tout son soûl. Il l'avait vue fébrile, dans ses bras, il l'avait vue inflexible, dans son bureau, mais la voir abandonnée, vulnérable, sans défense, le troubla jusqu'au tréfonds de son être.

Une grande bouffée de tendresse l'étreignit. Il n'aurait jamais pensé qu'Aurora, qui n'avait été jusque-là que passion et déraison, puisse susciter en lui quelque chose d'aussi doux.

Lorsqu'il lui effleura la joue, juste pour le plaisir de sentir sous ses doigts la chaleur et la douceur de sa peau, elle bougea, battit des paupières, et murmura d'une toute petite voix :

— David ?

— Je t'ai apporté quelque chose, dit-il en s'asseyant sur le lit après y avoir déposé les asters.

Elle eut cet air surpris et un peu embarrassé qu'il trouvait adorable et qui le poussait à multiplier les marques d'affection.

— Tu n'aurais pas dû, bredouilla-t-elle.

Sans hâte mais avec une gravité teintée de ferveur, il inclina la tête et lui effleura les lèvres d'un baiser d'une tendresse infinie, aussi grande que celle qu'il avait éprouvée en la regardant dormir.

— David ?

Il enfouit les doigts dans ses cheveux, non pas sous l'emprise de la passion, mais pour les caresser, en apprécier la texture.

— Tu es si belle, murmura-t-il comme pour lui-même. Je ne suis pas sûr de te l'avoir jamais dit.

Un éclat étrange brillait dans le regard dont il la couvait. Ses traits étaient sombres, et néanmoins illuminés par une ardeur secrète qu'elle ne lui avait jamais vue. Elle l'attira à elle, se porta à la rencontre de son désir.

— Ce n'est pas nécessaire, murmura-t-elle.

Il l'embrassa de nouveau, sans impatience, sans exigence aucune. C'était tellement inhabituel qu'elle en conçut une certaine frustration.

— Fais-moi l'amour, David.

— C'est ce que je suis en train de faire. Sans doute pour la première fois.

— Je ne comprends pas, dit-elle tandis qu'il lui ouvrait grand les bras, l'invitant à se blottir contre sa poitrine.

— Moi non plus.

Comme s'il se livrait à un rituel, avec une attention grave et recueillie, il lui effleura les tempes, les paupières, les lèvres. Ses mains le démangeaient de la caresser dans la lumière rasante du crépuscule, mais il se maîtrisait, attendait qu'elle se détende, s'abandonne, se laisse enfin aller à autre chose que la simple volupté.

Elle avait l'impression d'être en apesanteur : légère et libre comme l'air. Le plaisir coulait en elle comme un vin clair, puis un vin plus corsé lorsqu'elle sentit le goût de sa langue mêlée à la sienne. Jamais ses sens ne lui avaient paru plus aiguisés, mieux armés pour percevoir et éprouver.

Il l'entendit prononcer son nom dans un souffle. Ce n'était pas un cri, juste un murmure. La serrant contre lui, il l'embrassa avec ferveur.

Elle n'avait ni la force ni l'envie de prendre des initiatives. Pour la première fois, elle lui abandonnait son corps et laissait parler ses émotions. Elle se sentait libre, libre de l'aimer. Lorsqu'il entreprit de la dévêtir, elle ouvrit les yeux pour le contempler.

Sans la quitter du regard, il lui ôta son T-shirt. Puis elle se redressa pour lui enlever sa chemise. Il l'aida et, prenant sa main dans la sienne, il porta ses doigts meurtris à ses lèvres, embrassa son poignet, sa paume, puis ses lèvres jusqu'à ce qu'elle frissonne et de nouveau murmure son nom.

Avec une lenteur torturante, il fit glisser son jean le long de ses jambes, s'interrompant ici et là pour goûter les carrés de peau qu'il dévoilait. Sentant les battements frénétiques de son pouls à la pliure de ses genoux, il y posa les lèvres, s'y attarda longuement. Lorsque la jeune femme laissa échapper un gémissement rauque, il se débarrassa de son propre jean et s'allongea sur elle, savourant le contact de sa peau nue contre la sienne.

Eblouie par les sensations nouvelles que faisait naître en elle cette attente qui s'étirait, se prolongeait délicieusement, A.J. renonça à penser de manière cohérente. Son corps n'était plus seulement dévolu au plaisir, à la jouissance. Il faisait l'objet d'une adoration quasi mythique de la part de David, qui attendait d'elle la même dévotion pour son corps à lui.

Comme dans un rêve qu'elle n'aurait jamais osé faire, elle l'entendit lui murmurer au creux de l'oreille des mots d'amour et des serments. Peu importe ce que demain lui réservait. Ce soir, elle avait envie d'y croire. Le parfum des fleurs se répandait dans l'air tiède. Froissés sous eux, les pétales exhalaient leurs senteurs enivrantes.

Il se fondit en elle et commença à se mouvoir avec lenteur, adoptant un rythme envoûtant qui la fit onduler et s'arquer contre lui en gémissant. Aucune femme avant elle ne lui avait procuré un tel sentiment de puissance, mais il refusa de se laisser griser et de renoncer à cette douceur, cette tendresse dont il avait ignoré jusque-là à quel point elles pouvaient être excitantes.

Le sang martelait ses tempes, rugissait dans ses oreilles. David, cependant, tenait bon, conservant la même cadence lente et mesurée. Lorsqu'il se sentit sur le point de basculer, il dit très bas :

— Regarde-moi, Aurora ! Je veux te voir sombrer avec moi.

Mais même quand son contrôle vola en éclats, la tendresse subsista.

10

Alice Robbins avait percé au cinéma dans les années soixante. Jeune, ambitieuse et talentueuse, elle avait quitté sa province et rallié cet Eldorado qu'était — et est encore — Hollywood pour toutes les stars en herbe. Si toutes ne font pas carrière, Alice, elle, avait réussi au-delà de toute espérance.

Ses turpitudes conjugales et son divorce très conflictuel avaient fait presque autant de bruit que les rôles qu'elle avait incarnés à l'écran. Ils avaient aussi largement contribué à sa notoriété. Sa beauté ne l'avait pas seulement mise à l'abri du chômage : elle lui avait valu de nombreux succès auprès des hommes. Ses amours s'étalaient sur les pages de tous les magazines. A la veille de ses trente ans, Alice Robbins était une actrice adulée et une femme comblée. Mais sa vie ne prit vraiment un sens que lorsqu'elle rencontra Peter Van Camp, un magnat de l'industrie de presque vingt ans son aîné.

Ils s'étaient mariés au bout de seulement deux semaines, pendant lesquelles la presse s'était déchaînée en conjectures : l'épousait-elle pour l'argent, pour le pouvoir ou pour le prestige ? Elle l'épousait parce qu'elle l'aimait, tout simplement.

Alice avait commencé par renoncer à son nom, pour

prendre de son plein gré celui de son mari, puis, après la naissance de leur fils, un an plus tard, elle avait également renoncé à sa carrière. Pendant dix ans, elle s'était consacrée à sa famille.

Un jour, le bruit avait couru qu'Alice Van Camp allait peut-être se laisser convaincre de renouer avec le cinéma. La nouvelle avait défrayé la chronique. On parlait d'un contrat de plusieurs millions de dollars et on annonçait déjà le film du siècle.

Un mois avant la sortie du film, son fils, Matthew, avait été enlevé.

David connaissait toute l'histoire. Mais si le passé tumultueux d'Alice Van Camp avait fait couler beaucoup d'encre, les médias ne s'étaient guère étendus sur le kidnapping de l'enfant. La police avait livré très peu d'informations et Clarissa DeBasse était restée pour le moins évasive. Jusque-là, aucun des époux Van Camp n'avait accordé d'interview à ce sujet. Ils y consentaient enfin et se disaient prêts à répondre à toutes les questions, mais David savait que le terrain était miné. La plus grande prudence s'imposait.

Les techniciens avaient été triés sur le volet, l'équipe réduite au minimum. Une star telle qu'Alice Van Camp méritait bien quelques égards.

Sa villa, à Beverly Hills, était protégée par un portail électrique et un mur de près de quatre mètres de haut. A l'entrée du parc, un gardien en uniforme vérifia leur identité. Il leur fallut ensuite parcourir plusieurs centaines de mètres pour arriver à la maison.

Blanche, avec des colonnes doriques, des balcons à foison et des pergolas garnies de roses en pleine floraison, cette villa lui avait été offerte par son mari lorsqu'elle avait renoncé au cinéma.

Chargées de fleurs, les branches des cerisiers japonais ployaient au-dessus de la pelouse impeccable sur laquelle se pavanait un paon. Les orangers et les citronniers embaumaient délicieusement.

Si A.J. voyait ça ! songea David en se garant derrière la camionnette de la régie. Depuis quelques jours, il n'arrêtait pas de penser à elle. Elle l'obsédait, mais il préférait ne pas trop chercher à savoir pourquoi.

Pas plus qu'il ne souhaitait analyser en profondeur la nature des sentiments qu'il éprouvait pour elle. Etait-ce du désir ? Il la désirait chaque jour un peu plus. De l'amitié ? Curieusement, ils étaient amis presque autant qu'amants. De la complicité ? Difficile à dire. A.J. livrait si peu d'elle-même. Mais il avait compris que la femme dynamique et déterminée était aussi une femme tendre et fragile.

A la fois ardente et réservée, entreprenante et vulnérable, elle était désarmante de contradictions et constituait pour lui une énigme fascinante dont il brûlait de percer le mystère.

C'était peut-être ce côté insaisissable qui l'avait le plus séduit chez elle. La plupart des femmes qu'il avait connues étaient si conformes à leur image. Elégantes. Cultivées. Ambitieuses. Il était attiré par un certain type de femme. Toujours le même. A.J. en faisait partie. Mais pas Aurora. Or l'une étant indissociable de l'autre, force lui était de composer avec les deux.

En tant qu'agent, elle était satisfaite des négociations qu'elle avait menées au nom de Clarissa, y compris de la séquence qui allait être tournée chez les Van Camp.

Mais la fille aimante et dévouée qu'elle était aussi s'inquiétait des répercussions que cela risquait d'avoir sur sa mère.

Les dés étaient jetés, de toute façon, songea David en gravissant les marches du porche de la villa des Van Camp. En tant que producteur, il n'était pas mécontent de la tournure que prenait le reportage, mais en tant qu'ami et amant, il aurait aimé pouvoir rassurer A.J. d'une manière ou d'une autre. Elle le fascinait. Elle l'intriguait. Et, chose qu'aucune autre femme n'avait faite jusque-là, elle le préoccupait. Devait-il en conclure qu'il l'aimait ? Si c'était le cas, il avait vraiment du souci à se faire…

— Vous avez changé d'avis ? demanda Alex en le voyant hésiter sur le pas de la porte.

David haussa les épaules et appuya sur la sonnette.

— Non, il n'y a pas de raison.

— Clarissa est partante, en tout cas.

Mal à l'aise, David se balança d'un pied sur l'autre.

— Et cela vous suffit ? demanda-t-il.

— Oui, bien sûr. Clarissa sait ce qu'elle fait.

David se demanda s'il n'y avait pas là un sous-entendu.

— Alex…, commença-t-il sans savoir exactement ce qu'il allait lui dire.

Mais la porte s'ouvrit et il ne put continuer. Une soubrette à l'accent français prit leurs noms et les fit patienter dans un salon qui ressemblait à un décor de cinéma, avec son mobilier imposant et tape-à-l'œil et ses couleurs criardes. Un piano demi-queue trônait au milieu de la pièce.

— Comme discrétion, on fait mieux, commenta Alex.

— Certes, dit David en embrassant du regard les

brocarts chatoyants et le candélabre dégoulinant de papilles en cristal qu'il se souvenait avoir vu dans *Music at Midnight*. Mais Alice Van Camp est l'une des rares stars qui puissent se permettre de faire leur propre publicité.

— Merci du compliment.

Très digne, souriante et toujours d'une beauté à couper le souffle, Alice Van Camp se tenait sur le seuil. Elle était de ces femmes qui aiment à se faire admirer et ne s'en cachent pas. Comme tous ceux qui ne l'avaient jamais vue qu'à l'écran, David fut frappé par sa petite taille. Mais lorsqu'elle s'approcha, son charisme lui fit oublier ce détail.

— Monsieur Brady, dit-elle en lui tendant la main.

Ses cheveux blond foncé encadraient un visage au teint de porcelaine et sans la moindre ride. S'il n'avait su son âge, David aurait pensé qu'elle allait sur ses trente ans.

— Enchantée. J'ai une grande admiration pour les journalistes — quand ils ne déforment pas mes propos.

— Madame Van Camp, dit David en prenant entre les siennes la main délicate de l'actrice. Au risque de ne pas être très original, je ne peux m'empêcher de louer votre beauté.

Elle laissa échapper ce rire doux, un peu rauque, qui avait envoûté les hommes pendant plus de vingt ans.

— L'absence d'originalité n'est pas toujours un défaut. J'ai vu quelques-uns de vos reportages, monsieur Brady. Mon mari préfère les documentaires aux films. Je me demande pourquoi il m'a épousée.

— Moi, je le sais, dit David. Je suis un de vos fans. J'ai vu tous vos films.

— Tant que vous ne me dites pas que cette passion

dure depuis que vous êtes tout petit, je ne peux qu'en être flattée. Si vous voulez bien me présenter à l'équipe, nous pourrons commencer.

David l'admirait depuis des années, mais dix minutes en sa compagnie suffirent à la lui faire trouver encore plus extraordinaire. Elle échangea quelques mots avec chacun des membres de l'équipe, du metteur en scène au cadreur.

Ayant suggéré à Sam de tourner sur la terrasse, ils y emmenèrent le matériel et s'installèrent pendant que la bonne leur préparait des rafraîchissements et de quoi se sustenter entre les prises. Elle attendit que les réflecteurs soient en place et se prêta de bonne grâce aux essais de micro et d'éclairage. Puis Alex entra en piste.

— Madame Van Camp, pendant vingt ans, vous avez été une actrice très célèbre et parmi les plus admirées.

— Merci, Alex. Ma carrière a effectivement beaucoup compté dans ma vie.

— Presque autant que votre famille. C'est de celle-ci dont il va être essentiellement question ici. Et plus particulièrement de votre fils. Il y a dix ans, vous avez frôlé la tragédie.

— Oui, en effet, dit-elle en croisant les mains. Une tragédie dont je ne me serais probablement jamais remise.

— Vous n'en aviez jamais parlé en public auparavant. Puis-je vous demander ce qui vous a décidée à le faire ?

Un léger sourire flotta sur ses lèvres tandis qu'elle se carrait dans son fauteuil en rotin.

— Il y a un temps pour tout. Pendant des années, j'ai été incapable de parler de ce qui s'était passé. Plus tard, il m'a semblé inutile de revenir là-dessus. Mais aujourd'hui, quand j'entends les nouvelles, ou que je vois des photos d'enfants disparus, je pense au chagrin des parents.

— Vous pensez que cette interview va les aider ?

— Pas à retrouver leur enfant, non, répondit Alice, visiblement émue, mais peut-être à supporter cette épreuve. Il ne m'était jamais venu à l'idée de les faire profiter de mon expérience. Mais Clarissa a tellement insisté.

— C'est Clarissa DeBasse qui vous a demandé de faire cette interview ?

— Clarissa ne demande jamais rien, dit-elle, amusée. En discutant avec elle, je me suis rendu compte qu'elle avait vraiment foi en ce projet. Voilà pourquoi j'ai accepté.

— Vous lui faites confiance.

— Elle m'a rendu mon fils.

Ces mots avaient fusé avec une telle spontanéité qu'Alex en fut touché. Il marqua une pause afin de donner à ce cri du cœur une plus grande intensité dramatique. Dans le jardin, derrière eux, un oiseau s'égosillait.

— Justement, c'est ce dont nous aimerions parler ici. Pourriez-vous nous dire comment vous avez fait la connaissance de Clarissa DeBasse ?

David, debout dans un coin, hors du champ, l'écouta exposer les circonstances de sa rencontre avec la voyante. A.J. lui avait déjà raconté comment un jour, sur un coup de tête, Alice Van Camp était allée voir Clarissa avec une amie. Séduite par sa gentillesse et sa simplicité, elle l'avait chargée de faire le thème astral de son mari, dont c'était bientôt l'anniversaire. Tout pragmatique qu'il était, Peter Van Camp avait été impressionné par les révélations de Clarissa.

— Elle a dit des choses sur moi qui m'ont beaucoup

troublée, expliquait Alice. Il ne s'agissait pas de prédictions, mais de ce que je ressentais, de ce qui m'avait influencée et de ce qui me préoccupait. Il y a des choses qu'on n'a pas forcément envie d'entendre. Mais je suis retournée la voir par curiosité, parce que j'étais intriguée. Au fil du temps, nous sommes devenues amies.

— Vous croyiez en ses pouvoirs ?

Pensive, Alice ne répondit pas tout de suite.

— Au départ, je suis allée la consulter plutôt pour m'amuser. J'avais besoin de fantaisie, de nouveauté. Je dois dire que je n'ai pas été déçue, dit-elle avec un sourire.

— Si je comprends bien, vous êtes allée la voir pour vous changer les idées.

— Oui, absolument. J'ai tout d'abord pensé qu'elle était simplement perspicace, que tout n'était qu'une question de déduction. Mais il est vite devenu évident qu'elle avait un don. Je ne connais pas grand-chose à tous ces phénomènes, et je n'accorde aucun crédit aux boniments des diseuses de bonne aventure qui sévissent sur Sunset Boulevard. Mais je crois que certains d'entre nous sont dotés d'une sensibilité plus grande, ou mieux exercée.

— Pourriez-vous nous dire ce qui s'est passé lorsque votre fils a été kidnappé ?

— C'était le 22 juin, il y a presque dix ans. J'ai l'impression que c'était hier, dit Alice en fermant un instant les yeux. C'est terrible de perdre un enfant, même pour peu de temps. Il faut affronter la peur et la culpabilité. Matthew était avec sa nourrice, lorsqu'il a été enlevé. Nous la connaissions depuis plus de cinq ans et elle adorait Matthew. Nous lui faisions entièrement confiance. Quand j'ai recommencé à travailler, je lui ai passé le relais sans la moindre arrière-pensée.

— Votre fils allait sur ses dix ans lorsque vous avez renoué avec le cinéma.

— Oui. Il était déjà pas mal autonome. Peter et moi ne voulions pas l'élever dans du coton. Jenny l'amenait souvent au studio pendant le tournage. L'après-midi, ils allaient au parc. Si j'avais su que la routine pouvait être dangereuse, j'aurais veillé à ce que les habitudes ne s'installent pas. Nous évitions au maximum d'exposer Matthew sous les feux des projecteurs, non pas parce que nous craignions pour son intégrité physique, mais parce que nous tenions à ce qu'il ait une éducation à peu près normale. Bien sûr, il arrivait parfois que des gens le reconnaissent ou que des paparazzi le prennent en photo.

— Cela vous ennuyait ?

— Non, pas vraiment. Disons que j'étais habituée à ce genre de choses, expliqua Alice en souriant. Nous préservions autant que possible notre vie privée, mais pas au point d'en faire une fixation. Je ne suis pas sûre qu'une plus grande vigilance aurait empêché quoi que ce soit.

En était-elle vraiment certaine ? Le soupir qu'elle exhala semblait démentir ses propos.

— Nous avons appris par la suite que les promenades de Matthew au parc étaient surveillées.

— La police a soupçonné la nourrice de Matthew d'être complice du rapt.

— Cela n'avait aucun sens, déclara Alice d'un ton péremptoire. Pas une seule seconde je n'ai douté de sa bonne foi et de son dévouement. Elle a été innocentée, bien sûr. D'ailleurs, Jenny est toujours à mon service.

— Les enquêteurs ont trouvé son témoignage incohérent.

— Jenny était en état de choc lorsqu'elle est rentrée du parc. Elle se reprochait sa négligence. Assise sur un banc, elle regardait Matthew jouer au football avec d'autres enfants. Une jeune femme est venue lui demander un renseignement. Elle prétendait avoir raté son bus et ne pas connaître la ville. Elle a détourné son attention seulement quelques minutes, mais cela a suffi. Jenny a juste eu le temps de voir Matthew s'engouffrer dans une voiture, à l'orée du parc. La demande de rançon est arrivée dix minutes à peine après son retour à la maison.

Elle mit une main sur ses lèvres pour les empêcher de trembler.

— Je suis désolée. Je vous demande juste une minute.

— On coupe ! ordonna Sam.

David se précipita vers l'actrice.

— Vous voulez boire quelque chose, madame Van Camp ?

Elle secoua la tête, le regard dans le vague.

— Non merci. C'est moins facile que je ne pensais. Dix ans n'ont rien effacé.

— On peut appeler votre mari, si vous le souhaitez.

— Peter n'a jamais été à l'aise face aux caméras. C'est moi qui lui ai conseillé d'aller faire un tour. J'aurais mieux fait de m'abstenir.

— Nous pouvons nous arrêter là pour aujourd'hui.

— Non, ça va aller, dit-elle en prenant une profonde inspiration. Je n'aime pas laisser les choses en plan. Aujourd'hui, Matthew est étudiant. La vie lui sourit.

Il est beau, intelligent et amoureux. C'est tout ce qui compte, finalement. Que tout se soit bien terminé.

Elle sourit à David et croisa de nouveau les mains. Le rubis qu'elle portait au majeur droit luisait comme une tache de sang.

— Les choses auraient pu mal tourner. Très mal tourner. Vous connaissez la fille de Clarissa, monsieur Brady ?

Un peu décontenancé, David fronça les sourcils.

— Oui.

Elle apprécia sa retenue.

— Je n'exagérais rien tout à l'heure : Clarissa est vraiment une amie. Les mères se font souvent du souci pour leurs enfants. Vous avez une cigarette ?

Sans un mot, il lui alluma une cigarette et la lui tendit.

Alice souffla la fumée lentement.

— C'est un agent hors pair. Et quel tempérament ! Figurez-vous que je voulais signer avec elle et qu'elle a refusé.

De surprise, David faillit en laisser choir sa cigarette.

— Quoi ?

Alice se mit à rire. Elle semblait de nouveau parfaitement détendue.

— Je suis passée à l'agence quelques mois après l'enlèvement. A.J. a cru que je m'adressais à elle par gratitude à l'égard de sa mère. Il y avait peut-être un peu de cela. Quoi qu'il en soit, elle n'a pas voulu de moi. A ce moment-là, pourtant, elle cherchait à s'agrandir. Son intégrité m'a vraiment épatée. A tel point qu'il y a quelques années, je l'ai relancée.

Alice s'amusait de voir David boire ses paroles

comme du petit-lait. Clarissa ne s'était pas trompée sur les sentiments du producteur à l'égard de sa fille.

— Son agence marchait bien. Elle jouissait d'une excellente réputation. Mais là encore, A.J. m'a éconduite.

— A.J. est quelqu'un de totalement imprévisible, marmonna David.

— Je crois qu'elle tient beaucoup à se faire accepter telle qu'elle est. Le problème, c'est que quand on l'accepte telle qu'elle est, elle ne le voit pas forcément, dit Alice en écrasant sa cigarette après la deuxième bouffée. Nous pouvons reprendre, si vous voulez. Je suis prête.

Quelques secondes plus tard, indifférente à la caméra braquée sur elle, elle évoquait les heures terribles qui avaient suivi l'enlèvement.

— Nous étions d'accord pour payer. Peu nous importait le montant de la rançon. Peter voulait prévenir la police. Moi non. Les ravisseurs avaient été formels : nous ne devions contacter personne. Ils téléphonaient toutes les deux ou trois heures pour nous donner leurs instructions. Nous avions accepté leurs conditions, mais ils exigèrent davantage. Ils voulaient voir jusqu'où nous irions pour récupérer Matthew. C'était d'une cruauté indicible. Pendant ce temps, la police recherchait activement la voiture que Jenny avait vue et la jeune femme avec qui elle avait parlé. Mais l'une comme l'autre semblaient s'être évanouies dans la nature. Au bout de quarante-huit heures, nous ne savions rien de plus.

— Vous avez donc décidé de faire appel à Clarissa DeBasse.

— Je ne sais plus quand l'idée m'en est venue. Je restais en permanence près du téléphone, dans l'attente d'un appel. Je ne dormais plus. Je ne mangeais plus. Je ne faisais qu'attendre. Dans un cas comme celui-là, on se sent affreusement impuissant. Je me suis souvenue qu'un jour, Clarissa m'avait aidée à retrouver une broche en diamant que j'avais égarée. Cette broche, Peter me l'avait offerte à la naissance de Matthew, alors j'y tenais beaucoup. Un enfant, c'est différent, bien sûr, mais j'ai pensé qu'il fallait tenter le coup. La police désapprouvait. Peter n'était pas très emballé, lui non plus, mais il savait que j'avais besoin de me raccrocher à quelque chose. J'ai donc appelé Clarissa et je l'ai mise au courant.

Ses yeux s'emplirent de larmes qu'elle ne chercha pas à refouler.

— Quand Clarissa est arrivée, j'ai éclaté en sanglots. Elle s'est assise à côté de moi et m'a parlé longtemps. Elle a essayé de réconforter Jenny, aussi, car la pauvre petite continuait de se fustiger. La police s'est montrée plutôt hostile, mais Clarissa n'en a pas pris ombrage. Elle leur a expliqué qu'ils faisaient fausse route, dit Alice en séchant d'un revers de main les larmes qui coulaient sur ses joues. Après tout le mal qu'ils s'étaient donné pour trouver une piste, cela leur a fait un choc, évidemment. Elle leur a dit que Matthew n'avait pas quitté la ville, comme ils le croyaient. Elle a alors demandé à toucher un vêtement porté par Matthew juste avant son enlèvement. Je lui ai apporté son pyjama. Il était bleu, avec des petites voitures sur le haut. Elle l'a gardé dans les mains un certain temps. Sans rien dire. J'avais envie de lui crier de faire quelque chose, de la supplier à genoux de retrouver Matthew.

Alice se tut un instant. Son émotion était palpable.

— Clarissa a dit que Matthew était tout près. Les ravisseurs avaient appelé de San Francisco, mais

Matthew était séquestré à Los Angeles. Elle a décrit la rue, puis la maison dans laquelle il se trouvait. C'était une maison blanche avec des volets bleus, au coin d'un lotissement. Elle a précisé que la pièce dans laquelle on l'avait enfermé était plongée dans l'obscurité. Ce détail m'a bouleversée parce que je savais que Matthew avait peur du noir. Il y avait deux personnes dans la maison : un homme, et la femme qui avait parlé à Jenny, au parc. Elle a décrit également la voiture qui était garée dans l'allée.

— La police a suivi la piste qu'elle leur a indiquée ?

— Au début, ils étaient sceptiques. Mais ils ont envoyé des voitures patrouiller dans la ville à la recherche de cette maison. Quand ils l'ont trouvée, je crois qu'ils ont été aussi surpris que Peter et moi avons été soulagés. Les ravisseurs ne s'attendant pas à voir débarquer la police, ils ont pu être appréhendés sans difficulté. Ils étaient bien deux, comme l'avait dit Clarissa, et le troisième se trouvait à San Francisco, d'où il passait les appels. La voiture qui avait servi à l'enlèvement a été également retrouvée. Clarissa a attendu avec nous le retour de Matthew, sain et sauf. Plus tard, il m'a parlé de la pièce dans laquelle on l'avait enfermé. Elle était telle que l'avait décrite Clarissa.

— Madame Van Camp, d'aucuns ont prétendu que le kidnapping de votre fils et sa libération rocambolesque n'étaient qu'un coup monté destiné à vous faire de la publicité, à la veille de la sortie de votre film.

— Les gens pouvaient bien penser ce qu'ils voulaient. Tout ce qui m'importait, c'était d'avoir retrouvé Matthew.

— Grâce à Clarissa DeBasse ?

— Indéniablement.

— Coupez ! lança Sam au cameraman avant de s'approcher d'Alice. Madame Van Camp, encore quelques prises de vues et ce sera terminé.

David estima que sa présence n'était plus nécessaire. Il avait exactement ce qu'il voulait pour son documentaire. Alice Van Camp avait été parfaite. C'était une actrice hors pair, mais dans cette interview elle avait joué le jeu de la sincérité. Aux yeux des téléspectateurs, la star ne serait qu'une mère comme les autres, qui avait souffert et craint pour la vie de son enfant. Son témoignage avait en outre le mérite de recentrer le reportage sur Clarissa DeBasse.

Il lui sembla comprendre un peu mieux les réticences d'A.J. Evoquer ces événements douloureux n'avait pas été facile pour Alice Van Camp. Selon toute vraisemblance, Clarissa avait souffert avec elle par empathie.

Incapable de se décider à partir, il attendit la fin du tournage. Alice, bien que visiblement fatiguée, raccompagna elle-même l'équipe jusqu'à la porte.

— Quelle femme remarquable ! s'extasia Alex.

— Il en existe quelques-unes. Mais vous êtes bien placé pour le savoir, il me semble, lui rétorqua David.

— Vous l'êtes aussi, mon cher. Et je le dis en toute objectivité, croyez-moi.

— A.J. et moi n'en sommes pas encore là, précisa David.

— D'après Clarissa, vous n'en êtes pas très loin.

David, qui s'apprêtait à ouvrir la portière de sa voiture, se figea.

— Et elle en pense quoi ?

— Le plus grand bien.

Adossé à son capot, il alluma une cigarette et en tira nerveusement deux ou trois bouffées.

— Vous étiez sur le point de me demander quelque chose, tout à l'heure, lui rappela Alex. Allez-y, posez votre question, si vous en avez toujours envie.

Cela le perturbait depuis un bon moment. Cette question, il fallait qu'il la pose.

— Clarissa est… un peu spéciale. Je voulais savoir si cela vous posait un problème.

Alex tira longuement sur son cigare.

— Au début, l'existence de ce qui peut être considéré comme un sixième sens m'a un peu dérangé, admit-il en toute simplicité. Mais mes sentiments pour elle ont eu tôt fait de prendre le dessus. Ce n'est pas le cas pour vous ?

Comme David gardait le silence, Alex expliqua :

— Clarissa n'a pas de secret pour moi. Elle m'a dit que sa fille était comme elle.

— A.J. aurait sans doute préféré qu'elle se taise.

— C'est possible. Mais la question n'est pas de savoir ce qu'elle aurait préféré, mais de savoir ce que vous voulez. L'ennui, chez les hommes de votre âge, c'est qu'ils se croient trop vieux pour prendre des risques inconsidérés et trop jeunes pour se fier à leurs intuitions. Je suis bien aise de ne plus avoir trente ans.

Sur ces mots, il se dirigea vers la voiture de Sam avec qui il rentrait en ville.

En s'engouffrant dans la sienne, David songea qu'il ne pouvait effectivement plus se permettre de prendre des risques insensés. Et que s'il se fiait à ses intuitions, il avait de grandes chances de se retrouver sur le flanc. Mais il avait vraiment très envie de la voir. De la voir maintenant.

A.J. fit la grimace lorsqu'elle tira sa serviette du siège passager. Bourrée de dossiers, elle pesait une tonne. La perspective de passer la soirée à travailler était loin de l'enchanter, mais elle avait pris du retard, l'interview d'Alice Van Camp ayant monopolisé toute son attention.

Mais tout cela était terminé, Dieu merci, et il lui fallait maintenant s'occuper de ses autres clients. Après avoir vérifié que ses portières étaient bien verrouillées, elle se retourna… et se heurta à David.

— J'adore te rentrer dedans, murmura-t-il en glissant ses mains sur les hanches de la jeune femme.

Elle avait quelque chose qui ne tournait pas rond. David et elle étaient amants. Pourquoi avait-elle encore le souffle coupé et les jambes en guimauve dès qu'elle le voyait ? Pourquoi ce besoin de lui sauter au cou en riant ?

Mais elle se contenta de lui sourire.

— Je ne m'attendais pas à te voir ce soir.

— Cela t'embête ?

— Non, dit-elle en lui passant une main dans les cheveux. Comment s'est passé le tournage ?

Au ton de sa voix, il sentit qu'elle était tendue. Il n'était pas venu pour se disputer avec elle.

— On ne peut mieux. J'adore ton parfum, murmura-t-il en l'embrassant dans le cou.

— David, nous sommes dans le parking, je te le rappelle.

— Mmm. Mmm.

Il se mit à lui mordiller le lobe de l'oreille, ce qui eut pour effet de l'électriser de la tête aux pieds. Elle voulut se dérober mais il captura sa bouche et lui infligea un long baiser langoureux.

— Je n'arrête pas de penser à toi, Aurora. Je n'arrive pas à te chasser de mon esprit. A croire que tu m'as jeté un sort !

— Tais-toi, dit-elle d'une voix altérée en se pressant contre lui.

— Tu refuses le dialogue. Un jour ou l'autre, pourtant, il faudra que nous parlions, toi et moi.

Elle redoutait ce moment car elle savait qu'il sonnerait le glas de leurs amours.

— Une autre fois, David. Je t'en prie. Viens avec moi et profitons simplement l'un de l'autre.

— Ça te va comme ça ? demanda-t-il, partagé entre le désir de mettre enfin les choses à plat et celui de la prendre dans ses bras.

Non, bien sûr. C'était loin de lui suffire. Mais la liste de tout ce qu'elle avait envie de vivre avec lui était si longue qu'il valait encore mieux se taire.

— Oui, cela me va très bien, mentit-elle d'un ton presque vindicatif. Tu es venu pour quoi, David ?

— Pour te voir. Pour te serrer dans mes bras. Parce que je n'en peux plus d'être loin de toi.

— Je n'ai pas besoin d'autre chose.

A qui essayait-elle de faire croire cela ? A lui ? Ou à elle ? Incapable de répondre à ces questions, elle lui tendit la main.

— Et je suis prête à te le prouver.

Parce qu'elle l'attirait comme un aimant, parce qu'il n'était pas encore tout à fait sûr de ses sentiments, David prit sa main et la suivit dans son appartement.

11

— Tu es bien sûr que c'est ce que tu veux ?

A.J. ne voulait surtout pas lui forcer la main.

— Absolument sûr et certain.

— Toute ta soirée va y passer.

— Tu es pressée de te débarrasser de moi ?

— Non, dit-elle en souriant, mais pas encore tout à fait convaincue. Tu as déjà fait ce genre de choses ?

Il prit le col de son chemisier entre le pouce et l'index pour en apprécier la matière. A.J. avait un faible pour la soie.

— Jamais. Je suis novice.

— Tu es prêt à exécuter tous mes ordres ?

Il glissa un doigt dans l'échancrure de son chemisier.

— Tu ne me fais pas confiance ?

Elle pencha la tête et le considéra pensivement.

— Je suis un peu sceptique, mais étant donné les circonstances, je suis prête à tenter le coup. Prends une chaise, dit-elle en lui montrant la table, derrière elle, sur laquelle s'entassaient des papiers.

Elle lui tendit un crayon soigneusement taillé.

— Tu vas commencer par biffer tous les noms que je te cite. Ce sont ceux des invités qui ont répondu favorablement. Sous chaque nom, tu notes aussi le nombre de personnes. Il faut que je sache combien il y aura de convives. Le traiteur a besoin de cette information avant la fin de la semaine.

— Facile !

— On voit bien que tu n'as jamais eu affaire à un traiteur, grommela A.J. en s'asseyant à son tour.

— Et ça, c'est quoi ? demanda David, un doigt pointé sur une autre pile de papiers.

— Les noms des gens qui ont envoyé un cadeau. Mais on les laisse de côté pour l'instant. Quand nous connaîtrons le nombre de convives, il nous faudra faire le compte de ceux qui viennent de loin afin que je puisse m'occuper des réservations, à l'hôtel.

Il contempla les piles de papiers posés devant eux.

— Je croyais qu'il s'agissait d'un mariage discret, en toute simplicité ?

Elle lui jeta un regard condescendant.

— Ce sera tout, sauf discret. J'ai passé deux matinées en pourparlers avec des fleuristes et près d'une semaine à négocier avec des traiteurs.

— Et tu en conclus quoi ?

— Qu'il vaut mieux se faire enlever par son fiancé. Bon, si on…

— Tu serais partante ?

— Partante pour quoi ?

— Pour te laisser enlever.

A.J. éclata de rire.

— S'il me prend un jour l'envie de me marier, dit-elle en s'emparant d'une des piles de papiers, je crois que je filerai à Las Vegas pour expédier la cérémonie dans la première chapelle venue.

— Ce n'est pas très romantique.

— Je ne le suis pas spécialement, affirma la jeune femme.

— J'ai un peu de mal à le croire.

David posa sa main sur la sienne. Ce geste, à la fois possessif et en même temps très naturel, la troubla.

— Dans le monde des affaires, il vaut mieux ne pas l'être, fit-elle remarquer.

— Et en dehors des affaires ?

— Le romantisme a tendance à masquer la réalité des choses, à nous les montrer autrement. Les illusions, c'est bien joli sur une scène ou à l'écran, mais je les apprécie nettement moins dans la vie.

— Ta vie, tu la vois comment, Aurora ? Tu ne m'as jamais parlé de tes objectifs, de tes rêves, de tes ambitions.

Pourquoi lui posait-il toutes ces questions ? Si elle avait eu les réponses, encore. Mais c'était si compliqué…

— La réussite professionnelle a toujours été ma priorité.

Il acquiesça d'un signe de tête.

— Cet objectif-là est atteint. Quoi d'autre ?

Il attendait, espérant d'elle un mot, un signe qui lui ferait comprendre qu'elle avait besoin de lui. Car pour la première fois de sa vie, il avait envie de cette dépendance et l'appelait de tous ses vœux.

— Eh bien, je…

Elle cherchait ses mots. Il était bien le seul à la faire bafouiller. Que pouvait-elle lui dire ? Que souhaitait-il entendre ?

— Je crois que j'accorde beaucoup d'importance au fait que cette réussite, je ne la doive qu'à moi-même.

— Est-ce la raison pour laquelle tu n'as pas voulu d'Alice Van Camp pour cliente ?

— Elle t'en a parlé ?

Il n'avait pas été question entre eux de l'interview. A.J. avait soigneusement évité d'aborder le sujet.

— Elle me l'a juste signalé.

A.J. avait retiré sa main. Il se demanda pourquoi, chaque fois qu'ils commençaient à parler de choses un peu personnelles, elle se dérobait.

— C'était très généreux à elle de venir me trouver alors que je débutais dans le métier et que… j'en bavais.

Elle haussa les épaules et se mit à tripoter son crayon.

— Mais elle le faisait par gratitude pour ma mère. Mon premier gros contrat, je voulais le décrocher toute seule.

— Plus tard, tu l'as de nouveau refusée comme cliente.

— Nous étions devenues trop proches. Et comme tu le sais, les affaires et les sentiments ne font pas bon ménage. Tu veux un peu de café ?

Elle ne tenait plus en place, et cherchait un prétexte pour se lever et s'éloigner de David.

— Avec moi, tu as bien dérogé à ta règle, dit-il en la fixant.

Il vit ses doigts se crisper sur le crayon.

— Oui, murmura-t-elle.

— Pourquoi ?

Au prix d'un effort colossal, elle parvint à soutenir son regard. Il la tenait au creux de sa main, elle le savait. Si elle lui avouait qu'elle l'aimait, qu'elle était tombée amoureuse de lui presque à la seconde où elle l'avait vu, il pourrait la broyer à tout moment. Elle serait totalement à sa merci. Et elle renierait le principe sur lequel elle avait fondé toute sa vie. Mais à défaut de la vérité, elle pouvait lui dire quelque chose d'acceptable, qui faisait écho aux sentiments qu'il éprouvait pour elle.

— Parce que j'avais envie de toi. C'est aussi simple que ça, dit-elle d'une voix étonnamment maîtrisée.

David ressentit un pincement dans la région du cœur.

— Et cela te suffit ?

Elle savait qu'il la ferait souffrir. Chaque mot qu'il prononçait était comme de l'acide versé sur une plaie à vif.

— Pourquoi en serait-il autrement ? dit-elle en s'efforçant de sourire, l'air aussi détaché que possible malgré la douleur.

— Oui, pourquoi ? dit-il tout bas.

Il alluma une cigarette.

— Il faut que tu saches que nous consacrons une partie du reportage à l'affaire Ridehour, dit-il en guettant sa réaction. Clarissa a accepté de s'exprimer sur ce sujet.

— Oui, elle me l'a dit. Le tournage se terminera là-dessus, d'après ce que j'ai compris ?

— C'est ce qui est prévu.

La table qui les séparait mettait autant de distance entre eux qu'un canyon. Une distance que David se sentait incapable de combler, en dépit de toute sa bonne volonté.

— Tu n'as pas l'air d'approuver, dit-il. Clarissa ne s'est pas fait prier, pourtant. Cela ne lui pose aucun problème, apparemment.

— Il y a des choses que tu ignores, David.

— Lesquelles ?

— Si je l'ai poussée à déménager et à garder secrète sa nouvelle adresse, c'est parce qu'elle était submergée d'appels à l'aide. Les gens la sollicitaient pour toutes sortes de choses. Certains vivaient de véritables tragédies.

— Elle ne pouvait pas tous les aider.

— C'est bien pour cela qu'il fallait qu'elle déménage. Au début, elle a été plus tranquille. Jusqu'à ce qu'elle reçoive l'appel de San Francisco.

— Concernant les meurtres de Ridehour.

— Oui, répondit A.J., la gorge serrée. Et là, il n'y a pas eu moyen de la raisonner. Elle n'a rien voulu entendre. Quand je l'ai vue faire sa valise, s'apprêter à partir, j'ai décidé de l'accompagner. Cela a été l'expérience la plus traumatisante de ma vie. Clarissa a eu des visions terribles, confia la jeune femme en pressant fortement ses mains l'une contre l'autre pour les empêcher de trembler. Et j'en ai eu aussi.

Elle n'avait jamais parlé à personne de cet épisode, et cela lui coûtait énormément. Fermant les yeux, elle puisa en elle la force de ne pas s'effondrer.

Ne sachant comment la réconforter, David posa sa main sur les siennes et demanda doucement :

— Pourquoi ne m'en avais-tu jamais parlé ?

Elle rouvrit les paupières et prit une profonde inspiration.

— C'est un souvenir atroce. Je n'ai jamais eu, ni auparavant ni depuis, de flashes aussi terribles.

— Nous couperons au montage, déclara David.

Elle le regarda d'un air éberlué.

— Pourquoi ?

Il glissa doucement sa main entre les deux siennes. Il aurait voulu pouvoir lui dire, lui expliquer, mais les mots lui manquaient.

— Parce que cela te fait du mal. C'est une raison suffisante.

Elle contempla leurs mains enlacées. Celle de David lui parut solide, fiable. Cela la rasséréna.

— Si Clarissa a accepté de parler de cette affaire, il faut en parler. Elle ne comprendrait pas que tu fasses l'impasse.

— Il n'est pas question de Clarissa, mais de toi, Aurora. Je t'ai promis un jour de ne jamais t'imposer ce genre d'épreuves. Ce n'est pas pour manquer à ma parole à la première occasion.

— Le fait que tu sois prêt à couper cette partie du reportage suffit à me rassurer sur les sentiments que tu as pour moi.

— Ces sentiments, j'aurais peut-être dû te les témoigner plus tôt.

Une grande langueur envahit la jeune femme. Mais elle se secoua et rétorqua :

— Tu ne me dois rien, David. Je crois que je m'en voudrais terriblement si tu coupais ton reportage pour moi. Oublions le passé. Il est grand temps que j'apprenne à me colleter avec la réalité.

— Le problème est peut-être que tu te frottes un peu trop à elle.

— C'est possible. Quoi qu'il en soit, ne change rien pour moi et réalise cette interview le mieux possible.

— Je vais essayer. Tu veux y assister ?

— Non. Clarissa a Alex, maintenant.

Il perçut dans sa voix à la fois son regret et sa résignation.

— Alex est fou amoureux d'elle.

— Oui, je sais, dit-elle d'un ton de nouveau enjoué. Et j'ai bien l'intention de leur offrir un magnifique mariage.

Il sourit, heureux de voir qu'elle avait repris le dessus. Sa joie de vivre finissait toujours par l'emporter et cela faisait partie de son charme.

— Nous ferions bien de nous y mettre, suggéra David en désignant du menton les piles de papiers.

Ils passèrent les deux heures suivantes à dresser diverses listes, à calculer le nombre de caisses de champagne qu'il fallait commander et à discuter des mérites comparés de la mousse de saumon et du cocktail de crevettes.

Elle ne s'attendait pas à ce que David s'investisse autant dans les préparatifs de mariage. Elle le trouva si efficace qu'elle décida de lui confier le soin de placer les invités le jour de la cérémonie.

— J'aime beaucoup travailler avec toi, dit-il tandis qu'elle vérifiait une dernière fois la liste des convives qui dormiraient à l'hôtel.

— Mmm ?

— Si jamais un jour j'ai besoin d'un agent, ce sera toi.

Elle leva les yeux et demanda :

— Dois-je le prendre comme un compliment ?

— Non, pas spécialement.

Elle sourit. Lorsqu'elle retira ses lunettes, elle lui parut soudain beaucoup plus fragile.

— C'est bien ce que je pensais, dit-elle. Mais une fois que j'aurai communiqué toutes ces informations au traiteur, ça en sera un, crois-moi. Les invités me sauront gré de leur avoir évité les boulettes de bœuf de Clarissa. Mais je reconnais que sans toi, je serais loin d'avoir terminé. Cela mérite bien une récompense. Il y a quelque chose qui te ferait plaisir ? demanda-t-elle d'un air coquin.

— Pour commencer, je prendrais volontiers ce café que tu me promets depuis une éternité.

— Je te l'apporte tout de suite. Oh, zut ! C'est l'heure d'*Empire*.

Comme elle se précipitait vers la télévision, David secoua la tête.

— Complètement droguée ! marmonna-t-il en la regardant s'installer dans le canapé, les yeux déjà scotchés à l'écran. Et dire que je ne m'en étais même pas aperçu ! Tu sais qu'il existe des centres où l'on peut te sevrer de ce genre de dépendance.

— Chut ! dit A.J., soulagée de n'avoir raté que le générique. J'ai une cliente qui joue dedans. Elle a été prise pour quatre épisodes, mais si ça marche, elle signera pour la suite.

Résigné, il alluma une cigarette et s'assit à côté d'elle.

— Ils sont rediffusés, de toute façon.

— Non, pas celui-là. C'est le pilote de la série dérivée, qui sera diffusée tout l'été.

— Une série dérivée ? Comme si une heure par semaine de sexe et de déchéance ne suffisait pas !

— Les gens adorent ça, déclara la jeune femme en plongeant la main dans un ramequin d'amandes grillées. Celui-là, c'est Derek, le patriarche. Il a fait fortune dans le commerce maritime et la contrebande. Il veut que ses enfants prennent sa suite. Et sous la douche, là, c'est Angelica, sa seconde femme. Elle l'a épousé pour le fric et elle en profite bien, mais elle déteste ses enfants.

— Et ils le lui rendent bien, je parie ?

— Gagné ! dit-elle en lui tapotant la cuisse. Mais

le gros hic, c'est que la fille illégitime d'Angelica va essayer de s'incruster. C'est elle, ma cliente.

— La fille ne vaut pas mieux que la mère, si je comprends bien ?

— Une vraie garce ! Angelica n'a jamais avoué à Derek qu'elle avait eu une fille, alors son arrivée engendre évidemment quelques problèmes. Surtout quand Beau, le fils aîné de Derek…

— J'ai perdu le fil, se lamenta David en passant un bras au-dessus du dossier du canapé. Je vais me contenter d'admirer la plastique des actrices et leurs cabriolets dernier cri.

— Ne me dis pas que tu préférerais regarder la migration des pélicans. Tiens, la voilà, ma cliente !

A.J. se mordillait la lèvre. Elle ne perdait pas une parole, un geste, une expression de sa protégée. Il songea en souriant que s'il lui avait fait remarquer qu'elle semblait décidément prendre très à cœur le sort de ses poulains, elle l'aurait rabroué.

— Elle se débrouille drôlement bien, murmura-t-elle pendant les spots publicitaires. Une ou deux saisons dans la série et nous refuserons les rôles principaux au cinéma.

— Elle a un débit très naturel. Quel cours de théâtre a-t-elle fréquenté ? demanda David en picorant à son tour des amandes grillées.

— Aucun. Elle est venue en car de Kansas City et a débarqué dans mon bureau avec pour seules références les pièces dans lesquelles elle avait joué au lycée.

— C'est comme ça que tu recrutes tes clients ?

— En général, je laisse à Abe ou à une de mes assistantes le soin de recevoir les jeunes comme elle.

Et de leur faire la leçon. Mais elle, j'ai tout de suite vu qu'elle en voulait. Non. Pas de cette façon, précisa-t-elle en réponse à sa question muette. J'essaie toujours de juger les gens sur leurs potentialités. J'ai vu, vraiment vu, qu'elle avait un physique intéressant, une voix bien timbrée, et une furieuse envie de réussir. Je l'ai envoyée à tous les castings, à toutes les auditions, en pensant que si elle tenait le coup, le succès ne se ferait pas attendre. Et en effet, conclut-elle tandis que le feuilleton recommençait.

— Il faut avoir du cran pour venir faire le siège d'une des plus prestigieuses agences d'Hollywood.

— Dans cette ville, celui qui n'en a pas se fait rétamer en moins de deux. Mais tu le sais bien puisque tu y as fait ton trou, toi aussi. Et tu ne me feras pas croire que c'est juste une question de chance, dit A.J. en posant la tête sur l'épaule de son compagnon.

— Il faut savoir ce qu'on veut et tout mettre en œuvre pour l'obtenir. Mais travailler d'arrache-pied ne suffit pas toujours. Il faut aussi prendre des risques et donner de sa personne. Et ne jamais s'endormir sur ses lauriers.

— C'est plutôt ingrat, comme métier. Pourquoi le fais-tu? demanda A.J., qui semblait avoir oublié son sacro-saint feuilleton.

— Par masochisme.

— Non, sérieusement? insista-t-elle.

— Parce qu'à chaque fois que je regarde un de mes documentaires à la télévision, je suis aussi émerveillé qu'un enfant devant ses cadeaux de Noël.

— Je comprends. J'ai assisté à la remise des oscars, il y a quelques années. Et deux de mes clients l'ont remporté. Ça a été pour moi, assise dans la salle, un moment d'émotion vraiment très intense. Il y a des gens qui ne comprennent pas qu'on puisse être heureux par procuration. Mais quand tu sais que tu es pour quelque chose dans ce genre de réussite, tu te sens tellement bien. Peu importe que ton nom ne soit pas sur toutes les lèvres.

— Tout le monde ne court pas après la célébrité.

— Le tien, en tout cas, pourrait devenir célèbre, dit-elle en se redressant pour le regarder. Je ne dis pas ça parce que...

Parce que je t'aime. La phrase faillit lui échapper. Comme il haussait les sourcils en attendant la suite, elle s'empressa d'improviser.

— Parce que nous sommes amis. Avec une bonne équipe et de gros moyens, tu pourrais facilement t'imposer comme l'un des dix meilleurs réalisateurs sur la place.

— Merci du compliment. Je sais que ce n'est pas de la flatterie et que tu penses sincèrement ce que tu dis.

— Je t'ai vu à l'œuvre et j'ai vu le résultat. Et puis, je ne suis pas trop mal placée pour en juger.

— Quoi qu'il en soit, à ce stade, je ne suis pas attiré par le cinéma, confia David en caressant la joue de la jeune femme. La fiction ne m'intéresse pas. Je préfère les faits réels.

— Alors réalise un film basé sur un fait réel.

C'était un défi qu'elle lui lançait. Il le comprit à son regard, grave, presque solennel.

— Quoi, par exemple ?

— J'ai un script.

— A.J., je...

— Non, écoute-moi. Juste une minute, suppliat-elle tandis qu'il la faisait basculer sur le canapé et s'allongeait sur elle.

— Je préférerais te mordiller les oreilles.

— Tu me mordilleras tout ce que tu voudras. Mais écoute-moi d'abord.

— Tu veux encore négocier ? s'indigna-t-il.

Intrigué par l'excitation qu'il voyait briller dans les yeux d'A.J., il ne put s'empêcher de demander :

— C'est quoi, ce script ?

— J'ai eu des contacts avec George Steiger. Tu le connais ?

— Oui, nous nous sommes déjà rencontrés. C'est un excellent écrivain.

— Il a écrit un scénario, et il se trouve que celui-ci vient justement d'atterrir sur mon bureau.

— Comme ça ? Par hasard ?

Elle lui avait rendu quelques services. Il la sollicitait de nouveau. Elle n'avait pas l'habitude de se démener pour rien. Cela allait à l'encontre des principes pour lesquels elle s'était toujours battue.

— Pas exactement, mais peu importe les circonstances. Ce scénario est une vraie mine d'or, David. Il relate l'histoire des Cherokees et de leur périple sur la Piste des Larmes, lorsqu'ils ont été chassés de Georgie pour être parqués dans des réserves, dans l'Oklahoma. Le narrateur principal est un enfant. On sent son désarroi, sa déception d'avoir été trahi, et en même temps son envie d'espérer encore, malgré tout. Ce n'est pas un western classique, ni un mélo plein de bons sentiments. Ce sont les faits tels qu'ils se sont réellement passés. Tu pourrais en faire un film superbe.

Elle était décidément très persuasive, savait convaincre, même allongée sur un canapé.

— A supposer que je sois intéressé, rien ne prouve que Steiger, lui, ait envie de travailler avec moi.

— Il se trouve que je lui ai parlé de toi.

— Par hasard, je suppose ?

— Oui, répondit A.J. avec un petit sourire en posant ses mains sur les hanches de David. Il aime beaucoup ce que tu fais. Incidemment, il m'a demandé si je t'avais touché un mot de son scénario. Comme ça, juste pour information.

— Bien sûr, railla David en se plaquant contre elle. Tu serais en train de jouer les agents que cela ne m'étonnerait pas.

— Pas du tout. J'essaie juste de t'aider.

Ces mots, et le ton solennel avec lequel elle les avait prononcés, le touchèrent au plus profond. Il ne dit rien pendant quelques instants.

— Chaque fois que je crois t'avoir cernée, tu trouves un moyen de m'échapper, murmura-t-il.

— Tu veux bien le lire ?

Il l'embrassa sur la joue.

— Je parie que tu ne vas pas tarder à m'en mettre une copie sous le nez.

— Il se trouve que j'en ai une dans mon sac, justement, dit A.J. en riant. Tu vas adorer.

— C'est toi que j'adore.

— Alors montre-le-moi.

Jamais aucun ordre ne lui avait fait plus plaisir à entendre. Malgré son empressement à l'exécuter, David s'exhorta à la patience. Il savait que leur plaisir à tous deux serait plus intense s'ils s'aimaient sans violence, s'ils prenaient tout leur temps et parvenaient enfin, à force de baisers, de caresses, de complicité et de tendresse, à vaincre leurs défenses.

Tandis qu'avec ses lèvres, sa langue, ses dents, David parcourait une fois de plus les chemins les plus secrets de son corps, tandis qu'avec ses mains si fortes, si douces, il l'explorait méticuleusement, elle s'accrochait à lui comme à un radeau, ancrait désespérément sa bouche à la sienne.

— Je te veux, David, dit-elle dans un souffle.

Le cœur de David fit une embardée. Ces mots, il les avait souvent entendus. Dans d'autres bouches. Peut-être A.J. les lui avait-elle déjà dits. Dans la fureur de la passion.

— Répète-moi ça.

Sa voix était grave et voilée. Il s'était redressé pour pouvoir la regarder et il avait saisi son menton entre ses doigts.

— Répète-moi ça, Aurora, ordonna-t-il, ses yeux rivés aux siens.

— Je te veux.

Il l'embrassa si fougueusement qu'elle renonça à parler, et même à penser. Elle sentait son avidité à la posséder tout entière, mais elle se savait incapable de lui donner son cœur.

Lorsqu'elle fut nue contre lui, offerte avec tant de confiance et de volupté à ses regards et à ses caresses, il se mit à trembler de désir et d'impatience.

Elle frémissait, vibrait, se hérissait de plaisir sous ses doigts devenus experts. Mais si David savait comment l'embraser, elle-même n'ignorait plus rien des caresses à lui prodiguer pour l'électriser.

Il aspirait à davantage. Chaque fois qu'il lui faisait l'amour, il espérait d'elle un autre don que celui de son corps. Il savait qu'un jour, il finirait par la supplier. Pour elle, il était prêt à tout, car elle demandait si peu.

— Dis-moi ce que tu veux, dit-il très bas.

— Toi. Je ne veux que toi.

Elle flottait au-dessus des nuages malmenés par l'orage qui s'annonçait. L'air était lourd, la chaleur moite et étouffante. David possédait son corps, car elle le lui avait abandonné sans résistance. Quant à son cœur, dont elle défendait si farouchement l'accès, elle sentait qu'il ne résisterait plus très longtemps.

De très loin, comme si sa voix lui parvenait à travers une brume épaisse, elle s'entendit crier son nom.

— David. Garde-moi toujours près de toi.

— Je crois que la télévision est restée allumée, murmura David.

A.J. noua les bras autour de sa taille.

— Ce n'est pas grave.

— Si on ne bouge pas, on va finir par passer la nuit sur le canapé.

— Ce n'est pas grave, répéta A.J. d'une voix alanguie.

En riant, il l'embrassa dans le cou, là où pulsait son sang.

— Il suffirait de peu de chose pour que nous soyons plus à l'aise, dit-il en basculant à regret sur le côté.

— C'est vrai que le lit serait plus confortable, admit-elle sans pour autant faire mine de bouger.

— Dans l'immédiat. Mais je pensais à plus long terme.

Blottie contre lui, se nourrissant de sa force et de sa chaleur, elle avait un peu de mal à secouer sa léthargie.

— Comment cela ?

— Passer la soirée ensemble nous oblige à courir de chez l'un à chez l'autre, à penser à prendre sa brosse à dents, et à repasser chez soi le lendemain matin pour se changer.

— Cela ne me gêne pas.

Lui, si. Plus il s'attachait à elle et moins cette situation le satisfaisait. Mais comment le lui dire ? *Je t'aime.* Cela semblait si simple, pourtant. Mais il ne l'avait jamais dit à personne et se demandait si cela ne risquait pas de la faire fuir. C'était un risque qu'il préférait ne pas prendre. Peut-être qu'en biaisant, il parviendrait à la convaincre…

— Il y a sans doute un moyen de remédier à cette situation.

Elle ouvrit un œil. Il vit son front se plisser dangereusement.

— Quel moyen ?

Avec A.J., il était impossible de ruser. Ou même simplement de tergiverser.

— Ton appartement étant en ville, pendant la semaine, il est plus pratique que ma maison.

— Certes.

Elle n'avait plus ce regard vague, noyé, qu'il aimait tant lui voir après l'amour. Il s'en voulut de la pousser dans ses retranchements et lui en voulut de lui rendre la tâche aussi difficile.

— Mais le week-end, ma maison est bien agréable. Nous pourrions habiter chez toi pendant la semaine, et chez moi le week-end.

Elle ne répondit pas tout de suite. Des dizaines de pensées se bousculaient dans sa tête, et une sirène d'alarme stridente s'était déclenchée. Il avait parlé d'un « moyen » de remédier à la situation. Ses considérations étaient d'ordre pratique.

— Tu suggères que nous vivions ensemble.

Il attendait un peu plus d'enthousiasme de sa part. Mais elle était sur la défensive.

— C'est ce que nous faisons déjà, non ? dit-il.

— Non, David. Nous couchons ensemble.

Une gifle en pleine figure ne lui aurait pas fait plus d'effet. Elle n'avait rien compris. Elle ne voyait pas à quel point il avait besoin d'elle, combien il tenait à elle. Il s'assit sur le canapé et commença à se rhabiller.

— Tu es en colère, constata-t-elle en ramassant son chemisier par terre.

— Plutôt déçu. Je ne pensais pas qu'il faudrait là aussi négocier.

— Je te signale que tu ne m'as pas laissé le temps de la réflexion.

Il la regarda d'un air dur qui renforça sa détermination.

— Si tu as besoin de réfléchir, il vaut mieux laisser tomber.

— Tu ne me laisses aucune chance, David. Ce n'est pas très gentil.

— J'en ai assez d'être gentil. Plus qu'assez !

Il fallait qu'il parte avant d'en dire trop.

Vêtue de son seul chemisier, A.J. bondit sur ses pieds.

— Tu proposes tout à trac que nous vivions ensemble, et tu te mets en colère parce que je te demande de me laisser le temps d'y réfléchir. Tu es complètement illogique, David.

— Depuis que je te connais, je crois que j'ai perdu toute logique, en effet.

Il aurait dû être loin, déjà. Il aurait dû se taire. Mais c'était plus fort que lui. Il l'agrippa par le bras et la tira à lui.

— Je ne peux pas me contenter d'un petit tour rapide entre tes bras et des draps quand ça t'arrange.

Folle de rage, elle se dégagea brutalement.

— A t'entendre, je ne suis qu'une…

— Non, coupa-t-il. Tu n'es pas seule en cause. C'est de nous dont il s'agit. Toi et moi, c'est comme ça que nous fonctionnons. Et cela ne me convient pas.

Elle savait que cela arriverait. Elle s'y était préparée. Mais elle avait du mal à l'accepter et se retenait de le supplier de rester. Se raccrochant au peu d'amour-propre qui lui restait, elle releva la tête et dit :

— Je ne sais pas ce que tu veux.

Il la regarda fixement tandis qu'elle luttait contre les larmes qui emplissaient ses yeux.

— C'est vrai, tu ne le sais pas. Et c'est bien là le problème.

Il sortit avant de se jeter dans ses bras. Résignée, elle ne fit pas un geste pour le retenir.

12

A.J. s'agitait, courant d'un bout à l'autre du jardin, recomptant les chaises pliantes qu'on était en train de mettre en place, s'énervant parce que les tables n'étaient pas disposées comme elle le souhaitait. Pendant que le traiteur s'affairait dans la cuisine, le fleuriste achevait de garnir la terrasse. Le parfum des gerbes de roses et de lis se mêlait à celui des plantes de Clarissa. L'air embaumait délicieusement.

Tout se passait à merveille. Sa mère était sur le point d'épouser l'homme qu'elle aimait, il faisait un temps superbe et la fête s'annonçait réussie. Sur quoi allait-elle bien pouvoir se défouler ?

Jamais elle ne s'était sentie aussi déprimée. Elle aurait voulu rentrer chez elle, s'enfermer dans le noir et rester couchée toute la journée. Et tant pis si elle était pathétique. David, de toute façon, n'était plus là pour le lui reprocher.

Depuis qu'ils avaient rompu, elle pouvait de nouveau se consacrer entièrement à l'agence. En deux semaines, elle avait abattu un travail de titan. Les contrats se multipliaient comme des petits pains, à tel point qu'elle envisageait d'augmenter son personnel et de renoncer à ses vacances à Saint-Croix.

Elle se demanda s'il viendrait.

Quel besoin avait-elle de penser à lui ? se morigénat-elle. Il était sorti de sa vie à la seconde où il était sorti de chez elle, la laissant complètement désemparée. Elle avait dû se faire violence pour ne pas enfreindre les règles qu'ils avaient établies. Il n'avait pas appelé. Elle s'était bien gardée de le faire.

Sauf une fois, où elle n'avait pas pu s'en empêcher, admit-elle en soupirant. Mais il n'était pas chez lui. David Brady n'était pas du genre à se morfondre. D'ailleurs, A.J. Fields était elle-même bien trop indépendante et trop occupée pour passer son temps à pleurnicher sur ses amours défuntes.

Mais elle avait rêvé de lui, et s'était réveillée en pleine nuit parce qu'il était là et qu'elle savait mieux que personne combien les rêves pouvaient parfois être cruels.

La page était tournée, songea-t-elle. David n'avait été… qu'une aventure. Les aventures ne se terminaient pas toujours dans la joie et la bonne humeur. Un grand fracas lui fit lever les yeux. Une des intérimaires qu'elle avait engagées pour la journée venait de renverser une pile de chaises. Trop heureuse d'échapper à ses sombres pensées, A.J. s'empressa d'aller l'aider à les ramasser.

Lorsqu'elle entra dans la maison, elle trouva Clarissa, encore en peignoir, en train de noter la recette de la tourte au saumon commandée au traiteur.

— Maman, tu ne crois pas qu'il serait temps de t'habiller ?

Clarissa leva les yeux et sourit en caressant le chat blotti sur ses genoux.

— Rien ne presse. Il est encore tôt. Tu as vu ce

temps magnifique ? Cela va peut-être te paraître idiot, mais pour moi, c'est un signe.

— Des signes, tu peux en voir partout, à ce compte-là, dit A.J. en se dirigeant vers la cafetière avant de changer d'avis et d'ouvrir la porte du réfrigérateur.

Indifférente aux bougonnements du traiteur, elle sortit une bouteille de champagne.

— Viens, maman. Je vais t'aider à te préparer.

— Je ne suis pas sûre que le champagne soit une bonne idée. Je risque d'être pompette, avertit Clarissa en la suivant dans la salle à manger où A.J. prit deux flûtes en cristal.

— Eh bien, nous serons deux ! Et puis, il vaut mieux être pompette que morte de trac.

En entrant dans la chambre de sa mère, elle se jeta sur le lit, comme quand elle était enfant.

— Je n'ai pas le trac, assura Clarissa avec un grand sourire.

A.J. fit sauter le bouchon de champagne jusqu'au plafond.

— Une mariée doit avoir le trac. Mais si tu ne l'as pas, ce n'est pas grave, parce que je l'ai pour deux.

Clarissa prit la flûte qu'elle lui tendait et s'assit sur le lit à côté d'elle.

— Ma chérie, il faut que tu arrêtes de te faire du souci pour moi.

— Tu sais bien que je ne peux pas. Je t'aime, maman, et je voudrais tant que tu sois heureuse.

— Moi aussi, je voudrais que tu le sois, dit Clarissa en serrant la main d'A.J. dans la sienne. Parle-moi un peu de toi.

A.J. comprit tout de suite où elle voulait en venir.

Elle posa sa flûte de champagne sans y avoir touché et se leva.

— Ce n'est pas le moment. Il faut que tu...

— Tu souffres, je le vois bien.

A.J. se rassit sur le lit en soupirant.

— Je savais dès le début ce qui m'attendait. J'étais lucide.

Clarissa posa sa flûte pour prendre sa fille dans ses bras.

— Pourquoi as-tu tant de mal à accepter qu'on puisse t'aimer ? Est-ce ma faute ?

— Non, pas du tout. C'est comme ça et personne n'y peut rien. David et moi... avons eu une liaison... torride, qui s'est éteinte toute seule.

— Mais tu es toujours amoureuse de lui.

A.J. ne se donna pas la peine de nier. A quoi bon ? Clarissa lisait en elle à livre ouvert.

— Ça, c'est mon problème. J'en fais mon affaire, dit A.J. très vite pour ne pas être tentée de s'apitoyer sur son sort. Un jour comme aujourd'hui, nous ne devrions pas parler de choses tristes.

— Un jour comme aujourd'hui, j'ai envie de voir ma fille heureuse. Et lui, il en pense quoi ? Tu crois qu'il est amoureux de toi ?

Clarissa était têtue. Et A.J. incapable de se taire plus longtemps.

— Je crois que je lui plaisais. Et qu'il ne détestait pas que je lui tienne tête. Nos relations professionnelles étaient assez tendues, mais cela ne nous empêchait pas de bien nous entendre par ailleurs. J'ai l'impression, toutefois, que cela ne lui suffisait pas, confia A.J. en se passant une main dans les cheveux. On aurait dit qu'il cherchait à entrer dans ma tête.

— Et ça, c'est quelque chose que tu n'aimes pas.

— Je ne suis pas un animal de laboratoire, dit A.J. en se levant.

Pendant quelques instants, Clarissa la regarda marcher de long en large. Elle bouillonnait intérieurement. Il aurait fallu crever l'abcès, donner libre cours à ce trop-plein d'émotions.

— Tu es sûre que c'est comme ça qu'il te voyait ?

— Je n'en sais rien. Mais David est quelqu'un de très cérébral : quand un sujet le passionne, il se penche dessus et l'étudie sous toutes les coutures.

— Mais qui te dit que c'est à tes facultés psychiques qu'il s'intéressait ? C'est peut-être à toi, tout simplement.

— Je suppose que je ne le saurai jamais. Mais même si je l'intéressais, je crois que mes facultés le gênaient. Quoi qu'il en soit, la question ne se pose plus puisque nous avons compris que cette relation ne nous mènerait nulle part.

— Pourquoi ?

— Parce qu'elle ne correspondait pas à ses… ou plutôt à nos attentes. Nous avions établi des règles.

— A propos de quoi vous êtes-vous disputés ?

— Il voulait que nous vivions ensemble.

— Oh, fit Clarissa en hochant doctement la tête. Ce n'est pas une décision qu'on prend à la légère. C'est une étape importante pour un couple. Une forme d'engagement.

— Oui, mais lui, c'est surtout le côté pratique qu'il voyait, dit A.J., pleine d'amertume. Toujours est-il que j'ai demandé à réfléchir et que là, il s'est mis en colère. Il était furieux.

— Forcément. Son amour-propre en a pris un coup.

Comme A.J. s'apprêtait à riposter, Clarissa reprit :

— C'est votre orgueil qui a tout fait capoter.

Cela changeait singulièrement la donne. A.J. essaya de se persuader qu'il n'en était rien, mais elle se sentait fléchir.

— Je ne voulais pas le blesser. Je voulais juste…

— Te protéger, compléta Clarissa. Mais ce faisant, tu ne pouvais que le blesser. Quand on aime, Aurora, quand on aime vraiment, il faut savoir prendre des risques.

— Tu penses que je devrais aller le trouver ?

— Je pense que tu devrais écouter ton cœur.

Son cœur ? Il était en lambeaux.

— A t'entendre, c'est simple comme bonjour.

— C'est pourtant la chose la plus difficile au monde. On peut toujours étudier les phénomènes psychiques, créer des laboratoires de recherche dans les plus grandes universités et des instituts de parapsychologie ultrasophistiqués, mais seul un poète peut comprendre combien il est difficile d'aimer.

— Poète, tu l'as toujours été un peu, dit A.J. en posant la tête sur l'épaule de sa mère. Mais imagine qu'il me rejette ?

— Ce ne sera pas la fin du monde. Tu pleureras et souffriras pendant quelque temps. Et un jour, tu recolleras les morceaux et la vie continuera. Ma fille n'est pas du genre à se laisser abattre.

— Et ma mère est la plus belle et la plus merveilleuse qui soit, dit A.J. en prenant sa flûte de champagne et en tendant la sienne à Clarissa. A quoi allons-nous lever nos verres ?

— A l'espoir. Il n'y a que ça de vrai.

A.J. se changea dans la chambre que sa mère avait aménagée pour elle lorsqu'elle s'était installée dans la maison. En dix ans, elle avait dû y dormir quatre ou cinq fois, mais Clarissa avait décidé que c'était sa chambre, et que ça le resterait. Elle y passerait peut-être la nuit, une fois que les invités seraient tous partis et les mariés envolés pour leur lune de miel. Elle pourrait y faire le point et demain, peut-être trouverait-elle le courage d'écouter son cœur...

Et si David la rejetait ? Et s'il l'avait déjà oubliée ? songea-t-elle devant le miroir. Cela faisait beaucoup de « si ». Une chose était sûre, en tout cas. Elle l'aimait. Les risques, elle les prendrait. Elle n'avait pas le choix.

Redressant les épaules, elle contempla son reflet. Il y avait des années qu'elle n'avait pas porté une robe aussi romantique. De style Empire, toute de soie et de dentelle, dans un ton de bleu assorti à celui de ses yeux, c'était une robe de princesse comme en rêvent toutes les petites filles.

En prenant le bouquet de roses blanches orné d'un long ruban de satin, A.J. imagina que c'était elle qui se mariait. Quel effet cela lui ferait-il de lier sa vie à celle d'un homme ? Elle aurait le trac, la gorge sèche, les jambes en coton. Rien que d'y penser, elle en avait le vertige.

Etait-ce une prémonition ? s'inquiéta-t-elle en se

retenant à la commode. Mais non, il n'y avait aucune raison. C'était sa mère qui allait s'engager à aimer, honorer et chérir son époux jusqu'à ce que la mort les sépare. S'arrachant à ses réflexions, la jeune femme jeta un coup d'œil catastrophé à sa montre. Si elle n'accélérait pas un peu le mouvement, les invités allaient rappliquer et personne ne serait là pour les accueillir.

Les enfants d'Alex furent les premiers à arriver. Elle ne les avait vus qu'une fois, la veille au soir, aussi étaient-ils un peu empruntés vis-à-vis d'elle, et elle encore réservée vis-à-vis d'eux. Mais lorsque la fille d'Alex lui proposa un coup de main, A.J. la prit au mot. Le reste de la troupe allait débarquer d'un moment à l'autre, et elles ne seraient pas trop de deux pour s'occuper de tout le monde.

— A.J., dit Alex en la rejoignant dans le jardin où elle avait escorté un couple d'invités. Tu es ravissante.

Il lui parut pâle sous son hâle, et tendu.

— Attends de voir la mariée.

— J'aimerais bien qu'elle vienne, confia-t-il en tripotant son nœud de cravate. Autant je suis à l'aise sur un plateau de télévision, autant là, au milieu de tous ces gens que je ne connais pas, pour la plupart…

— Je parie que tu vas faire un tabac. Tu devrais aller faire un tour à l'intérieur et boire une bonne rasade de bourbon.

— Oui, tu as raison. J'en ai bien besoin.

A.J. le suivit du regard tandis qu'il se faufilait dans la maison par la porte de derrière. Elle s'apprêtait à reprendre son rôle d'hôtesse lorsqu'elle le vit. David. A l'entrée du jardin, là où il y avait toujours un souffle d'air. Le cœur battant, elle s'étonna de ne pas avoir perçu sa présence et se demanda, tandis qu'elle se sentait pousser des ailes, si c'était elle, par la seule force de sa pensée, qui l'avait fait venir.

Immobile, il semblait attendre quelque chose. D'instinct, elle sut qu'elle devrait faire le premier pas.

Elle était si jolie, songea-t-il, tandis qu'elle s'avançait vers lui. On l'aurait crue sortie d'une féerie. La brise, qui embaumait de toutes les fleurs du jardin, soulevait la dentelle bordant l'encolure de sa robe. Il sentit son cœur se gonfler d'émotion et de tristesse à l'idée du temps perdu, de toutes ces heures passées à ne point l'aimer.

— Je suis contente que tu sois venu, dit-elle.

Il avait décidé de rester chez lui. Puis, sans trop savoir comment, il s'était retrouvé dans sa voiture, en smoking, roulant vers le sud.

— Tout a l'air de très bien se passer, fit-il remarquer. Tu gères parfaitement la situation.

Elle ne gérait plus rien du tout. Elle brûlait de se jeter à son cou, mais il était si froid, si distant…

— Oui, nous allons pouvoir commencer. Je fais asseoir les derniers invités et je vais chercher Clarissa.

— Je m'occupe d'eux.

— Tu n'es pas obligé. Je…

— Je t'avais promis de le faire.

Son ton sec brisa net ses élans et l'incita à ravaler ses envies.

— Merci. Je te laisse, alors.

Elle tourna les talons et rentra dans la maison pour se réfugier dans sa chambre. Il ne fallait pas que Clarissa la voie dans cet état.

Quel imbécile ! Mais pourquoi n'avait-elle rien dit ? Pourquoi n'avait-*il* rien dit ? Pourquoi les choses étaient-elles si compliquées ? Quand il l'avait vue, belle comme le jour, il avait failli ramper à ses pieds. Mais cela lui ressemblait si peu. L'espace d'un instant, il avait cru apercevoir dans son regard cette tendresse, cet amour, dont il avait tant besoin. Puis elle lui avait souri, comme à n'importe quel autre invité.

Cela ne pouvait pas durer, décida-t-il en s'efforçant de faire bonne figure aux hôtes de Clarissa. Avant la fin de la journée, A.J. et lui allaient avoir une discussion. Et il faudrait bien qu'elle accepte ses conditions. Ce serait comme ça et pas autrement. Pour une fois, ce serait lui qui mènerait la danse.

L'orchestre qu'A.J. avait engagé, après en avoir auditionné une demi-douzaine, jouait en sourdine sur une estrade de bois, au fond du jardin. Les chaises étaient alignées derrière un treillage couvert de pois de senteur. La jeune femme alla tranquillement s'asseoir à sa place. Au passage, elle adressa à Alex un petit sourire d'encouragement tandis que Clarissa, rayonnante, faisait son apparition, en robe de soie vieux rose.

Tous les invités se levèrent tandis qu'elle s'avançait solennellement, les yeux rivés à ceux d'Alex. On aurait dit qu'elle ne voyait que lui, que rien d'autre au monde n'existait.

Face à face, mains jointes, ils contractèrent les liens sacrés du mariage.

La gorge nouée par l'émotion, les yeux embués de larmes, A.J. regarda sa mère jurer à Alex amour et fidélité éternels. En elle la tristesse de la perdre le disputait au désir qu'elle avait de la voir heureuse. La cérémonie terminée, elle la serra dans ses bras avec effusion.

— Je te souhaite tout le bonheur possible, maman.

— Je suis, et serai très heureuse. Et je sais que tu le seras aussi.

A.J. n'eut pas le temps de réagir que Clarissa passait dans d'autres bras. Elle-même devait s'occuper du buffet, prendre soin des invités. Tout cela allait l'occuper, la distraire de ses pensées.

— Clarissa, vous êtes resplendissante, dit David, qui avait attendu que la mariée soit moins accaparée pour s'approcher.

— Merci, David. Je suis contente que vous soyez venu. Aurora a besoin de vous.

— Vous croyez ?

Avec un soupir, Clarissa prit ses mains dans les siennes.

— Faire des projets, c'est bien joli. Mais ce qui compte, ce sont les sentiments, dit-elle calmement.

— Vous ne jouez pas franc-jeu.

— C'est ma fille, David. A plus d'un titre.

— Je le sais bien.

— Vous devriez en discuter avec elle. Aurora n'a jamais été fichue d'extérioriser ses sentiments, mais, avec les mots, elle est parfaitement à l'aise. Parlez-lui, David.

— C'était bien mon intention.

Clarissa lui tapota la main en souriant.

— Tant mieux. Je vous conseille de goûter à la tourte au saumon. J'ai réussi à extorquer la recette au traiteur. Vous verrez, elle est fantastique.

— Pas autant que vous, dit David en l'embrassant sur la joue.

A.J. naviguait d'un groupe d'invités à l'autre, s'affairait de la cuisine au buffet, une coupe de champagne à la main. Elle mangeait du bout des lèvres, et goûta à peine à la pièce montée, décorée de cygnes en sucre et de cœurs entrelacés.

— Je voulais te dire que j'avais lu le scénario de Steiger, l'informa David en regardant les couples qui dansaient sur la pelouse.

— Et alors ? Tu es intéressé ?

— Oui, mais cela ne veut pas dire que ça se fera. J'ai rendez-vous avec Steiger lundi.

— Super ! s'exclama A.J., incapable de cacher sa joie.

— Si le film se fait, ce sera en grande partie grâce à toi.

— Je serais très flattée.

Lorsqu'il lui prit le coude, elle sursauta.

— Je n'ai pas dansé la valse depuis mes treize ans, dit-il en l'entraînant au milieu des autres couples. Ma mère m'obligeait à danser avec mes cousines. A l'époque, les filles ne m'intéressaient pas. Depuis, j'ai bien changé.

Il passa un bras autour de sa taille.

— Tu es tendue, fit-il remarquer.

Elle essayait de se concentrer sur le tempo, sur ses pas et sur ceux de David, afin de se distancier de l'émotion qu'elle éprouvait à être de nouveau dans ses bras.

— Je veux que tout soit parfait pour Clarissa.

— Tu n'as plus à t'en faire pour ça. Ta mère est aux anges.

Elle dansait avec Alex et semblait effectivement nager dans le bonheur.

— C'est vrai, admit-elle en soupirant malgré elle.

— Tu as parfaitement le droit de te sentir un peu triste.

— Non, ce serait de l'égoïsme.

— Tu es trop dure avec toi-même.

Il respirait son parfum et en était troublé.

— J'ai l'impression de l'avoir perdue.

— Il n'en est rien, assura-t-il en effleurant des lèvres sa tempe. Ça va passer. Dans quelques jours, tu n'y penseras plus.

S'il continuait à lui murmurer des paroles de réconfort, à être doux et gentil, elle allait fondre en larmes.

— David, murmura-t-elle. Tu m'as manqué.

Ces mots, qui étaient un aveu de faiblesse, lui firent presque honte. Elle sentait que la couche d'orgueil qui la protégeait commençait à s'effriter dangereusement.

— Aurora.

Elle se sentit vulnérable, tout à coup. Sans défense.

— Non, ne dis rien. Je voulais juste que tu le saches.

— Il faut que nous parlions.

Elle allait acquiescer mais une annonce, au micro, lui imposa silence.

— Pour le lancer de bouquet, nous invitons toutes les femmes célibataires à se mettre en rang.

— Allez, viens, A.J., dit la fille d'Alex en la prenant par le bras. On va voir qui sera la prochaine.

Elle trouvait cette coutume un peu ridicule. Lorsqu'elles furent toutes en rang, à pouffer comme des collégiennes, elle chercha David des yeux. De sorte qu'elle ne vit pas venir le bouquet que sa mère venait de lancer. Pour ne pas le recevoir en pleine figure, elle leva les mains et le rattrapa. Cet exploit lui valut moult félicitations et taquineries.

— Serait-ce un autre signe ? dit Clarissa en l'embrassant.

— Le signe que ma mère a des yeux dans le dos et sait sacrément bien viser ! Tu devrais peut-être le garder, suggéra A.J., le nez dans le bouquet au parfum enivrant.

— Non, ça porte malheur.

— Tu vas me manquer, maman.

Clarissa embrassa sa fille de nouveau.

— Deux semaines, ça passe vite, assura-t-elle.

Quelques instants plus tard, les mariés quittaient la fête sous les poignées de riz et les acclamations des invités.

A.J. continua de jouer son rôle d'hôtesse. Puis les gens commencèrent à s'en aller et à la tombée de la nuit, l'orchestre s'apprêta à partir aussi.

— Tu dois être fatiguée, après cette longue journée ?

Elle sursauta et se tourna vers David.

— Je te croyais parti.

— J'étais dans le coin, pourtant. Tu veux un peu de café ?

A.J. sourit et essaya d'avoir l'air à l'aise.

— Il en reste ?

— Je viens d'en faire, répondit David en l'entraînant vers la maison. Où sont-ils partis pour leur lune de miel ?

— En mer. J'imagine assez mal Clarissa hissant les voiles, mais que ne ferait-on pas par amour ?

Sa voix se brisa. Elle se détourna pour cacher ses larmes. Sans un mot, David sortit un mouchoir de sa poche et s'approcha pour sécher ses joues.

— Je me sens vraiment bête, bredouilla A.J.

— Il n'y a aucun mal à ça, Aurora. Il faut juste savoir l'accepter.

Elle se moucha bruyamment, sans souci d'élégance.

— J'ai horreur de ça.

— Personne n'aime particulièrement ça. Tu as fini de pleurer ?

Elle renifla deux ou trois fois, but une gorgée de café.

— Oui, dit-elle en se séchant les yeux d'un revers de main.

— Répète-moi que je t'ai manqué.

— J'ai eu un moment de faiblesse, commença-t-elle en plongeant le nez dans sa tasse.

David la lui retira des mains.

— Arrête de te dérober et dis-moi ce que tu veux, ce que tu ressens.

— Je veux que tu reviennes.

Si seulement il pouvait parler, dire quelque chose au lieu de la regarder fixement, songea la jeune femme, mortifiée.

— Continue, je t'écoute.

— David, plaida-t-elle, tu ne me facilites pas les choses.

Il brûlait de la toucher et devait s'exhorter à la patience. Il fallait aller jusqu'au bout, coûte que coûte.

— C'est vrai, mais pour moi aussi, c'est difficile.

— D'accord, je vais essayer, dit-elle en inspirant un grand coup. David, pendant ces deux semaines, j'ai eu tout le temps de réfléchir à ta proposition. Il me semble que la vie à deux, dans les conditions que tu as décrites, serait parfaitement envisageable.

Elle négociait, encore et toujours, songea David, perplexe. Comment l'obliger à sauter le pas ?

— Moi aussi, j'y ai beaucoup réfléchi. Et j'ai changé d'avis.

Un coup de poing dans le plexus ne lui aurait pas

fait plus d'effet. Le souffle coupé, elle crut qu'elle allait s'évanouir.

— Je vois, dit-elle, plus morte que vive.

Une gorgée de café s'imposait de toute urgence, mais ses mains tremblaient tant qu'elle n'osa pas prendre sa tasse.

— Ce mariage a été formidable. Tu as fait du bon boulot, A.J.

Elle ferma les yeux, réprimant une furieuse envie de pleurer.

— Merci. C'est très gentil.

— Je me disais que tu pourrais continuer sur ta lancée.

— Oui, pourquoi pas ? Je pourrais peut-être même en faire mon métier.

— Je n'irais pas jusque-là. Mais si tu pouvais prendre en charge le nôtre, ce serait déjà pas mal.

Elle pressait ses doigts sur ses paupières. Il ne fallait pas qu'elle pleure. Pas tout de suite. Pas devant lui.

— Le nôtre ? De quoi parles-tu ?

— De notre mariage, pardi ! Tu m'écoutes ou tu rêves ?

Elle se tourna lentement vers lui. Un sourire au coin des lèvres, David la regardait avec tendresse.

— Qu'est-ce que tu racontes ?

— C'est toi qui as rattrapé le bouquet. Je suis superstitieux.

— Je ne trouve pas ça drôle, dit-elle, sur le point de le planter là.

David la rattrapa par le bras.

— Qui a dit que ça l'était ? Cela fait douze jours que je ronge mon frein tout seul dans mon coin. Que je pense à toi nuit et jour et dépéris d'amour. Chaque fois que je fais un pas vers toi, tu recules d'autant. Et tous les projets que j'avais avec toi, tu les as réduits à néant.

— Ce n'est pas en me criant dessus que tu vas arranger quoi que ce soit.

— Rien ne s'arrangera tant que tu continueras d'imaginer je ne sais quoi et que tu refuseras de m'écouter. Cette situation, je ne la voulais pas plus que toi. Ma vie me convenait très bien telle qu'elle était.

— Tout va bien, alors, puisque j'étais, moi aussi, satisfaite de la mienne.

— Nous sommes dans le pétrin, toi et moi. Parce que plus rien ne sera jamais plus comme avant.

Pourquoi avait-elle tant de mal à respirer ? La colère ne lui coupait pas le souffle, d'habitude…

— Et pourquoi, s'il te plaît ?

— Devine ? dit David avant de l'embrasser rageusement, comme s'il voulait les punir tous les deux.

Mais très vite, ses lèvres se firent douces et elle se sentit fondre entre ses bras.

— Pourquoi n'essaies-tu pas de lire dans mes pensées ? Fais-le pour moi, Aurora. Juste une fois.

Elle s'apprêtait à protester, mais il lui cloua le bec d'un baiser. Le jour déclinait et, dans le jardin, les oiseaux donnaient la sérénade au soleil couchant. Jamais elle ne s'était sentie aussi en phase avec son environnement. Son cœur caracolait dans sa poitrine. Elle était libre. Libre d'aimer, de donner et de recevoir sans craindre de souffrir en retour. Elle n'avait plus peur.

— David, murmura-t-elle en refermant ses bras autour de lui. Dis-moi que je ne rêve pas. Que je ne me trompe pas.

— La première fois que je l'ai vue, ta mère m'a dit qu'il fallait que j'apprenne la tendresse. Le premier week-end que tu as passé chez moi, je t'ai trouvée endormie sur le lit, et j'ai compris, en te regardant, ce qu'était vraiment la tendresse. J'ai découvert ce jour-là que j'étais tombé amoureux de toi. Mais je ne savais pas comment m'y prendre pour me faire aimer de toi.

— Mais je t'aimais déjà. Je ne pensais pas que…

— Tu aurais mieux fait de moins penser. Et moi aussi. A toujours vouloir se ménager l'un l'autre et se protéger soi-même, toi et moi, on a failli passer à côté de l'essentiel. L'amour, ça ne marche pas comme les affaires.

— J'avais peur de tout perdre en exigeant trop.

— Et moi de t'effrayer en t'avouant mes sentiments de but en blanc. Que de temps perdu inutilement !

— J'avais peur que tu n'arrives pas à m'accepter telle que je suis.

— Je t'aime, Aurora. J'aime la personne que tu es, j'aime ce que tu fais, j'aime ta personnalité. Que pourrais-je te dire d'autre ?

Elle ferma les yeux, en proie à une grande paix intérieure. Clarissa avait eu raison de l'encourager à espérer.

Il la tenait tout contre lui. Lorsqu'elle rouvrit les yeux, il vit dans son regard qu'elle lui avait enfin ouvert son cœur.

— Je veux partager ta vie, fonder un foyer, avoir des enfants, dit-il d'un trait. Jamais personne avant toi ne m'avait inspiré de tels sentiments.

Elle prit son visage entre ses mains et l'approcha tout près du sien.

— Et je te garantis qu'il n'y en aura jamais d'autre.

Je t'aime, David, murmura-t-elle en se noyant dans ses yeux verts.

Il la serra contre lui avec emportement.

— Que veux-tu, Aurora ? demanda-t-il dans un souffle.

— Passer ma vie avec toi. Et t'aimer encore dans l'au-delà.

CHEZ MOSAÏC POCHE

Par ordre alphabétique d'auteur

La plupart de ces titres sont disponibles en numérique.